HENRI HEINE
" ROMANTIQUE DÉFROQUÉ "
HÉRAUT DU SYMBOLISME FRANÇAIS

INSTITUT D'ÉTUDES FRANÇAISES DE YALE UNIVERSITY

HENRI HEINE

" ROMANTIQUE DÉFROQUÉ "

HÉRAUT DU SYMBOLISME FRANÇAIS

PAR

Kurt WEINBERG

YALE UNIVERSITY PRESS | PRESSES UNIVERSITAIRES
NEW HAVEN | DE FRANCE
(Connecticut) | 108, Boulevard Saint-Germain
U. S. A. | PARIS-VIᵉ

1954

A mon très cher et très vénéré maître et ami

Henri PEYRE

AVANT-PROPOS

Ce travail fut à l'origine une thèse de doctorat présentée à Yale University dans le but de préciser le rôle de Heine comme intermédiaire entre le romantisme allemand, le Parnasse et le symbolisme français. Dans l'embarras du choix où nous jette le vaste rayonnement de Heine en France, nous avons cru utile d'éviter les sentiers trop battus (1) et l'étude des influences trop évidentes (subies par Gautier, Banville, Cazalis, des Essarts), pour nous hasarder, non sans témérité, sur un terrain presque vierge. Cet essai constitue une tentative pour saisir de l'intérieur certaines affinités entre la sensibilité de Heine et celles de Baudelaire et de Mallarmé.

Ayant utilisé presque exclusivement des sources primaires, nous reconnaissons cependant notre dette envers Betz (2) et, en particulier, Edmond Duméril, dont l'excellente étude sur *Le lied allemand et ses traductions poétiques en France* (Champion, Paris, 1934) a contribué à nous confirmer dans nos vues. L'ouvrage de Schellenberg (*Heinrich Heines französische Prosawerke*, Ebering, Berlin, 1921) nous fut peu utile, en raison des nombreuses erreurs de détail dont cet auteur se rend coupable.

Nos citations en langue française proviennent des *Œuvres complètes de Henri Heine*, dont la publication fut

---

(1) Friedrich HIRTH, *Heinrich Heine und seine französischen Freunde*, Kupferberg, Mainz, 1949 ; E. M. BUTLER, Heine and the Saint-Simoniens, *Modern Language Review*, vol. XVII, janv. 1922, p. 42-49 ; PAILLERON, François Buloz et ses amis : Prosper Mérimée, Victor Cousin, Henri Heine, *RDM*, 15 septembre 1918, p. 300-328, etc.

(2) Louis Paul BETZ, *Heine in Frankreich. Eine litteraturhistorische Untersuchung*, Müller, Zürich, 1895.

entreprise par Michel Lévy, et continuée par Calmann Lévy.
La première édition française des *Œuvres*, publiée par
Eugène Renduel (1834-1835) nous fut inaccessible. Elle
consiste en 5 vol., numérotés de II à VI, le premier n'ayant
jamais paru. Nous avons comparé l'édition Lévy aux publications dans *L'Europe littéraire* et la *Revue des Deux Mondes*,
et les textes français à la version allemande dans l'édition
critique d'Elster (7 vol., Bibliogr. Institut, Leipzig u.
Wien, s. d.), et dans celle de Walzel (10 vol. et *Registerband*,
Insel-Verlag, Leipzig, 1911-1915). Les contre-sens abondent
dans les versions françaises. Celles-ci sont si mal faites
qu'on se demande comment Flaubert, les Goncourt,
Baudelaire et Mallarmé ont pu deviner sous les rudesses
du langage l'esprit d'un poète de génie.

Nous tenons à remercier tout particulièrement :

M. Henri Peyre, fin comparatiste dont les conférences
sur le symbolisme nous ont d'abord lancé dans la voie de
nos recherches. C'est grâce à ses encouragements et critiques
que nous avons pu mener à bonne fin cette étude ;

nos amis Georges May, Jacques Guicharnaud et
Kenneth Cornell dont les conseils infatigables ont permis
à ce manuscrit de prendre la forme sous laquelle il se
présente ;

MM. Erich Auerbach, Curt von Faber du Faur et
René Wellek pour une critique bienveillante qui a été fort
utile au remaniement définitif du manuscrit. Nous sommes
particulièrement reconnaissant à M. Wellek qui a bien
voulu mettre à notre disposition quelques chapitres inédits
de son manuscrit *History of Modern Literary Criticism*.

Yale University.

K. W.

CONNAISSANCE DE HEINE EN FRANCE
AU XIXe SIÈCLE

1. On peut choisir son image de Heine. Peu de critiques
ont saisi l'ambiguïté et les paradoxes de son œuvre. Plus
rares encore sont les biographes qui rendent, ou même
prétendent rendre justice à l'homme et au poète. En Allemagne, Heine devient, dès les premières publications
critiques, le sujet d'une controverse amère : sa satire politique, sociale et littéraire, ses écrits francophiles, son
origine juive provoquent des discussions qui sortent de
la littérature. Une polémique envenimée oppose nationalistes et cosmopolites, antisémites et philosémites ; elle
fausse la perspective en détournant les esprits des valeurs
universelles de sa poésie. Aussi, malgré leur profonde
érudition, les *Heineforscher* déçoivent-ils souvent par la
stérilité de leur jugement et par leur étroitesse d'esprit.
Les plus éminents, Strodtmann, Karpeles et Elster,
se contentent d'écrire, chacun à sa manière, des *vies*
anecdotiques, qui, en dépit d'une documentation écrasante, n'expliquent en rien la poésie de Heine. Souvent ils
trahissent le poète, soit pour protéger les intérêts de son
éditeur allemand, Julius Campe (comme c'est le cas de
Strodtmann), soit pour ne pas s'attirer des ennuis du côté
de la famille Heine. Ce qui est plus grave : en publiant les
œuvres de Heine, ils omettent ou mutilent parfois les textes

au nom de la « moralité » (1). Wolff, qui, en 1922, donne
un état des études sur Heine, et remplit avec autorité sa
tâche de biographe, s'indigne pourtant de son érotisme,
et s'ôte ainsi le moyen de comprendre un aspect important
de l'ironie du poète. Georg Brandes, se faisant d'abord
l'écho des premiers critiques — qui, en 1822 saluèrent en
Heine le continuateur de Byron — termine son étude sur
un ton plus original, en considérant le Heine de la dernière
période comme le digne successeur de Shelley (2). Les soucis du *Geistesgeschichtler* empêchent Strich de juger, à sa
vraie valeur, la poésie de Heine. Walzel, parmi les Allemands, a peut-être le mieux reconnu les aspects contradictoires du poète ; il découvre en lui un « nerveux », un
impressionniste, et, à beaucoup d'égards, un précurseur
de Nietzsche.

2. C'est dans la mesure où la critique universitaire
française s'efforce d'expliquer la poésie de Heine qu'elle
entre dans cette étude. Les limites de notre sujet nous
obligeront à passer sous silence des ouvrages aussi impor-
tants que celui d'Edmond Vermeil, qui « ne considère
Henri Heine qu'au point de vue de ses idées politiques

(1) C'est ainsi, par exemple, qu'on a « épuré » d'érotisme, dans toutes les
éditions antérieures à WALZEL, le fragment *Zur Teleologie* [*Matratzengruft*,
XVII]. Le précédent de WALZEL enhardit ELSTER, qui, dans son édition revue
des *Œuvres* [1924, incomplète, ne contenant que les poésies et les *Reisebilder*],
inséra la leçon intégrale, presque un demi-siècle après l'avoir mutilée, comme
l'avait fait avant lui Strodtmann.

(2) G. BRANDES, *Ludwig Börne und Heinrich Heine. Zwei litterarische
Charakterbilder*, Barsdorf, Leipzig, 1896. — Le parallèle Byron-Heine remonte,
en effet, jusqu'aux premiers comptes rendus des *Gedichte* dont le recueil parut à
Berlin, chez Maurer, au mois de décembre 1821 : *Colonia*, nº 34 du 20 mars 1822,
compare « ce jeune poète du Bas-Rhin » à Byron. Le critique anonyme couvre
Heine de louanges, mais il lui reproche une manière qui produit parfois « l'apparence d'une confusion d'esprit » : « Und zuweilen gar steigert sich dieser Schmerz
[des Dichters] zu jener Trost-und Hoffnungslosigkeit, welche die Muse der
Byronischen Poesien ist und nicht selten, was auch bei unserm Verfasser nicht
ausbleibt, zu jener Manier verleitet, die an scheinbare Sinnenverwirrung
grenzt. » — Elise von Hohenhausen, traductrice de Byron, qui recevait Heine
à ses mardis littéraires, lors de son séjour à Berlin, a contribué à sa réputation
« byronienne ».

et sociales » (1), et les travaux éminents de Lichtenberger sur *Henri Heine penseur* (2), et d'Albert Spaeth sur ce même sujet de *La pensée de Heine* (Bordas, Paris, 1947). Jules Legras a le mérite de détruire l'idée lancée par Louis P. Betz (3), qui faisait de Heine une sorte de Musset allemand. A la rhétorique « copieuse et sonore » de Musset, Legras oppose le dénuement et l'allure nerveuse du vers de Heine. Cependant, pour Legras, l'auteur du *Buch der Lieder* « conçoit le lyrisme sous la forme souverainement simple de la poésie populaire... [Heine] exprime le frisson poétique, timide et discret, de l'Allemagne sentimentale » (4). Mais Heine est trop artiste pour se contenter d'un langage rustique, et trop fin pour exprimer en symboles rudes les caprices de son rêve d'aristocrate. Legras, nous semble-t-il, n'a guère compris que Heine n'emprunte à la poésie populaire que les rythmes et certains traits mélodieux : son ironie et son érotisme douloureux, dépassant le chant populaire, parodient plutôt qu'ils ne l'imitent, la sentimentalité allemande. Il possède cette *sprezzatura* dont parle Castiglione, et qui fait qu'on accepte comme « naturels » (ou populaires) certains effets, naïfs en apparence, mais, en vérité, le résultat d'un art si raffiné qu'il est devenu comme une seconde nature. Les petits airs de l'*Intermezzo* et du *Retour* sont d'une complexité et d'une équivoque, qui rapprochent Heine curieusement de Mallarmé. Bien documentée, l'étude de Legras s'attache pourtant trop à la surface des choses. Faguet, dans un compte rendu de ce livre, fait ressortir les affinités entre Heine, chef de l'éphémère « Jeune Allemagne », et les « Jeunes-France » dont le poète aurait hérité « son ton

---

(1) Edmond VERMEIL, *Henri Heine : ses vues sur l'Allemagne et les révolutions européennes*, Editions Sociales Internationales, Paris, 1939, Préface, p. [8].

(2) Paris, 1905.

(3) Louis P. BETZ, *Heine in Frankreich*, Müller, Zürich, 1895. Louis Paul BETZ, *H. Heine und Alfred Musset*, Müller, Zürich, 1897.

(4) Jules LEGRAS, *Henri Heine poète*, Calmann Lévy, Paris, 1897, p. 380-381.

cavalier » et le goût de la mystification. Mais la critique
de Faguet se ressent du voisinage de Barrès, dont *Les
déracinés* font également, et probablement non par hasard,
le sujet d'une analyse très fine dans le même volume des
Propos littéraires. Car, reprochant à Heine d'avoir sacrifié
au culte de l'esprit français son innée naïveté d'Allemand,
Faguet s'explique en ces termes : « Songez qu'il est infiniment probable que les plus gros défauts de Henri Heine
lui sont venus de sa transplantation (1). »

Charles Andler, dans son excellent cours sur *La poésie
de Heine*, reconstitué d'après des notes par Geneviève
Bianquis, exagère peut-être l'empreinte durable qu'a pu
laisser sur l'esprit sautillant du poète un contact assez
superficiel avec la pensée de Hegel : « La poésie de Heine
est la pensée hégélienne... dans sa teneur sentimentale,
dans sa vision générale de la vie morale, dans sa conception
du rôle de l'esprit dans le monde (2). » Heine a, en effet,
subi l'influence de Hegel, dont il suivait les cours à l'univer-
sité de Berlin. Mais son esprit rebelle à toute règle, s'il en
a pu saisir intuitivement les grandes lignes, n'a jamais
entièrement pris le pli du système hégélien. Heine consi-
dérait Hegel comme « le point culminant de son époque » ;
mais, en 1845, il avoua à Ferdinand Lassalle qu'il ne com-
prenait rien à la philosophie hégélienne (3) ; en 1854, dans
les *Aveux de l'auteur*, il s'explique là-dessus avec une même

---

(1) Émile FAGUET, *Propos littéraires*, 1re série, Champion, Paris, s. d. [1911 ?],
p. 159 sqq. FAGUET se souvient sans doute du jugement porté sur HEINE par
Louis VEUILLOT qui voit en lui (et l'épithète est péjorative) « le vrai poète
parisien ». S'inquiétant de la vogue dont jouit HEINE, ce pamphlétaire catholique s'écrie : « Je ne vois partout que des petits Henri Heine... » *Les odeurs
de Paris*, Paris-Bruxelles, 1866, p. 230 sqq. et p. 242. VEUILLOT lance le
mythe d'un HEINE pangermaniste, thème repris par Charles ANDLER dans
Les origines du pangermanisme.

(2) Charles ANDLER, *La poésie de Heine*, IAC, Lyon-Paris, [1950], p. 187.

(3) « Heine gestand ein, von der Hegelschen Philosophie nichts begriffen zu
haben. » *Der Gedanke. Philosophische Zeitschrift*, hrsg. von Dr C. L. MICHELET,
Nicolai, Berlin, 1861, Band II, Heft I, p. 77. Communication de Lassalle
[« Gespräch über Hegels Sinnesänderung » dans le rapport sur la 7e séance
de la *Philosophische Gesellschaft*].

franchise : « Pour dire la vérité, j'ai rarement compris ce pauvre Hegel, et ce n'est que par des réflexions arrivées après coup que je parvins à saisir le sens de ses paroles (1). » Encore moins aurait-il mis, sans la trahir, la pensée hégélienne dans ses poésies. Artiste, il puise au gré de ses caprices dans les idées de Hegel, se joue d'elles, et les utilise surtout pour en nourrir son ironie. Faisant de Bonaparte « l'idée devenue homme », et prétendant ironiquement à sa propre divinité, le jeune Heine donne en effet une interprétation fort subjective au *Weltgeist* prenant conscience de lui-même. Dans sa dernière période, un Heine paralysé, et, selon toutes les apparences, converti à un vague déisme de teinte judaïque, se moque de son maître d'antan (2). Tout semble éloigner d'une philosophie systématique ce poète foncièrement impressionniste, qui ne croit, au fond, qu'à la transposition en images plastiques de l'idée et de la sensation attrapées au vol. Cependant, ce qu'il a pu entrevoir de l'esthétique de Hegel a néanmoins profondément marqué son œuvre.

Après Meissner et Heine l'ami intime de la « Mouche », de la mystérieuse Kamilla von Krinitz — qui, sous le pseudonyme de Camille Selden, nous a laissé un compte rendu saisissant des *Derniers jours de Henri Heine* (Paris, 1884) — Taine est peut-être le premier universitaire à reconnaître l'affinité qui existe entre Baudelaire, les Goncourt, Swinburne, Flaubert, Leopardi et Heine. Dans une lettre à Paul Bourget, datée de Menthon-Saint-Bernard, le 24 novembre 1881, il fait ces rèmarques perspicaces : « A mon sens, les *artistes* qu'il faudrait ranger à côté de Baudelaire, sont d'abord les Goncourt, puis Swinburne, puis plus loin, à cause de leur style très sain, Flaubert, Henri Heine et Léopardi (3). »

(1) HEINE, *De l'Allemagne*, vol. II, p. 292.
(2) *Ibid.*, p. 295 sqq.
(3) *H. Taine, sa vie et sa correspondance*, Librairie Hachette & Cᵗᵉ, Paris, 1907, t. IV, p. 137.

Les journalistes, les littérateurs et les poètes devancent, par leurs rapprochements hardis, les découvertes de la critique universitaire. Les critiques de la presse, pour la plupart superficiels, ne manquent souvent pas de flair ; leurs intuitions, si vagues et hasardées qu'elles paraissent, les mettent parfois sur la bonne piste. C'est ainsi que, le 5 septembre 1867, au moment où la mort de Ponsard, éclipsant le deuil de Baudelaire, laisse inconsolables les académiciens et les universitaires, Charles Joliet ajoute dans le *Charivari* le nom de Baudelaire à « la liste du calendrier sinistre de la femme noire dont les martyrs s'appellent Donizetti, Henri Heine, Proudhon » (1). On s'étonne de ne point trouver, dans cette énumération, le nom d'un poète bien plus proche de Baudelaire et de Heine que ne le furent le compositeur médiocre et l'utopiste social, à savoir, le nom de Gérard de Nerval.

Hennequin, dans ses *Écrivains francisés* (2), se conformant au goût de l'époque, discute seulement deux poètes étrangers, Henri Heine et Poë ; le reste de l'ouvrage est consacré aux romanciers (Dickens, Tourguénef, Dostoïevski et Tolstoï). Choix de poètes qui n'a rien de surprenant ; car, depuis Baudelaire, l'élite intellectuelle reconnaît ce qu'elle doit et à Heine et à Poë, deux esprits si éloignés par leur tempérament et par la tonalité de leur œuvre, mais dont le rayonnement presque simultané a beaucoup contribué à changer le climat de la poésie française.

3. Cependant, Heine poète se révèle tard au public français amateur de poésie. Dès 1832, Loève-Veimars présente aux lecteurs de la *Revue des Deux Mondes* l'auteur de la *Harzreise* ; mais sa traduction, outre qu'elle trahit

---

(1) Raoul BESANÇON, *La mort de M. Baudelaire, littérateur français* ; *Revue de Presse* (avril 1866-septembre 1867), III, *Revue palladienne*, avril-mai 1949, nº 7, p. 368.

(2) Émile HENNEQUIN, *Écrivains francisés*, Perrin & Cⁱᵉ, Paris, 1889, p. 57-88 (Heine). Réimpression d'un article paru dans la *Revue libérale* du 10 octobre 1884.

le texte par des coupures inautorisées et par de nombreux contre-sens, donne à peine une idée de cette prose poétique de Heine, qui, si souvent prend l'allure du petit poème en prose. Les recueils des poésies de Heine ne paraissent en français qu'à partir de 1847 (1) ; Louis Reynaud n'a donc point tort quand il souligne qu'elles ne furent guère appréciées en France avant 1848 (2). Car, hormis Quinet, Cousin, Marmier, Nodier [?], Taillandier, de Blaze, Gobineau, de Lagrange, Nerval, et quelques autres, les littérateurs romantiques ne savaient pas lire l'allemand. Gautier, à en croire Caroline Jaubert, « vraiment imbu des poésies et de l'esprit de l'illustre écrivain » (3), a dû les connaître indirectement ; soit par l'intermède de Nerval, soit au contact direct du poète, pendant les étés de Montmorency, où l'auteur des *Émaux et Camées*, Heine et Alphonse Royer « vivaient [en 1845 et en 1847] chacun maritalement avec une beauté de leur choix » (4).

4. Un article anonyme d'un auteur allemand, paru dans *Le Globe*, du 10 février 1830 (5), répand cette réputation

(1) Heine poète, comme jadis Heine prosateur, se présente d'abord aux lecteurs de la *RDM*. Voici la chronologie de ses poésies en traduction française :

Numéro du 15 mars 1847 : *Atta Troll*, traduit probablement par GRENIER.

Numéro du 15 juillet 1848 : *La Mer du Nord*, traduit par Gérard DE NERVAL.

Numéro du 15 septembre 1848 : *Intermezzo*, traduit par Gérard DE NERVAL.

Numéro du 15 octobre 1851 : *Romancero, poésies inédites*. Traduction anonyme (par Saint-René TAILLANDIER ?).

Numéro du 15 juillet 1854 : *Le retour. Poésies de jeunesse*.

Numéro du 1er novembre 1854 : *Le livre de Lazare*.

Numéro du 15 septembre 1855 : *Nouveau printemps*. Ces trois recueils furent probablement aussi traduits par Saint-René TAILLANDIER. Telle est, au moins, la supposition de Betz.

Numéro du 15 janvier 1870 : *Poésies et pensées posthumes*. Des extraits de STRODTMANN, *Letzte Gedichte und Gedanken*.

Sous forme de volume parurent, dans le cadre des *Œuvres complètes*, chez Lévy : en 1855, *Poëmes et légendes*, et, en 1885, *Poésies inédites*.

(2) Louis REYNAUD, *L'influence allemande en France au XVIIIe et au XIXe siècles*, Hachette, Paris, 1922, p. 199.

(3) Caroline JAUBERT, *Souvenirs*, etc., Hetzel, Paris, 1879, p. 303. Cf. : SAINTE-BEUVE, *Nouveaux lundis*, t. VI, Michel Lévy frères, Paris, 1866, p. 331,

(4) Alexandre WEILL, *Souvenirs intimes de Henri Heine*, Dentu, Paris. 1883, p. 35-36.

(5) Probablement de la plume de Wolfgang Menzel.

d'un satanisme sentimental, sensuel et frivole, qui s'accrochera désormais en France au nom de Heine, et dont on trouvera encore les traces dans les pages finales de l'*Étude sur l'Écclésiaste* par Renan (Paris, 1882). En 1848, Nerval, d'ailleurs à tort, entreprendra le premier de la détruire.

Passant en revue Platen, Immermann, Hoffmann et Hauff, le critique anonyme du *Globe* termine son article en consacrant à Heine cette notice assez peu élogieuse :

> Quant à M. Heine, il a publié trois petits volumes de *Reisebilder*, où il règne un certain satanisme, moitié sentimental, moitié sensuel, moitié [*sic*] politique, qui n'est pas dépourvu d'originalité ; et comme M. Heine dit tout ce qui lui passe par la tête avec une effronterie admirable, qu'il ne manque ni d'esprit ni d'expérience du monde, et qu'il n'épargne pas les personnalités, son livre est certainement fort amusant, remarquable même. Heine est encore jeune, mais son genre est de ceux qui s'épuisent vite et je ne sais trop ce qu'il fera après (1).

Un an plus tard, à la Pentecôte de 1831, *Le Globe* se montre bien plus aimable à l'adresse de Heine, qui, à peine arrivé à Paris (le 19 mai) se présente à la rédaction de l'organe du libéralisme romantique en France (21 mai). Dans son numéro du 22 mai 1831 (n° 142, p. 4), *Le Globe* entonne, en effet, l'éloge du « célèbre auteur allemand, Dr Heine » :

> C'est un de ces hommes jeunes et courageux qui, défendant la cause du progrès, ne craignent pas de s'exposer aux inimitiés des camarillas et des nobles. M. Heine, plein de verve et de franchise, a consacré sa plume à la défense des intérêts populaires en Allemagne, sans se renfermer toutefois dans une étroite nationalité. Ses *Reisebilder* et ses écrits sur les malheurs récents des provinces rhénanes qui l'ont vu naître, et sur l'Histoire de France [*sic*], lui ont acquis une très grande réputation (2).

---

(1) Cf. Heinrich Heine, *Briefe*², éd. Fr. Hirth, Kupferberg, Mainz, [1951], vol. IV, p. 229. Pour l'effet fait par cet article sur Heine, voir sa lettre à Varnhagen, datée de Hambourg, le 27 février 1830.
(2) *Briefe*, vol. IV, p. 260.

Heine possède à un haut degré le sens de la publicité. Il fréquente les salles de rédaction, les salons à la mode, tels ceux de Bohain, de la princesse Belgiojoso, de La Fayette, de Mignet et de Thiers. Il se lie d'une amitié peu durable avec Victor Hugo, auquel il présentera en 1835 un traducteur allemand (Wolf) (1). Presque dès son arrivée à Paris, il s'associe avec Chevalier et le « père » Enfantin, chefs des saint-simoniens. Parmi ses amis, il compte Michelet, Édouard de Lagrange (qui, en 1833, traduit en prose poétique certains poèmes de *La mer du Nord*) (2), Marmier (qu'il engage à écrire des articles élogieux et à traduire ses poésies), Renduel (éditeur de la première version des *Œuvres*), Bocage et George Sand. Il ne néglige rien pour se faire une réputation. Ayant assisté au naufrage de l'*Amphritite*, il envoie, le 5 septembre 1833, au rédacteur du *Temps* un compte rendu poignant de témoin oculaire (3). Il écrit à tout hasard à Jules Janin, à Théodore Toussenel (traducteur de Hoffmann) et à Vigny. A Philarète Chasles, il envoie une notice autobiographique, pleine d'effronterie et de mensonges, où il se rajeunit de trois ans, et où, faisant valoir de fausses prétentions à la noblesse de sang, il munit le nom de sa mère d'une particule aristocratique (4). On soupçonne même que, toujours dans un but de publicité, il ait poussé le brave Edgar Quinet, à l'attaquer violemment dans la *Revue Universelle* de Bruxelles. Quinet l'accuse, en effet, avec lourdeur, d'anéantir par son immoralité ironique, et par un mélange de corruption et de candeur, le beau rêve millénaire de l'Allemagne. Mais Quinet reconnaît aussi avec finesse en Heine le poète de la modernité, qui cache « l'amertume et la lie de nos temps sous l'expression et le miel des époques primitives : le siècle

(1) *Briefe*, vol. II, p. 75. Lettre à Victor Hugo, du 2 avril 1835.
(2) *Ibid.*, p. 32-33. Dix de ces traductions parurent en 1835 dans *La France littéraire*, t. XXI, p. 341-356.
(3) *Briefe*, vol. II, p. 47.
(4) *Ibid.*, p. 69 sqq. Lettre à Chasles du 15 janvier 1835.

de Byron sous le siècle de Hans de [*sic*] Sachs » (1). Ailleurs,
envisageant l'art « sous le point de vue politique », il
reproche à Heine, de se jouer « avec une étourderie toute
française, des convictions et de la candeur défaillante de
son pays ». Il en veut surtout à l'auteur des *Reisebilder*
et de l'*Intermezzo*, parce que :

> Patriotisme, spiritualisme, christianisme, quelque chose qu'il
> touche, sa qualité de juif, donne à sa moquerie plus de venin ;
> et c'est avec un rire folâtre et des grâces enfantines qu'il empoi-
> sonne, autant qu'il peut, la coupe où boit encore le vieux siècle
> qui se meurt (2).

Sous cette indignation (qui quelques dizaines d'années
plus tard aurait paru ridicule) se cache pourtant une rare
perspicacité politique. Quinet avait, en effet, un pressentiment très juste de la catastrophe que préparera à l'Europe
une Allemagne soudainement arrachée à son « rêve d'idéalisme ». Il se trompait pourtant sur le compte de Heine,
dont le désenchantement lui semblait ouvrir l'époque politique de l'Allemagne, le réveil d'un colosse qui menacerait
un jour d'écraser la civilisation occidentale. Or, les prophéties de Quinet le rapprochent, malgré lui, des vues du
poète allemand. Car, en dépit de tout ce qui les sépare,
Quinet et Heine sont, entre 1832 et 1834, à peu près les
seuls à prédire les inhumanités qui accompagneront une
« révolution allemande ». Ils prévoient le crépuscule des
valeurs culturelles et humanitaires, qui s'écrouleront sous
l'assaut titanique d'une Allemagne émancipée. Quinet
craint que le pangermanisme, une fois surgi, n'abolisse
le beau songe transcendantal de la philosophie allemande.
Heine, au contraire, conçoit l'idéalisme de Kant, de Fichte

---

(1) E. Quinet, Henri Heine, *Revue universelle*, Bruxelles, 1833, 2ᵉ année,
t. VI, p. 219-229.
(2) E. Quinet, De l'Avenir de l'art : de l'art en Allemagne, *RDM*, 1832,
t. VI, p. 512-513. Un autre article de Quinet, entièrement consacré à Heine,
paraîtra dans la *RDM* du 14 février 1834, p. 353-369, sous le titre de : *Poëtes
allemands. I. Henri Heine*.

et de Schelling, comme une force subversive, préparant sur le plan de la pensée une révolution nationale, qui tendra un jour à la conquête de l'Europe par une Allemagne dont l'unique aspiration sera l'hégémonie :

Alors apparaîtront des kantistes qui ne voudront pas plus entendre parler de piété dans le monde des faits que dans celui des idées, et bouleverseront sans miséricorde, avec la hache et le glaive, le sol de notre vie européenne pour en extirper les dernières racines du passé. Viendront sur la même scène des fichtéens armés, dont le fanatisme de volonté ne pourra être maîtrisé ni par la crainte ni par l'intérêt ; car ils vivent dans l'esprit et méprisent la matière, pareils aux premiers chrétiens qu'on ne put dompter ni par les supplices corporels ni par les jouissances terrestres... Mais les plus effrayants de tous seraient les philosophes de la nature, qui interviendraient par l'action dans une révolution allemande et s'identifieraient eux-mêmes avec l'œuvre de destruction... Le philosophe de la nature sera terrible en ce qu'il se met en communication avec les pouvoirs originels de la terre, qu'il conjure les forces cachées de la tradition, qu'il peut évoquer celles de tout le panthéisme germanique et qu'il éveille en lui cette ardeur de combat que nous trouvons chez les anciens Allemands, et qui veut combattre, non pour détruire, ni même pour vaincre, mais seulement pour combattre... Ne riez point du poëte fantasque qui attend dans le monde des faits la même révolution qui s'est opérée dans le domaine de l'esprit. La pensée précède l'action comme l'éclair le tonnerre. Le tonnerre en Allemagne est bien à la vérité allemand aussi : il n'est pas très-leste, et vient en roulant un peu lentement ; mais il viendra, et quand vous entendrez un craquement comme jamais craquement ne s'est fait encore entendre dans l'histoire du monde, sachez que le tonnerre allemand aura enfin touché le but... On exécutera en Allemagne un drame auprès duquel la révolution française ne sera qu'une innocente idylle... Vous [Français] avez plus à craindre de l'Allemagne délivrée, que de la Sainte-Alliance tout entière avec tous les Croates et les Cosaques (1).

Conception terrifiante qui anticipe certaines pages de Nietzsche. La lucidité de ce texte est autrement angoissante

---

(1) Heine, *De l'Allemagne*, vol. I, p. 180-183. Ce texte fut d'abord publié dans la *RDM* du 15 décembre 1834.

que les vagues avertissements sentimentaux d'un Quinet.
Car Heine détruit impitoyablement l'illusion créée par
Mme de Staël, d'une Allemagne paisible, foyer de la justice,
vraie patrie du rêve et de la pensée désintéressée. Quinet,
par contre, est hanté par l'Allemagne de Mme de Staël ;
il aimerait y croire comme on croit à une belle illusion
dont notre intelligence nous révèle cependant l'irréalité.
Sa pensée nostalgique tourne autour du passé allemand,
dont la forme, pour lui idéale, s'écroule irrévocablement
sous les coups du scepticisme, de la mondanité « voltairienne » d'un Heine et d'une « foule de poëtes sans nom ».
Suffisamment proches des « philosophes » français et de Sade,
Quinet devine les liens qui unissent le libertinage et la
passion de la liberté. C'est le chaos et l'anarchie morale
qu'il appréhende, et qui, à ce qu'il craint, étoufferont dans
l'étreinte des ambitions politiques toute poésie naïve et
sentimentale. « Toute préoccupée du présent, cette école
[de Heine] n'a plus aucun des désintéressements de celles
qui l'ont précédée, elle est avide de réforme et de bruit
politique autour d'elle (1). » Rien n'est plus vrai que cette
caractéristique brève et concise de la *Jeune Allemagne.*
Une critique de ce genre ne contrarie point Heine, qui
souligne à tout instant son amour du progrès et son rôle
de peintre de la vie moderne. Par sa gaucherie même, qui
semble placer Quinet parmi les défenseurs du passé, cet
article met en relief le côté révolutionnaire de Heine, à un
moment où le poète se plaît dans la pose du tribun libéral.
Ses rapports avec Quinet restent cordiaux ; une lettre
du 17 décembre 1833, par laquelle Heine réclame de
Quinet le renvoi d'un volume de Rosenkranz, en fournit
un éloquent témoignage (2). Paradoxalement, c'est le
poète allemand qui découvre aux Français les desseins
des « teutomanes », tandis que Quinet, fils désillusionné

(1) E. Quinet, *op. cit.*, p. 513.
(2) *Briefe*, vol. II, p. 52.

de la Révolution française, se tourne avec nostalgie vers ce même passé germanique, où les gallophobes allemands puisent leur haine de la France.

Voulant surtout établir la position que prendront envers Heine certains romanciers, poètes et essayistes de la seconde moitié du XIXᵉ siècle, nous laisserons de côté les nombreux articles, produits d'un journalisme plus ou moins suspect, qui parurent dans la grande presse et les magazines. Dans la *Revue des Deux Mondes*, où furent publiées en traduction française la plupart des poésies de Heine, Quinet développera à nouveau ses idées en 1834, dans le premier d'une série d'articles sur la poésie allemande : *Poètes allemands. I. Henri Heine* (1). Marmier, en 1840, réunit les noms de Heine, Jean-Paul et Novalis dans une *Revue littéraire de l'Allemagne* (2), pour revenir, en 1841, à la polémique de Heine contre Boerne (publiée après la mort de celui-ci) (3). Taillandier, comme Marmier un des traducteurs autorisés et anonymes de Heine, parle de lui, de Lenau, Zedlitz et Freiligrath dans un *État de la poésie en Allemagne* (4) (1843), puis, en 1844, passe en revue la *Jeune Allemagne* et les hégéliens de gauche (5), discute à nouveau, en 1845, *La littérature politique en Allemagne* et *Les poésies nouvelles de M. Henri Heine* (6). D'une longueur exceptionnelle (35 pages), qui s'explique surtout par le nombre des poèmes traduits et insérés dans le texte de Taillandier, cet article met en question les mérites de Heine tribun, soulignant le dilettantisme d'un poète trop fantaisiste pour être sérieux en matière de politique. Le 15 juillet et le 15 septembre 1848, paraissent dans la *Revue des Deux Mondes* (sans nom de traducteur) les adaptations par Nerval de *La mer du Nord* et de l'*Intermezzo*, précédées chacune

---

(1) *RDM* du 14 février 1834, p. 353-369.
(2) *RDM* du 1ᵉʳ mars 1840, p. 712-727.
(3) *RDM* du 15 octobre 1841, p. 635-640.
(4) *RDM* du 1ᵉʳ novembre 1843, p. 434-465.
(5) *RDM* du 15 mars 1844, p. 995-1040.
(6) *RDM* du 15 janvier 1845, p. 297-332.

d'une fort belle étude sur lesquelles nous aurons l'occasion
de revenir. Taillandier reparlera de Heine en 1850 dans
*La littérature en Allemagne depuis la Révolution de Février :
les philosophes et les poètes* (1), avant de lui consacrer une
étude approfondie qui paraîtra (avec le portrait de Heine
par Ch. Gleyre) dans le numéro du 1er avril 1852 de la
Revue des Deux Mondes. Un dernier article de Taillandier (1863) sera une sorte de mise au point sur les débuts
de Heine, poète humoriste, et ses échecs dans le domaine
du *Schicksalsdrama*, du drame fatal (2). Après paraîtra,
en 1871, une étude comparatiste de E. Caro, sur les deux
Allemagnes de Mme de Staël et de Heine (3). Enfin, en 1884,
Montégut donnera sa fine analyse psychologique de la
poésie de Heine, où il suggère que ce fut le poète allemand
qui insuffla aux chefs des saint-simoniens « cette religiosité
panthéistique, ce brio thaumaturgique et cette virtuosité
de prédicans qui distinguèrent un instant quelques-uns
d'entre eux » (4). C'est Montégut qui, sans rapprocher de
Heine le nom de Baudelaire, indique l'affinité qui existe
entre l'érotisme stérile du poète allemand et la conception
de la femme-œuvre d'art, telle que, ressortant des *Fleurs
du Mal*, elle pénétrera un peu plus tard toute la poésie
symboliste : « ... ce n'était pas à la femme que s'adressait
son amour, mais à la beauté dont elle était revêtue, beauté
qui était une manifestation de l'essence divine même.
Ce n'était donc pas libertinage que d'aimer ainsi, c'était
pur acte de religion (5). » Ce point de vue, bien qu'il nous
paraisse exagéré, va cependant au fond d'un problème que
nous traiterons en détail dans le cadre de cet ouvrage (6).

Pour étudier les attitudes changeantes de Sainte-Beuve
vis-à-vis de Heine, il faut revenir aux années de 1830. Déjà

(1) *RDM* du 15 avril 1850, p. 287-304.
(2) *RDM* du 15 avril 1853, p. 368-391.
(3) *RDM* du 1er novembre 1871, p. 5-20.
(4) *RDM* du 15 mai 1884, p. 262.
(5) *RDM ibid.*, p. 274-275.
(6) *Infra*, IIe Partie, chap. sur « La femme ».

en 1832, Sainte-Beuve qui, plus tard, pendant une tren-
taine d'années, gardera un silence hostile sur Heine, parle
de lui d'une façon bien plus élogieuse. Ne connaissant alors
que le prosateur polémique, il le compte, avec Menzel et
Boerne, parmi les « courageux champions de la presse »
qui « inoculent vivement à l'Allemagne les idées pratiques
de bon sens et de liberté » (1). Dans *Le National* du
24 juin 1833, analysant longuement le *Népenthès* de Loève-
Veimars, il complimente cet auteur-traducteur de « donner
la main à Heine ». Un petit détail lui échappe : c'est que
Loève-Veimars publie dans son recueil, sous le titre de
Morceaux imités [sic] *de Heine*, avec un sans-gêne remarquable et sans altération aucune, ses propres traductions
d'extraits des *Reisebilder* (2). Plus averti que Sainte-Beuve,
le critique de la *Revue de Paris* (t. LI, p. 124) reconnaît
au moins dans le personnage du tambour Legrand une
création de Heine : « Ici au nom de M. Loève-Veimars
s'unit celui de M. Henri Heine, qui paie notre hospitalité
en épigrammes. » Sainte-Beuve ne tarde point à naturaliser,
dans son exil volontaire, le poète : « M. Heine », écrit-il
le 8 août 1833, dans un compte rendu du livre *De la France*,
« n'était pas connu chez nous avant la Révolution de
Juillet, et aujourd'hui il est tout à fait naturalisé ; il est des
nôtres autant que le spirituel Grimm l'a jamais été » (3).
Dans son seul article entièrement consacré à Heine, Sainte-
Beuve défend la satire politique et religieuse du poète
allemand ; satire dépassée en France, explique-t-il, mais
une arme puissante dans l'Allemagne, pays retardataire :
« M. Heine est beaucoup plus railleur qu'il ne convient

---

(1) SAINTE-BEUVE, L. Boerne. Lettres écrites de Paris pendant les
années 1830 et 1831, traduites par M. GUIRAN. Compte rendu du 12 mars 1832,
réimprimé dans les *Premiers lundis*, Paris, Calmann-Lévy, 1894, vol. II, p. 64.

(2) Traductions publiées dans la *RDM* : le 15 juin 1832, t. VI, p. 605-634 :
Excursion au Blocksberg et dans les montagnes du Hartz ; le 15 septembre 1832,
t. VII, p. 592-622 : Histoire du Tambour Legrand ; le 15 décembre 1832,
t. VIII, p. 703-733 : Les Bains de Lucques. — Sur Loève-Veimars plagiaire, voir
Maxime DU CAMP, *Souvenirs littéraires*, Hachette, Paris, 1882, vol. I, p. 398.

(3) *Premiers lundis*, vol. II, édition citée, p. 250.

à notre indifférence acquise ou à notre religiosité renais-
sante... Pour tout dire, M. Heine sera davantage encore à
notre niveau de Français quand il aura un peu moins
d'esprit (1). » Mais l'esprit de Heine n'est pas l'esprit de
tout le monde ; c'est « plutôt celui d'un poëte » :

> Il [Heine] n'a pas seulement de ces traits inattendus, saisis-
> sants, courts, de ces rapports neufs et piquants qu'un mot
> exprime et enfonce dans la mémoire ; il a, à un haut degré, l'ima-
> gination de l'esprit, le don des comparaisons singulières, frap-
> pantes, mais prolongées, mille gerbes, à tout instant, de rémi-
> niscences colorées, d'analogies brillantes et de symboles (2).

Cette magie et ces richesses fantaisistes, ces fusées qui
montent dans l'air à chaque instant, ces divagations, ces
métaphores brillamment prolongées conviennent au poète ;
elles embarrassent pourtant sa prose. « Au milieu de ses
qualités françaises, M. Heine est au fond poëte et poëte de
son pays. » Aussi Sainte-Beuve regrette-t-il de ne pouvoir
l'apprécier dignement par ce côté. Il ne connaît que « par
ouï-dire » ses poèmes lyriques ; mais les quelques extraits des
Reisebilder, parus dans la *Revue des Deux Mondes*, « annoncent
une nature mobile, impressive, mordante, se piquant d'être
légère, d'une ironie souvent factice, d'un enthousiasme parfois réel, quelque chose de M. de Stendhal, mais avec plus de
pittoresque, et, malgré tout, de spiritualisme » (3). L'article
se termine sur une réflexion esthétique ; Sainte-Beuve est
le premier à citer un passage du *Salon de 1831*, qui,
dans la suite, ne manquera pas de fasciner l'auteur des
Curiosités esthétiques. Heine s'y déclare surnaturaliste en
matière d'art : ne trouvant point dans la nature tous ses
types, l'artiste se penche sur lui-même, découvrant dans
sa vie intérieure une source de révélation artistique. Son
âme lui fournit les formes les plus pures, qui, surgissant

---

(1) *Ibid.*, p. 252.
(2) *Ibid.*, p. 252-253.
(3) *Ibid.*, p. 253-254.

avec spontanéité, sont « comme la symbolique innée d'idées innées » (1). Une esthétique néoplatonicienne de ce genre, prenant son essor dans l'œuvre de Diderot, mais se ressentant aussi de l'idéalisme de Fichte, annonce pour la poésie française un nouveau climat, qui sera celui de Baudelaire, de Mallarmé, de Verlaine, de Rimbaud et, vers la fin du XIXe siècle, celui d'un nombre de *poetae minores*. Déjà en 1765, Diderot observe que l'architecture « n'a point de modèle subsistant sous le ciel », et que c'est à elle que « les deux arts imitateurs de la nature doivent leur origine et leur progrès » (2). Cette même idée sert à Heine comme un point de départ, d'où il se lance en des réflexions, familières aux romantiques allemands, mais inconnues à ses contemporains français (3). Pour Sainte-Beuve, comme pour Diderot, une œuvre d'art n'est tirée ni de « l'observation directe de l'objet », ni de « la réflexion modifiée de cet objet au sein du miroir intérieur ; c'est une troisième image créée » (et non, comme chez Heine, « innée »), « qui n'était tout à fait ni la copie de la nature, ni la traduction aux yeux de l'impression insaisissable, mais qui avait d'autant plus de prix et de vérité, qu'elle participait davantage de l'une et de l'autre » (4). Baudelaire, comme il faut s'y attendre, approfondit bien davantage le contraste art-nature, et saisit directement la pensée de Heine : Rien n'est beau en soi ; dans la nature, le beau, le trivial, le fade n'existent qu'au contact créateur de l'artiste qui, ordonnant le chaos, écarte le hasard, et donne leur sens aux choses. Le génie de l'artiste devient alors un principe de raisonnement intuitif ; « sautant les déductions inter-

(1) HEINE, *De la France*, p. 349.

(2) DIDEROT, *Essai sur la peinture*, VI, *Œuvres*, Pléiade, p. 1191. POMMIER se réfère au même texte ; *Dans les chemins de Baudelaire*, p. 280-281.

(3) Jean THOREL a déjà entrevu certains liens qui unissent les symbolistes français au romantisme allemand : « Le groupe des romantiques allemands... [avait] autant de droit [au terme de symbolisme] que nos symbolistes les plus récents. » Dans *Entretiens politiques et littéraires*, septembre 1891 : Les Romantiques allemands et les symbolistes français.

(4) SAINTE-BEUVE, *loc. cit.*, p. 258.

médiaires », son esprit s'ouvre, par divination, sur une vision immédiate de la beauté, en deçà de la nature ; celle-ci ne lui fournit que les « symboles » de son rêve.

5. Dans un chapitre ultérieur, nous reviendrons en détail sur certains rapports curieux qui s'établissent entre l'esthétique de Heine et celle de Baudelaire. Ils ont en commun leur aristocratisme, l'ironie souvent féroce, le mépris de tout ce qui n'est pas art, le goût du vers mélodieux qui se dissout en musique et approche de la prose : mais tout cela Baudelaire aurait pu le trouver également chez Poë. Avec Heine tout seul, pourtant, il partage cette admiration mêlée d'un mépris sadique, que tous deux portent à la femme, transfigurée en œuvre d'art par le jeu de ses artifices.

L'attitude de Baudelaire envers Heine est sujette à des variations : il se sent à la fois attiré et repoussé par Heine, à mesure qu'il découvre ses affinités avec lui, et qu'il comprend tout ce qui sépare de son propre tempérament ce païen, libertin sans remords. Il l'accuse d'irréligion et d'un « sentimentalisme matérialiste » (1) ; mais lorsque Jules Janin fulmine des imprécations (2) contre Heine (mort alors depuis neuf ans), opposant aux jeunes poètes « maladifs » la « poésie saine » d'un Horace, Baudelaire, qui se croit visé, s'identifie presque entièrement avec l'auteur du *Livre de Lazare*. Contre la sottise joviale, il défend une poésie d'angoisse et de souffrances, et lance comme un défi au critique suffisant : « ... notre pauvre France n'a que fort peu de poëtes et... pas un seul à opposer à Henri Heine » (3).

Il faut placer, entre les attaques de Quinet et de Janin, un article de Maxime Du Camp, qui déprécie les

---

(1) *Œuvres*, Pléiade, vol. II, p. 420.
(2) Henri Heine et la jeunesse des poëtes ; publié sous le pseudonyme d'ÉRASTE, dans *L'indépendance belge* du 11 février 1865.
(3) *Œuvres*, Pléiade, vol. II, p. 605.

frères Schlegel comme des réactionnaires, accuse Gœthe d'« égoïsme », et reproche à Heine son « nihilisme » et la nullité de ses idées sociales. Flaubert signale à Bouilhet, dans une lettre du 20 septembre 1855, cette étrange effusion socialiste, publiée dans la *Revue de Paris* ; dix jours plus tard, il revient à la charge, ridiculisant la *Revue* parce qu'elle condamne toute œuvre littéraire dépouillée d'idées morales, et navigue « vers le vieux socialisme de 1833, national pur. Haine de l'Art pour l'Art, déclamation contre la Forme. Du Camp tonnait l'autre jour contre H. Heine et surtout les Schlegel, ces pères du romantisme qu'il appelait réactionnaires *(sic)* ». Flaubert ajoute, ironiquement : « Or, nous n'avons plus besoin de fantaisies. A bas les rêveurs ! A l'œuvre ! Fabriquons la régénération sociale ! (1) »

En 1863, Sainte-Beuve, louant *Une larme du diable* comme une des productions les plus poétiques de Gautier, parle à nouveau de Heine, qu'il nomme avec Gœthe parmi ces esprits hardis auxquels on pardonne l'irrévérence qu'on interdit aux poètes français. « Nous avons besoin en France que certaines liqueurs nous arrivent ainsi transvasées ; sans quoi, elles sont trop fortes et font éclater le flacon (2). » Un incident rapporté par les Goncourt reflète l'animosité que Sainte-Beuve ressent alors encore à l'égard de Heine, et qui semble prêter à ses mots un sens plutôt péjoratif :

23 février [1863]. — ... Sur le nom de Henri Heine, prononcé par Tourguéneff, comme nous affirmons très haut notre admiration pour le poète allemand, Sainte-Beuve, qui dit l'avoir beaucoup connu, s'écrie que c'était un misérable, un coquin, puis sur le *tolle* général de la table, se tait, se dissimulant derrière ses deux mains qu'il garde sur son visage, tout le temps que dure l'éloge (3).

(1) G. FLAUBERT, *Correspondance*, nouvelle édition augmentée, Louis Conard, Paris, 1927, 4ᵉ série, p. 95.
(2) SAINTE-BEUVE, *Nouveaux lundis*, t. VI, Michel Lévy frères, Paris, 1866, p. 288.
(3) *Journal des Goncourt*, vol. II, 8ᵉ mille, Charpentier, Paris, 1891, p. 95-96

Toutefois, ces racontars des Goncourt sont très sujets à caution et souvent peu exacts. Quatre ans plus tard, répondant à Berthoud, qui édite en 1867 la *Correspondance* de Heine, Sainte-Beuve explique que ses rapports avec l'auteur des *Reisebilder* « n'avaient jamais été que fortuits ». Il laisse entrevoir que certaine raillerie sur le « héraut » de Victor Hugo (1) l'avait froissé au point d'effacer l'effet d'une heureuse comparaison que Heine avait faite jadis entre Joseph Delorme et Hoelty. Quelque peu apaisé, le Sainte-Beuve de 1867 fait allusion à la vogue universelle dont jouit, en France, le poète allemand ; le critique exprime à la fois un vague regret de n'avoir pas suffisamment lu Heine : « ... c'était un charmant, parfois divin et souvent diabolique esprit. Il est fort à la mode en ce moment chez nous... Nous nous devrons de le mieux connaître » (2).

Le *Journal* des Goncourt, véritable baromètre littéraire, enregistre le flux de cette popularité. Dans ces pages abondent les anecdotes sur Heine ; vers la fin du siècle, elles envahissent les magazines symbolistes, et en particulier la *Revue Indépendante*, la *Revue Blanche*, la *Plume*, la *Revue Bleue*. Comme Hennequin, Edmond de Goncourt ne manque point de rapprocher les noms de Poë et de Heine ; le 15 mai 1881, il avoue, non sans amertume : « Je suis un auteur d'une tout autre école, et cependant les auteurs que je préfère parmi les modernes : ce sont Henri Heine et Poë. Nous tous, je *nous* trouve commis

---

(1) En 1837, Heine prétend que l'égoïsme de Victor Hugo lui fait perdre tous ses amis : « Sainte-Beuve lui-même n'a pu y résister ; Sainte-Beuve le blâme aujourd'hui, lui qui fut jadis le héraut le plus fidèle de sa gloire. Comme en Afrique, quand le roi du Darfour sort en public, un panégyriste va criant devant lui de sa voix la plus éclatante : « Voici venir le buffle, véritable des-« cendant du buffle, le taureau des taureaux ; tous les autres sont des bœufs : « celui-ci est le seul véritable buffle ! » ainsi Sainte-Beuve, chaque fois que Victor Hugo se présentait au public avec un nouvel ouvrage, courait jadis devant lui, embouchait la trompette et célébrait le buffle de la poésie. Ce temps n'est plus. Sainte-Beuve vante aujourd'hui les veaux ordinaires et les vaches distinguées de la littérature française. » *De la France*, p. 296.

(2) Sainte-Beuve, *Premiers lundis*, vol. II, p. 258-259.

voyageurs, à côté de ces deux imaginations (1). » Six ans auparavant, Edmond de Goncourt avait déjà précisé quelles nouvelles sensations lui procurait la lecture de ces deux poètes étrangers dont il semble deviner l'importance pour les lettres françaises :

Vendredi 17 juillet [1875]. — Si mon âme à plat éprouve le besoin d'une petite excitation poétique, c'est chez Henri Heine que je la trouve ; si mon esprit ennuyé du terre à terre de la vie, a besoin d'une distraction dans le surnaturel, dans le fantastique, c'est chez Poë que je la trouve.

Et ce nationaliste exaspéré d'ajouter : « Ça m'embête tout de même, de n'être exalté ou *surnaturalisé* que par des étrangers (2). »

Infiniment plus cosmopolite, et suivant l'exemple de Hennequin, Mallarmé n'hésite point à assigner la France comme pays d'adoption à Heine et Poë. Mallarmé juxtapose leurs noms en comparant leur œuvre à celle de Banville, pour laquelle il éprouva, jusqu'à la fin de ses jours, une étrange admiration. « Qui des modernes, à côté ou comparable ; » demande-t-il, « selon un temps ne voulant aucunement en finir avec notre art éternel et vieux comme la vie, mais le dégager, en toute pureté, ainsi qu'une vocalise à mille éclats ? » Interrogation oratoire, à laquelle il répond aussitôt : « Je nomme Heine, sa lecture préférée, si autre ! et un, que les lettrés d'ici revendiquent autant, Poë, en de certains airs cristallins, brefs et jeunes (3). » Un lyrisme dépouillé de déclamation, une lucidité ironique, qui, derrière les multiples voiles d'une savante ambiguïté, laisse vaguement percevoir le Verbe à nu, lié par la simplicité d'un vers musical au mystère de la nature : telles sont les affinités secrètes que Mallarmé entrevoit dans

---

(1) *Journal des Goncourt*, t. VI, 7e mille, Charpentier, Paris, 1913, p. 145.
(2) *Ibid.*, t. V, 2e mille, Charpentier, Paris, 1891, p. 213-214.
(3) Stéphane MALLARMÉ, *Œuvres complètes*, Pléiade, Paris, 1951, p. 522-523, Médaillons et Portraits, Théodore de Banville (1892).

l'art de ces magiciens du mot, dont le sortilège « évapore
et renoue » dans une vision supérieure l'essence de « naturels
paysages ».

Ce n'est pas, par l'étincellement de la gaîté... ni par l'ironie,
dardée souveraine ; bien d'après la nécessité d'un rôle vierge et
jusque maintenant inconnu, que l'auteur... représente, à travers
les somptuosités, les ingénuités et les piétés, l'être de joie et de
pierreries, qui brille, domine, effleure (1).

Banville, profondément marqué par son amour de
Heine, croit reconnaître en lui, « après Hugo, le plus grand
poète de ce siècle ». A la première lecture de l'*Intermezzo*,
il lui « sembla qu'un voile se déchirait » devant ses yeux (2).
Au lycée, la génération de Mallarmé avait « lu et relu »
Heine (3) ; en même temps, les premières traductions que
Baudelaire donnait alors de Poë enivrèrent ces jeunes
enthousiastes de la poésie (4). Catulle Mendès, dans la
prison que lui valut son *Roman d'une nuit*, traduisit *Ratcliff*,
tragédie que Heine avait composée à l'âge de 25 ans ;
sa traduction, supérieure à celle des *Œuvres complètes*,
paraîtra dans la *Revue française* du 1er décembre 1863,
puis sombrera dans l'oubli. Dans l'*Avant-propos*, Mendès
annonce également une traduction d'*Almansor*, l'autre
tragédie de Heine, publiée, dans l'édition originale (1823),
dans le même volume que *Ratcliff*, et séparée de cet ouvrage
par les pages de l'*Intermezzo*. Une vague note de Poë se
mêle à l'éloge que Mendès fait de ces deux pièces de jeunesse :
« Le lecteur va connaître ces deux poèmes, farouches,
gracieux, désespérés, bouffons, toujours excessifs, où se
font entendre à la fois des croassements de corbeau famé-
lique et des roucoulements de colombe pâmée (5) » ! Dierx,

---

(1) *Ibid.*, p. 523.
(2) Théodore DE BANVILLE, *Mes souvenirs*, Paris, 1882, p. 439.
(3) Henri MONDOR, *Vie de Mallarmé*, N. R. F., Paris, 1941, p. 23.
(4) Les *Histoires extraordinaires* parurent en 1856, an de la mort de Heine ;
les *Nouvelles histoires extraordinaires*, en 1857 ; les *Aventures d'Arthur Gordon
Pym*, en 1858 ; etc.
(5) Louis P. BETZ, *op. cit.*, p. 216-217.

Verlaine, Charles Cros, parmi tant d'autres jeunes Parnassiens, écoutent, dans les chants de Heine, les accents d'une poésie moderne, qui se détourne de ce Moyen Age factice, auquel un romantisme d'orientation historique avait voué un culte excessif, sentimental et pompeux. De 1848 à 1868, explique Duméril (1), la renommée de Heine n'avait fait que croître tandis que se multipliaient les adaptations en vers de l'*Intermezzo* : « En 1863, 1865 et 1868, sont publiées les traductions de Heine par Claveau, Perrot de Cezelles, Mérat et Valade et par le Suisse Paul Gautier. Cette période si féconde est dominée par les deux meilleures imitations de l'*Intermezzo*, l'une romantique, de Ristelhuber, l'autre, parnassienne, de Mérat et Valade (2). » Sur la vogue de Heine en France, vers cette époque, Duméril se prononce en ces termes : « Heine seul, grâce à l'amitié des principaux écrivains de la capitale, grâce à la diffusion de la *Revue des Deux Mondes* et à ses éditions françaises, a pu atteindre [de tous les poètes allemands de lieds] la véritable popularité (3). » Parmi les nombreux imitateurs de l'*Intermezzo*, Anatole France isole François Coppée, dont « *Arrière-saison* forme comme les *Élégies* de Parny ou l'*Intermezzo* de Heine, une sorte de roman d'amour très simple et d'autant plus intéressant » (4). Plus tard, André Gide essaiera en vain d'imiter, dans les *Poésies d'André Walter*, certains accents de Heine ; il manquera à ses vers les rythmes aériens et la musique des poèmes du poète allemand.

---

(1) Edmond DUMÉRIL, *Le lied allemand et ses traductions poétiques en France*, Champion, Paris, 1934, p. 363.
(2) *Ibid.*, p. 217-218.
(3) *Ibid.*, p. 363.
(4) Anatole FRANCE, *La vie littéraire*, Lévy, Paris, 1924, vol. I, p. 162. L'adaptation en vers de l'*Intermezzo* par Paul RISTELHUBER parut chez Poulet-Malassis, en 1857, l'année même de la publication chez le même éditeur, des *Fleurs du mal*. Coïncidence curieuse. Il est également significatif que l'éditeur des Parnassiens Alphonse Lemerre, publie en 1890 de nouvelles traductions de l'*Intermezzo* et du *Retour*, et en 1894, la traduction par DANIAUX du *Nouveau printemps*.

Gobineau, à peine âgé de 30 ans, avait retrouvé dans
le *Wintermärchen* « la verve rabelaisienne, l'âcreté sar-
castique de Luther... plus que dans aucune œuvre
moderne » (1). Quarante ans plus tard, Barbey d'Aurevilly
reconnaîtra en Heine « un fils de Rabelais et de Luther,
qui, les larmes aux yeux, marie la bouffonnerie de ces
deux immenses bouffons [*sic*] à une sentimentalité aussi
grande que celle de Lamartine ». Ennemi de Gœthe,
Barbey d'Aurevilly considère Heine comme « le poète
moderne par excellence, l'*excellence du mal* de ce temps.
Absence de conviction ; tout caprice ! » (2). N'empêche
qu'il voit en Heine « certainement le plus grand poète
que l'Europe ait vu depuis la mort de lord Byron, Lamartine
excepté » (3).

6. La vogue de Heine décroît en France, au début
du xxᵉ siècle. Entre autres raisons, l'Affaire Dreyfus fausse
les perspectives (déjà en 1884, Paul Bourget, ne voyant
plus en Heine que la sensibilité juive, cesse de le considérer
comme un poète allemand naturalisé) (4) ; on s'intéresse
bientôt davantage à Novalis et à Hölderlin ; en outre,
l'œuvre de Nietzsche, excellemment traduite par H. Albert,
éclipse celle du poète lyrique. Le 1ᵉʳ décembre 1901, Charles
Maurras attaque Heine d'une façon assez oblique dans la
Gazette de France ; condamnant l'ironie dans sa poésie,
comme dans celles de Byron et de Musset — (tout en nous
rassurant qu'il accepte quand même l'ironie comme un
procédé de prose) — Maurras lance quelques flèches
empoisonnées dans la direction du *Juif déraciné*. A cette
poésie « morbide », Maurras oppose, à l'instar de Jules

---

(1) *Études critiques (1844-1848)*, Simon Kra, Paris [1927], p. 111.
(2) Barbey d'Aurevilly, *XIXᵉ siècle*, 2ᵉ série, *Les hommes et les œuvres :
les poètes*, Lemerre, Paris, 1889, p. 117.
(3) *Ibid.*, p. 122.
(4) Paul Bourget, *Pages de critique et de doctrine*, I, Plon, Paris, 1912,
p. 231-242.

Janin, les « sains » ouvrages d'Horace et de La Fontaine (1).
Mais en 1901 encore, défendant l'auteur de l'*Intermezzo*
et des *Reisebilder* contre les vitupérations de Drumont
et de Veuillot, Edmond Pilon peut parler avec ardeur
de « la passion de Heine » (2). Au début de l'année suivante,
répondant à l'enquête de *L'ermitage*, il n'y aura pourtant
plus que Louis Mercier (3) et Stuart Merrill (4) qui comptent
Heine parmi leurs poètes favoris. En novembre 1902,
Maurice Barrès (5) nomme Heine avec Gœthe et (non
sans réserves) avec Nietzsche parmi les « grands Allemands »
qui « ont eu besoin de se soumettre à l'influence française ».
A la même occasion, Henry Gauthier-Villars (Willy) (6)
accuse Heine d'avoir parlé avec un pareil dédain de ses
compatriotes et des Français. Gide (7) avoue que « ce que
Gœthe, Heine, Schopenhauer, Nietzsche [lui] ont appris
de meilleur, c'est peut-être leur admiration pour la France ».

Il y aurait encore beaucoup à dire sur les pages émou-
vantes (mais aussi trop générales) dont Gautier fait précéder
la seconde édition française des *Reisebilder*, sur l'amitié
que témoignaient à Heine des musiciens comme Berlioz
et Chopin, des historiens comme Thiers et Mignet, et des
romanciers comme Dumas, Sue, George Sand et surtout
Balzac, qui, reconnaissant en Heine un médiateur culturel
entre l'Allemagne et la France, lui dédie *Un prince de la
Bohême* (1839-1845) (8). Le silence hostile d'un Victor
Hugo, d'un Lamartine et d'un Chateaubriand mériterait

(1) *Barbarie et poésie*, Champion, Paris, 1925, p. 336-352.
(2) *La plume*, etc., nº 304 *bis*, du 15 décembre 1901, p. 1034-1036.
(3) *L'ermitage*, 13ᵉ année, nº 2, février 1902, p. 122-123.
(4) *Ibid.*, 13ᵉ année, nº 3, mars 1902, p. 179.
(5) *Enquête sur l'influence allemande*, Mercure de France, XI, 1902, p. 301.
(6) *Ibid.*, p. 333.
(7) *Ibid.*, p. 535.
(8) *Œuvres complètes* de BALZAC, Lévy, Paris, 1870, vol. XI, p. 21-54.
Voici la dédicace à Heine : « A *Henri Heine*. Mon cher Heine, à vous cette
étude, à vous qui représentez à Paris l'esprit et la poésie de l'Allemagne, comme
en Allemagne vous représentez la vive et spirituelle critique française ; à vous,
qui savez mieux que personne ce qu'il peut y avoir ici de critique, de plaisanterie, d'amour et de vérité. »

aussi quelques explications que nous proposons de donner dans une étude ultérieure.

7. En somme, depuis 1832, l'ironie douloureuse de Heine répand sur la France son rayonnement clair-obscur. Les romantiques, à quelques rares exceptions près, ne découvrent que l'éclat de sa prose poétique, à la fois limpide, rêveuse et pleine de fantaisie. Parnassiens et symbolistes sont peut-être les premiers à connaître son œuvre poétique. Ils admirent le « dolorisme » résigné de l'artiste mûr, partagent le mépris de l'auteur d'*Atta Troll* pour tout ce qui n'est que poésie de « tendance », et rapprochent le climat des premières poésies de celui qu'ils découvrent dans l'œuvre poétique de Poë. Ils surprennent chez Heine, le secret d'un lyrisme dénudé de tout pathos déclamatoire, une poésie pure, proche de la musique, où se coulent, avec spontanéité, les images, le frisson des sensations intimes, un érotisme nerveux et angoissant, et un ambigu voilé de simplicité. Bien plus que les poésies de Tieck, Uhland, Lenau et Novalis (à peine connu en France avant le XXe siècle), les *lieder* de Heine ont laissé leur empreinte sur le lyrisme français. De Gautier à Baudelaire, de Banville à Laforgue, d'Apollinaire et Valéry à Paul Éluard, les échos de ses thèmes et de ses mélodies retentissent dans le vers français. Car, au fond, Heine ne fut jamais, en France, qu'un poète de poètes, le patrimoine d'une élite intellectuelle, qui, dans sa quête d'un nouvel art poétique, trouve dans les flots de son chant, agités par le mystère de l'amour-destruction, une rare source de renouvellement. Hormis très peu de Gœthe, beaucoup de Nietzsche et de Heine, les intellectuels français du XIXe siècle n'ont presque pas lu leurs contemporains allemands. Ils ignoraient la critique des Schlegel et des Grimm, de Görres et Schelling, la poésie de Hölderlin et Mörike, la prose de Stifter, Kleist et Büchner. Ils ne connurent jamais le vrai romantisme allemand. Si le livre

tendancieux de Mme de Staël leur permit d'en entrevoir
certains aspects, ce ne fut pourtant que par l'intermède
de Heine que l'esthétique du romantisme allemand — bien
sûr, déformée par l'ironie — commença à agir tardivement
sur l'art, non des romantiques français, mais de Baudelaire
et des symbolistes.

PREMIÈRE PARTIE

LA POÉSIE, LE RÊVE
ET LA MALADIE

Chapitre Premier

POUR UNE DÉFINITION DE LA POÉSIE

> Tout être est une transaction entre
> des contraires.
>
> Henri-Frédéric Amiel.

1. A la tête de ses contemporains, Louis Boerne s'était indigné, avec la sévérité puritaine du révolutionnaire, contre un certain flottement dans les opinions de Heine. Il condamne et appelle dédaigneusement « un talent, pas un caractère » celui qu'il est incapable d'attirer dans son camp : le poète pour lequel, dans le domaine universel des idées, le libéralisme n'est qu'un sujet, qu'un thème littéraire, parmi tant d'autres d'où il tire son inspiration. On a souvent opposé, par la suite, Heine l'intellectuel à Heine le poète, sans trop voir à quel point l'originalité de son œuvre résulte de ce perpétuel dédoublement psychologique que l'artiste entretient savamment, car il y reconnaît le secret même de sa puissance créatrice. En lui, un magicien évoque des images et des sentiments, auxquels aussitôt l'observateur impitoyable, sosie ironique qui se tient toujours à l'arrière-plan de sa pensée, tend un miroir déformant. Le jet de ses sensations jaillit, en effet, d'une imagination capricieuse, qui, constamment aux prises avec son jugement aigu, les provoque souvent par un dérèglement voulu des nerfs, poussant dangereusement le rêve jusqu'au bord de la folie. A ce point, l'ironie intervient et l'arrête, avant que l'esprit ne sombre dans les ténèbres. Ce jeu non sans péril, étrangement moderne, qui rappelle la « disponibilité » de Gide, ne pouvait évidemment qu'aga-

cer et mystifier les contemporains, qui ne voyaient en cela
qu'un manque de sincérité.

Ces états d'âme factices, créés sciemment dans un but
littéraire, et calculés avec froideur, mais néanmoins profondément sentis, isolent Heine de son contexte romantique,
et, par leur qualité de « paradis artificiels » le rapprochent
d'une tout autre génération. La définition que le jeune
Mallarmé donne du poète lui sied à merveille : il n'est qu'un
« instrument qui résonne sous les doigts des diverses
sensations » (1). Excitant ses nerfs jusqu'à ce qu'il éprouve
ces rares sentiments que sa froide nature lui refuse, il sait
savourer en tout, longtemps avant Jules Laforgue, « le
charme de la décadence » (2) et répéter dans ses vers,
plus aériens que ceux de Baudelaire, les « confessions
horribles chuchotées au confessional du cœur ».

Une certaine affinité morale permet à Gérard de Nerval
de comprendre, mieux que nul autre, cette attente perpétuelle de l'émotion, qui, une fois étreinte, se dissout aussitôt
en mille petits reflets, images brisées d'images, dont le
miroitement se traduit en poésie. Nerval pénètre avec
finesse ce déchirement qui forme le dilemme de l'homme
moderne : « C'est l'homme des contraires », dit-il de Heine
dans son introduction à *La mer du Nord*, « et cela sans
effort, sans parti pris, par le fait d'une nature panthéiste
qui éprouve toutes les émotions et perçoit toutes les
images... Jamais Protée n'a pris plus de formes... » (3).
Cette qualité protéenne permet à Heine d'ouvrir son âme
à toute la gamme des émotions humaines et de représenter,
avec la conviction de l'acteur tragique, successivement
toutes les passions. Un frisson universel traverse cette âme

---

(1) Lettre à Henri Cazalis, datée de Tournon, janvier 1865 ; dans Stéphane
MALLARMÉ, *Propos sur la poésie*, recueillis et présentés par Henri MONDOR,
Éditions du Rocher, Monaco, 1946, p. 48.
(2) LAFORGUE, *Mélanges posthumes*, Mercure de France, 1903, p. 111.
(3) *RDM*, t. XXIII, 1848, p. 225. Réimprimé comme *Notice du traducteur*
qui précède *La mer du Nord*, dans HEINE, *Poëmes et légendes*, Michel Lévy
frères, Paris, 1855, p. 119.

qui se veut pur filtre de la poésie. C'est ainsi que les mélodies jusqu'alors inouïes, les illuminations soudaines, envahissent un esprit qui reste étranger aux sentiments qu'il accueille plutôt qu'il ne les éprouve. Quelque chose de semblable se passe en lui sur le plan de la pensée. Heine intellectuel réserve un accueil hospitalier à toutes les idées qui lui passent par la tête ; si contradictoires qu'elles soient, il les traite toujours avec une même conviction, une même verve, et dans un même esprit, mélange d'enthousiasme et d'ironie. L'ironie seule mise à part, T. S. Eliot observe chez Poë, la même tournure d'esprit qu'il s'explique, en simplifiant les choses, par un manque de maturité. Selon lui, « Poë semble s'abandonner complètement à l'idée du moment : le résultat est que toutes ses idées paraissent être sujet de divertissement plutôt que de foi » (1). La confiance que le poète romantique apporte à ses propres intuitions, si fantaisistes et si passagères qu'elles soient, nous paraît cependant justifiée, à condition qu'il réussisse à en faire de la poésie. Le reste appartient à la vie de l'artiste, qui est une chose ; l'art en est une tout autre : il ne peut pas se passer de l'artifice. Ce paradoxe des idées et des sensations intimes, qui, naissant de l'artifice et sortant toutes vives d'une imagination riche, peuvent fort bien se passer de toute expérience vécue, cette dualité de l'homme et du poète, Heine y insiste avec véhémence :

Il n'y a qu'une chose qui puisse me blesser, et de la manière la plus douloureuse, c'est qu'on veuille expliquer l'esprit de mes poésies par l'histoire (vous savez ce que ce mot signifie) de leur auteur. J'ai été mortellement offensé en lisant hier une lettre où quelqu'un de ma connaissance, au moyen de petites histoires ramassées çà et là, voulait reconstruire toute ma nature poétique, et laissait tomber ces expressions odieuses : « impressions de la vie, position politique, religion, etc. » Ces choses-là, dites publiquement, m'auraient complètement révolté, et je suis cordia-

---

(1) T. S. ELIOT, *From Poe to Valéry*, Harcourt, New York, 1949. La traduction de ce texte a paru en français dans *La table ronde*, n° 12, décembre 1948 ; nous citons la version française de M. Henri FLUCHÈRE.

lement satisfait que rien de semblable n'ait eu lieu. Quelque
facile qu'il soit de tirer de l'histoire d'un poëte le commentaire
de ses œuvres, de prouver que souvent, en effet, la position politique, la religion, des haines privées, des préjugés et circonstances de toute sorte ont agi sur sa poésie, ce sont là des choses
dont on ne doit point faire mention, surtout du vivant de l'écrivain. On déflore en quelque sorte la poésie, on lui arrache son
voile mystérieux en démontrant la réalité de toutes ces influences ;
et si cette exégèse raffinée est fausse, c'est la poésie elle-même que
l'on défigure. Et combien l'appareil extérieur de notre destinée
est-il souvent peu d'accord avec notre véritable histoire intime !
Pour ce qui me concerne, du moins, il ne le fut jamais (1).

Peut-être faut-il chercher dans les contradictions mêmes
de son œuvre l'unité d'un génie qui, refusant de se figer, et
s'adonnant toujours entièrement à l'impression du moment,
présente au lecteur ses nombreux masques. Moins pour
se dissimuler que pour se trouver, et pour frapper l'esprit
par l'infinie variété de l'expérience humaine. Encore faut-il
accorder très peu d'importance aux sujets mêmes que
traite le poète : ce ne sont pour lui que des prétextes, les
matériaux dans lesquels il taille son rêve idéal :

> Der Stoff gewinnt erst seinen Wert
> Durch künstlerische Gestaltung (2).

Ce qui prend, dans son œuvre, l'apparence d'une réalité
poignante — tels l'amour, les convictions politiques, les
ambitions, la satire sociale et religieuse — ce n'est presque
jamais qu'une vision de la vie. Rêvée comme si elle était
vécue, elle sert de symbole à la pensée du poète, que ce soit
dans le *Zeitgedicht*, l'épopée, le poème lyrique, la tragédie,
le *Reisebild*, le conte, la critique ou le feuilleton-reportage.
« Au fond, peu importe l'objet que je décris ; partout est
le monde du bon Dieu, et tout est digne d'observation ;

---

(1) *Correspondance inédite*, 1ʳᵉ série, Michel Lévy frères, Paris, 1867,
p. 73-74. Lettre à Immermann, du 10 juin 1823.
(2) *Schöpfungslieder*, VI [*Neue Gedichte*] : « La matière ne prend tout son
prix que par la forme artistique. »

et ce que je ne vois pas dans les choses, je le leur prête [das sehe ich hinein] (1). »

2. Le monde se subordonne ainsi à une vérité intime, toujours changeante, que le poète porte en lui, et qui, par la magie de la parole, anime les choses d'une vie suspendue à mi-chemin entre le réel et le rêve. Cette plénitude débordante de l'imagination créatrice, autrement dit, le don du voyant, est pour Heine, fils du romantisme allemand, la qualité qui distingue le vrai poète du poète-artiste, doué uniquement « du sens exquis des formes et de l'harmonie » (2). Pour Heine, ce don du voyant exclut toute attitude de détachement, telle qu'il la reproche (à tort, et dans un but purement polémique) au vieux Gœthe, représentant d'un idéal néo-classique de l'art pour l'art. Dans le « panthéisme » de Gœthe, Heine croit reconnaître une indifférence vis-à-vis de toute hiérarchie des valeurs, et, en dernière analyse, un profond mépris de l'humanité : « Si Dieu est dans tout, il est absolument indifférent de s'occuper d'une chose ou d'une autre, de nuages ou de pierres antiques, de chansons populaires ou de carcasses de singes, d'hommes ou de comédiens (3). » Le vrai poète, tel que le conçoit Heine, trace les grandes lignes de l'histoire ; ses prophéties construisent l'avenir : créateur, il projette devant lui, et en avant de son siècle, les destinées de l'humanité ; sa parole est le grain qui n'attend que le moment propice pour éclore. Mais le poète qui ne fait que métier d'artiste peut seulement créer une forme stérile de la beauté : « Les poésies de Gœthe ne produisent pas l'action comme celles de Schiller. L'action est fille de la parole, et les belles paroles de Gœthe ne créent pas d'enfants.

---

(1) *Correspondance inédite*, éd. cit., 1ʳᵉ série, p. 313. Lettre à F. Merckel, datée de Lunebourg, le 6 octobre 1826.
(2) Heine, *De l'Allemagne*, nouv. éd., Calmann-Lévy, Paris, 1891, vol. II, p. 165.
(3) *Ibid.*, vol. I, p. 235.

C'est là la condamnation (1) de tout ce qui est né seulement de l'art (2). »

Si injuste que Heine se montre à l'égard du vieux maître, la distinction qu'il propose entre l'artiste pur et simple, et le poète visionnaire, créateur d'action, est essentielle puisque — si éloignée qu'elle soit de l'esthétique de Gautier, Flaubert et Baudelaire — elle exprime un aspect important du *credo* complexe et si contradictoire de l'homme moderne. Le poète qui n'est qu'artiste s'arrête aux apparences des choses ; le vrai poète perce jusqu'au mystère caché. L'un se tourne vers le passé pour y découvrir l'idéal d'une beauté classique, ou se désespère de la futilité de tout effort révolutionnaire ; l'autre annonce l'avenir dont sa parole est la semence : il se place parmi les militants d'un progrès qu'il craint autant qu'il le sait inévitable.

Ich bin das Schwert, ich bin die Flamme.
Ich habe euch erleuchtet in der Dunkelheit, und als die
Schlacht begann, focht ich voran, in der ersten Reihe... (3)

Si le poète se retourne vers le passé, c'est pour écouter dans les rythmes des âges primitifs le pouls éternel de l'humanité.

Le panthéisme conduit à l'indifférence le poète-artiste ; au poète-voyant, à l'homme moderne, il révèle, au contraire, sa participation intime à ce souffle divin qui traverse la nature et toute l'histoire de l'homme : « ... le sentiment de sa divinité excitera l'homme à la révéler, et c'est de ce moment que les véritables hauts faits et le véritable héroïsme viendront glorifier cette terre » (4).

Par ce raisonnement ingénieux, qui porte l'empreinte de la pensée de Fichte, le cœur du poète devient « le point

(1) La version allemande donne *Fluch* = malédiction.
(2) *Ibid.*, vol. I, p. 236.
(3) Hymnus, *Letzte Gedichte* : « Je suis le glaive, je suis la flamme. Je vous ai éclairés dans les ténèbres, et lorsque commença la bataille, je combattis à la tête, dans le premier rang... »
(4) Heine, *De l'Allemagne*, vol. I, p. 83.

central du monde » (1). Seul, l'esprit prosaïque refuse de
s'immoler dans l'idée, essayant de se conserver intacte
à l'écart de ce grand souffle divin qui est celui de l'histoire.
« Il... a bien fallu de nos jours se sentir douloureusement
déchirer. » Mais ce déchirement byronien, raffiné par l'esthétique des Schlegel et de Schelling, n'est autre qu'une
crise de conscience du poète, qui veut être une force agis-
sante sur l'histoire, et l'interprète de la vie moderne. Pour
les néo-classiques un moyen d'échapper aux problèmes
sociaux de leur temps, la poésie s'orientera, avec Heine,
vers l'avenir, tout en éclairant les angoisses du présent.
A cette indifférence égoïste et sereine qu'il reproche à
Gœthe, Heine oppose sa propre inquiétude librement
consentie : son cœur partagé par « la grande déchirure du
monde » est pour lui le signe de ce « que les grands dieux
[l'] ont favorisé de préférence à beaucoup d'autres, et
qu'ils [l'] ont jugé digne du martyre de poëte » (2). Car le
vrai poète se voit condamné à expier en bouc-émissaire
les péchés de l'humanité ; comme Atlas, il porte tout le
poids d'un univers tragique :

> Ich unglücksel'ger Atlas ! eine Welt,
> Die ganze Welt der Schmerzen, muss ich tragen,
> Ich trage Unerträgliches, und brechen
> Will mir das Herz im Leibe (3).

Mais ce destin douloureux du poète n'est autre que
l'ouvrage de sa propre volonté. « Ma devise fut toujours :
aut Cæsar, aut nihil (4) », s'était pompeusement écrié
l'adolescent ; l'homme réaffirme avec fermeté son *amor fati*.
Encore en 1847, déjà marqué des signes précurseurs de

---

(1) HEINE, *Reisebilder*, Calmann-Lévy, Paris, 1895, vol. II, p. 139.
(2) HEINE, *ibid.*, *loc. cit.*
(3) *Die Heimkehr* [*Le Retour*], XXIV : « Malheureux Atlas ! un monde,
le monde entier des douleurs, je dois le porter ; je porte un poids insupportable,
et le cœur se brise dans mon corps. »
(4) *Briefe*, vol. I, p. 6. Lettre à Chr. Sethe, datée de Hambourg,
le 27 octobre 1816.

cette paralysie qui le clouera, pendant huit ans sur son
« grabat », Heine réitère et transmet sa leçon spirituelle
aux jeunes :

> Wir wagen, wir werben ! besteigen als Erben
> Des alten Darius Bett und Thron.
> O süsses Verderben ! o blühendes Sterben !
> Berauschter Triumphtod zu Babylon ! (1)

Pour Heine, l'histoire des grands hommes est comme
une légende de martyrs. Eussent-ils même le bonheur de
vivre sans ennemis, ils n'en trouveraient pas moins en
eux-mêmes l'ennemi qui prépare leur ruine (2). Tout
penseur, isolé dans son siècle, subit le sort du Christ ; et
dans le destin de Spinoza, Heine trouve le symbole de son
propre « martyre » de poète bouc-émissaire : « Partout où
un grand esprit proclame ses pensées, se retrouve le
Golgotha (3). » Le vrai poète s'immole dans l'idée : « Je
me passionne pour l'idée jusqu'au sacrifice, et... quelque
chose me pousse invinciblement à m'abîmer en elle (4). »
« Je souffre pour le salut de tout le genre humain, j'expie
ses péchés, mais j'en jouis aussi (5). » Sous l'équivoque
libertine de la boutade se dissimule le concept du poète-
victime expiatoire, déchiré par les grands conflits de son
temps, mais qui tire de sa condition des jouissances raffinées.
Cette ambiguïté permet aussi à Heine d'approfondir,
plutôt que de les aplanir, ses contradictions intérieures.
C'est de ses paradoxes mêmes qu'il tire la richesse de son
œuvre. « Toutes choses ne nous sont connues que par leurs
contraires », explique à Immermann le jeune poète (6).

---

(1) An die Jungen, *Romanzero*, II, *Lamentationen* : « Nous osons, nous
briguons. Comme ses héritiers nous montons dans le lit et sur le trône du vieux
Darius. O doux anéantissement ! ô mort en fleurs. Bacchanale d'une mort
triomphale à Babylone. »

(2) Heine, *De l'Allemagne*, vol. I, p. 109.

(3) *Ibid.*, vol. I, p. 73.

(4) *Correspondance inédite*, éd. cit., 1re série, p. 227.

(5) Heine, *Reisebilder*, vol. II, p. 18.

(6) *Correspondance inédite*, 1re série, p. 70. Lettre datée de Lunebourg,
le 10 juin 1823.

En lui s'opposent le visionnaire et le satirique ; l'enfant
et l'homme policé ; le chantre orphique et le feuilletoniste ;
le magicien, cet évocateur poétique des « esprits élémentaires », et le militant du progrès ; le romantisme et la
« Jeune Allemagne » ; le prophète qui devance son siècle
et le journaliste qui sert les intérêts du jour. Dans ses chants,
les vestiges des âges primitifs et les rythmes populaires
rejoignent des sentiments et des idées où vibre une sensibilité toute moderne. La nostalgie de l'enfance se mêle,
dans son œuvre, à la décadence de l'homme du monde ;
la civilisation et la poésie se disputent son cœur. Il est
saisi d'un vertige de névrosé : sa poésie tournoie éperdument
autour des pôles de l'enthousiasme et de l'ironie, du rêve
idéal et de la sensualité, de l'amour courtois et du mépris
de la femme. L'enthousiaste qui cherche l'anéantissement
dans l'idée se dédouble d'un libertin, d'un jouisseur en
puissance, désireux d'éprouver toutes les voluptés :

J'ai compris la jouissance de la vie, et j'y ai pris plaisir, et
c'est précisément là qu'est en moi la grande lutte entre ma raison
claire et saine, qui approuve la jouissance et repousse comme
folie tout enthousiasme désintéressé, et mon penchant fanatique
[*schwärmerisch*, se traduirait mieux par « enthousiaste »] qui
m'entraîne avec lui dans son éternel empire, ou plutôt m'y fait
monter ; car c'est encore une grande question de savoir si le
fanatique [*Schwärmer*, mieux : « enthousiaste »] qui abandonne
sa vie pour l'idée, n'est pas plus heureux et ne vit pas davantage
en un instant que M. de Gœthe dans sa longue vie égoïste et
facile [*sic !*] de soixante-seize ans (1).

Le pèlerinage à Weimar, où, le 2 octobre 1824, Gœthe
reçut le jeune poète — alors étudiant en droit — compte
parmi les grandes déceptions de Heine. Il y vint en admi-
rateur, en disciple, prêt à recevoir des mains du maître le
sacre du poète, mais il s'en retourna désillusionné, scanda-

---

(1) *Ibid.*, 1ʳᵉ série, p. 227-228. Lettre à Moser, datée de Goettingue, le
1ᵉʳ juillet 1825. « Voilà précisément le conflit en moi, » écrit-il à R. Christiani,
« c'est que ma raison se trouve constamment aux prises avec mon penchant
inné pour l'enthousiasme ». *Briefe*, vol. I, p. 210. Gœttingue, le 26 mai 1825.

lisé par le « sens pratique » et l' « égoïsme » du grand homme.
L'entrevue se déroula dans une atmosphère d'embarras.
Dès le début, le jeune poète avait réussi à froisser Gœthe,
en lui révélant avec fierté son projet d'écrire, lui aussi,
son *Faust*. Cette déclaration maladroite jeta tout de suite
un froid glacial dans les rapports entre les deux poètes.
Le grand-prêtre ès lettres eut un mouvement de recul
devant ce blanc-bec arrogant et se renferma dans le
mutisme. Ce qui porta Heine à soupçonner sous le masque
impassible de l'Olympien un vieillard aigri et vaniteux,
plein de méfiance, et défendant avec jalousie ses autels
contre tout assaut possible de la part des jeunes titans
irrévérencieux. « Gœthe avait peur de tout écrivain original
un peu résolu », dira-t-il huit ans plus tard, « il louait et ne
prisait que les petits esprits insignifiants ; il poussa même
les choses si loin, qu'être loué par Gœthe équivalait à un
brevet de médiocrité » (1). La blessure est durable ; le
30 octobre 1827, Heine écrit à Varnhagen : « Wolfgang
Gœthe peut continuer à violer le droit public des esprits ;
il ne peut empêcher que son grand nom ne soit souvent,
un jour, nommé avec celui de Henri Heine (2). » Deux ans
avant sa mort, il oppose sa propre réputation au Japon,
à la vogue dont jouit même en Chine, le *Werther* de Gœthe ;
la traduction de ses poésies serait, selon Philipp Franz
von Siebold, le premier livre européen qui ait paru en
langue japonaise (3).

L'importance du voyage à Weimar est grande : il
constitue un carrefour dans la vie de Heine : c'est en y
réfléchissant qu'il prend pleinement conscience de ce
conflit intime qui en lui oppose, dans une lutte perpétuelle,
la raison à l'enthousiasme. Le fantaisiste en Heine se moque
copieusement du culte de « l'idée » tel que le pratiquent
certains disciples de Hegel, vrais Chevaliers de la Triste

---

(1) Heine, *De l'Allemagne*, vol. I, p. 229.
(2) *Correspondance inédite*, 1re série, p. 361.
(3) Heine, *De l'Allemagne*, vol. II, p. 335-336.

Figure. C'est ainsi que, dans la *Harzreise*, Heine nous fait assister à la comique apparition nocturne du défunt Dʳ Saül Ascher, dont le fantôme revient uniquement pour prouver, à coups de raisonnements irréfutables, l'inexistence de fantômes (1). Mais si le pédantisme des dialecticiens lui répugne, Heine subit néanmoins le charme du système hégélien. Du reste, son intelligence (vive, mais sans profondeur) est trop déliée pour qu'il se dissimule l'éphémère de l'illusion poétique. Passablement cultivé, sinon érudit, il sent que la culture a pour le poète son côté dangereux : nuisible à la spontanéité, elle peut empêcher l'artiste de suivre la pente de ses impulsions naïves : « La culture détruit chez un artiste cette accentuation franche, ces couleurs tranchées, ce quelque chose d'immédiat dans les sentiments, qu'on admire dans les natures rudement circonscrites et demeurées incultes (2). » Aussi Heine poète s'inspire-t-il des traditions populaires ; il s'abreuve aux sources du *Volkslied* pour prêter à ses chants, si raffinés par leur fond, cette fraîcheur musicale qu'on ne puise que dans les rythmes primitifs.

3. Heine n'échappe pas non plus à ce paradoxe surgi de l'encyclopédie, que Diderot exprime en ces termes, dans son *Salon de 1767* : « Il y a dans la poésie toujours un peu de mensonge. L'esprit philosophique nous habitue à le discerner : et adieu l'illusion et l'effet (3). » Le poète lyrique veut justifier ses effets en les ramenant à sa propre expérience vécue. Ainsi se pose ce problème de la sincérité qui n'avait jamais embarrassé les auteurs du xviiᵉ siècle. Avec Diderot et Rousseau s'écroulent en effet ces règles classiques, si clairement formulées par Boileau, qui défendent à l'auteur-honnête homme de se mettre lui-même dans son œuvre. Dorénavant, la poésie cesse d'être objective, et les sentiments du poète se confondent avec

---

(1) Heine, *Reisebilder*, vol. I, p. 42 sqq.
(2) Heine, *De tout un peu*, Calmann-Lévy, Paris, 1888, p. 289.
(3) Édition Assézat & Tourneux, Garnier, Paris, 1875-1879, vol. XI, p. 136.

sa création. C'est dans ce climat du pré-romantisme que
commence la littérature moderne ; elle met l'artiste aux
prises avec sa dualité : le poète ne peut plus échapper au
dilemme qui oppose en lui l'homme et le créateur. Comment
concilier l'esprit d'enquête, l'introspection et la fantaisie,
la science et l'art, l'imagination et le jugement, la réalité
psychologique et la vérité du lyrisme, la nature et l'artifice ?
Heine tranche hardiment ce nœud : la vérité qu'on demande
à la science n'a rien de commun avec celle que révèle l'art.
La première ne fournit qu'une clé au monde des apparences,
la seconde révèle toute la richesse intime de l'homme ;
l'une s'attache aux faits, l'autre au mystère. Il faut séparer
de sa vie privée l'imagination de l'artiste ; celle-là, dans sa
nudité naturelle, dans son terre-à-terre incolore, se montre
pour Heine trop étroite ; il lui semble qu'elle n'accueillerait
jamais l'expérience universelle que le poète veut répandre
dans ses ouvrages. L'imagination, par contre, voilant la
vie réelle et explorant la vie en puissance, découvre sous
d'innombrables masques une vérité humaine dénuée de
tout intérêt personnel. Le poète serait donc une sorte
de Merlin, capable de prendre n'importe quelle apparence ;
magicien qui, à travers ses métamorphoses, sonde les
replis les plus secrets du cœur humain. Le poète se veut
autre qu'il n'est, mais tout en restant fidèle à sa propre
nature. Puis, « avec la meilleure volonté d'être sincère,
personne ne peut dire la vérité sur son propre compte » (1).
Nul n'y a réussi ; ni saint Augustin, le pieux évêque
d'Hippone, ni le Genevois Jean-Jacques Rousseau. C'est
notre faiblesse héréditaire qui nous pousse à vouloir
« toujours paraître aux yeux du monde autre que nous ne
sommes en réalité » (2). La sincérité est une illusion, un
mensonge, puisqu'on ignorera toujours l'ensemble de ses
propres motifs. Cette idée décevante, Heine la revêt de
tout le brio de son comique sautillant : « ... lorsqu'un homme

(1) HEINE, De l'Allemagne, vol. II, p. 245.
(2) HEINE, ibid., vol. II, p. 246.

veut se brûler la cervelle, il a toujours de bonnes raisons...
Mais connaît-il lui-même ces raisons ? C'est là une question.
Jusqu'au dernier moment, nous jouons la comédie avec
nous-mêmes. Nous masquons notre misère, et tandis que
nous expirons d'une blessure à la poitrine, nous nous
plaignons d'un mal de dents » (1).

Cette comédie que nous « jouons avec nous-mêmes »,
l'écrivain la représente devant le grand public. S'étendant
même au style, elle ne se borne ni aux sentiments, ni aux
sensations, ni aux idées, car contrairement à ce que proclame Buffon, le style dissimule l'homme. Baudelaire
revendique pour le poète une liberté absolue. Dans ses
projets d'une lettre à Jules Janin, brouillons d'une défense
de Heine, il déclare que le poète n'est ni « vieux, ni jeune,
il est. Il est ce qu'il veut. Vierge, il chante la débauche ;
sobre, l'ivrognerie » (2). Maître de la parole, l'écrivain peut
en effet imposer à ses vers et à sa prose n'importe quelle
direction. Au gré de sa fantaisie, sa plume donne au style
les empreintes les plus arbitraires :

Les actes [des écrivains] consistent essentiellement en paroles,
et ce que le public honore comme caractère dans leurs écrits
n'est, en définitive, autre chose qu'un abandon servile à l'impression du moment, un manque de sérénité plastique, un défaut
d'art. Le principe que l'on peut reconnaître le caractère d'un
écrivain à sa manière d'écrire, n'est pas absolument juste ; il
n'est applicable qu'à cette masse d'auteurs dont l'inspiration
du moment conduit la plume, et qui obéissent plus à la parole
qu'ils ne la gouvernent. Pour les artistes, ce principe est inad-
missible, parce que ceux-ci sont maîtres de la parole, l'emploient
pour chaque but qu'il leur plaît, lui donnent une empreinte arbitraire, écrivent d'une manière objective, et que leur caractère
ne se trahit point dans leur style (3).

Ces métamorphoses du style ne reflètent d'ailleurs
nullement une incohérence intime. Sans cette unité inté-

---

(1) HEINE, *Reisebilder*, vol. I, p. 234 [« Le Tambour Legrand »].
(2) BAUDELAIRE, *Œuvres*, Pléiade, vol. II, p. 610.
(3) HEINE, *Satires et portraits*, Calmann-Lévy, Paris, 1885, p. 180-181.

rieure, synthèse de toutes les intuitions de l'individu,
« aucune grandeur d'esprit n'est possible, et ... ce qu'on doit
proprement appeler caractère appartient aux attributs
les plus indispensables du poëte » (1).

On se sent brusquement arraché à l'atmosphère du
romantisme. Dans ces aveux, qui prétendent mettre à nu
les secrets du métier d'écrivain, vibre la modernité du
« paraître pour être » de Gide, la « sincérité » d'un auteur
qui prend un masque pour se dépasser et pour surprendre,
sous son déguisement, une vérité intérieure et universelle.
Mais s'il y a, avant la lettre, présence de Gide, il y a également anticipation de Mallarmé. En effet, malgré tout
ce qui sépare, sur le plan du style, Heine de Mallarmé,
il entend comme le poète symboliste le paradoxe du hasard :
indispensable à la création poétique, le hasard représente,
sur le niveau de l'intuition, la liberté de l'artiste qui
s'adonne, sans les trahir, aux fantaisies de son rêve idéal.
Mais ce rêve, si capricieux qu'il soit, est soumis à la nécessité : car, surgissant de la vie intérieure du poète, il porte
l'empreinte d'une personnalité à tous les égards unique
et originale. En outre, pour tout ce qui est du style, de la
structure et de la composition — en somme, pour le côté
technique de la poésie — s'impose l'exclusion de toute
trace de hasard. Cette situation, où s'opposent la rigueur
artistique et une liberté d'esprit (déterminée pourtant par
cette loi intérieure que représente pour l'individu son
unicité) exige du poète qu'il sache concilier l'inconscient,
l'imagination et le jugement.

Pour Heine, cette réconciliation de forces si contradictoires se produit à peu près de cette manière : l'idée
d'un ouvrage « naît dans l'âme, et celle-ci demande à
l'imagination le secours de sa force réalisatrice ». L'imagination jette alors à l'inconscient toutes ses richesses,
« en couvre toute l'idée et l'étoufferait au lieu de la vivifier,

_____

(1) *Ibid.*, p. 182.

si le jugement n'arrivait pas de son pas boîteux », pour la dégager d'une surabondance d'images. Pourtant, « le jugement ne fait que maintenir l'ordre, exercer la police dans le domaine de l'art » (1). Aux poètes arrive alors ce qui se passe chez les rêveurs, « qui font comme masquer dans leur sommeil le sentiment intérieur que leur âme subit sous le coup de causes réelles, extérieures » (2). Cependant, aux yeux de Heine, ces transpositions paraissent parfaitement adéquates, puisque les symboles dont se sert le poète produisent le même sentiment que celui qui nous envahit au contact du réel. Toute œuvre d'art est comme un sélam, dont les fleurs, indépendamment de leur langage mystérieux, plaisent déjà par le seul attrait d'un frais et éclatant bouquet. « Mais un tel accord est-il toujours possible ? l'artiste est-il toujours complètement libre dans le choix et la disposition de ses fleurs mystérieuses ? ou bien ne fait-il qu'obéir dans cette opération à une puissance occulte ? » Ce choix, répond Heine, n'est libre qu'en apparence, car l'artiste crée dans un état de dépendance mystique [*in mystischer Unfreiheit*]. Ainsi le peintre, le poète, le sculpteur et le musicien ressemblent « à cette princesse somnambule qui, la nuit dans les jardins de Bagdad, cueillait avec la science la plus profonde de l'amour et disposait en sélam les fleurs les plus rares et n'en savait plus la signification quand elle se réveillait ». Aussi l'art ne s'ouvre-t-il pleinement qu'aux seuls initiés. Le grand public, sourd et aveugle devant le mystère, est comme « ce gras eunuque » qui, portant le sélam au calife, tout ravi qu'il est à la vue de ces belles fleurs, n'en soupçonne pas le sens. Mais « le chef des Croyants » comprend tout de suite le langage chiffré du bouquet (3).

Avec plus de finesse, mais infiniment moins d'ironie, on n'en disait pas plus à certains mardis célèbres.

(1) HEINE, *De la France*, « Salon de 1831 », p. 345.
(2) HEINE, *Reisebilder*, ELSTER, vol. III, p. 229. Omis dans la version française.
(3) HEINE, *De la France*, « Salon de 1831 », p. 347-348.

CHAPITRE II

LE RÊVE ET LA MALADIE

1. Le thème platonique du rêve semblable à une clé magique, qui ouvre l'esprit aux mystères surnaturels, hante déjà les auteurs du Moyen Age et de la Renaissance (Platon, *République*, 571-572). Pour Dante, le rêve a la vertu d'éloigner suffisamment l'âme du corps et de la pensée pour la livrer à une vision surnaturelle et presque divine :

> Nell'ora che comincia i tristi lai
> La rondinella presso alla mattina
> Forse a memoria de' suoi primi guai,
> E che la mente nostra, peregrina
> Più dalla carne e men da' pensier presa,
> Alle sue visïon quasi divina...
>
> [*Purgatorio*, IX, 13-18.]

Avec les romantiques allemands et les symbolistes français, la découverte de l'inconscient devient une source du lyrisme moderne. Pour le poète romantique allemand, la poésie est une machine à déclencher le rêve ; et celui-ci un état privilégié, où l'homme entrevoit l'unité cosmique, les secrètes correspondances entre l'individu et l'univers. Dans ce silence de la pensée et du corps que chante Dante, l'homme explore les abîmes de son âme, miroir de l'univers invisible. Par la descente aux enfers de l'inconscient lui

vient cette connaissance de lui-même qui constitue en
même temps une communion avec les forces « sympa-
thiques » de la nature, dont parlent les « animistes » de la
Renaissance, tels Paracelse, van Helmont et Agrippa de
Nettesheim. Heine s'attarde, dans ses mémoires, sur les
délices que lui avait procurées, au temps de son enfance,
la lecture de ces traités de magie (1), où il découvre déjà
en germe le panthéisme de Spinoza et celui des « philosophes de la nature », ses propres contemporains. *Les
esprits élémentaires*, *Les dieux en exil*, un grand nombre
de ses poésies, comme d'ailleurs la *Lettre à Lumley*, et
ses ballets *Faust* et *La déesse Diane* montrent la permanence de ces impressions d'enfance.

L'idée de la poésie comme clé du rêve — Albert Béguin
le démontre — vient de Hamann : par le regard poétique
et la parole s'opérerait le saut dans les abîmes de l'incons-
cience. Là-bas, dans les ténèbres de l'âme, se retrouveraient
les richesses divines auxquelles participent l'homme et
la nature ; elles se manifestent par l'image :

> Les sens et les passions ne parlent que par images, n'entendent
> que les *images*. Tout le trésor de la connaissance, comme celui
> de la félicité humaine consiste en images. L'âge d'or primitif
> fut un âge où l'humanité parlait sa langue maternelle, qui est
> la poésie (2).

C'est ainsi que, pour Novalis, le poème devient une
échelle magique qui lui sert à escalader les cimes d'un songe
d'éternité où vibre l'harmonie universelle ; ou bien une
pente par où il glisse, comme après lui Nerval, vers ces
profondeurs insondées où s'agitent dans le dérèglement
de la folie le passé et l'avenir.

Chez Heine, l'abandon ne va jamais si loin. Sceptique,
il se méfie d'une mystique du rêve telle que la professent

---

(1) Fragment des *Memoiren*, ELSTER, vol. VII, p. 474.
(2) *Esthétique dans une noix* (1762) ; cité d'après Albert BÉGUIN, *L'âme
romantique et le rêve*, Corti, Paris, 1946, p. 53.

les romantiques allemands. Ne partageant pas non plus
leur foi en la magie onirique, il fait intervenir son ironie,
pour ne point s'engager trop dans une voie qui comporte
le risque d'aboutir à la folie. Le rêve reste pour lui toujours
un moyen littéraire, une perche tendue à sa fantaisie,
une simple machine à fabriquer de la poésie. Mécanisme
distributif et utile, le rêve arrange à merveille les situations,
les images, les analogies et les allégories. Ainsi, réduit à
un pur procédé, le songe fournit à Heine, presque sur
commande, et avec la précision d'un automate tous les
ingrédients dont il a besoin dans sa cuisine littéraire.
Seule la matière brute lui vient du dehors ; elle ne vaut rien
par elle-même, mais au contact de l'imagination, elle
déploie des fastes comme seul l'esprit du poète peut les
prêter à la réalité. On ne tire point sa création du Néant,
mais toute chose, jusqu'aux immondices, peut devenir
sublime si le rêve-créateur l'envahit avec ses magnificences.
Tel Dieu, le poète renferme dans le limon des mondes
l'étincelle divine ; il peut proclamer avec le Dieu des *Chants
de la Création* (et, à l'occasion, même sur un ton plus
sérieux) :

> Der Stoff, das Material des Gedichts,
> Das saugt sich nicht aus dem Finger :
> Kein Gott erschafft die Welt aus Nichts,
> So wenig wie irdische Singer.
>
> Aus vorgefundenem Urweltsdreck
> Erschuf ich die Männerleiber,
> Und aus dem Männerrippenspeck
> Erschuf ich die schönen Weiber (1).

Au jeune Heine, le rêve n'offre souvent qu'un cadre
commode pour renfermer ses divagations fantasques ; il

---

(1) *Schöpfungslieder*, VI : « Le sujet, la matière du poème, cela ne s'apprend
pas tout seul ; nul dieu ne crée quelque chose de rien, pas plus que les poètes
terrestres.
« Du sale limon des mondes primitifs, j'ai créé les corps des hommes, et,
de la graisse des côtes de l'homme, j'ai créé les belles femmes. »

leur confère une certaine vraisemblance ; c'est le cas des *Traumbilder* dans leur coloris ombreux, comme c'est le cas aussi de ces nombreuses visions comiques qui abondent dans les *Reisebilder* ; Béguin l'a fort bien observé : le mythe y frise toujours la mystification (1). Cependant, pour le Heine de la dernière période, le rêve évoque ces rares voluptés que la vie refuse au malade. Le songe, artifice fréquemment provoqué par les piqûres de morphine, devient un moyen de jouissance. Si la mort seule promet à l'agonisant une délivrance certaine, le sommeil dans les bras de Morphée-Morphine lui procure le soulagement temporaire d'un faux oubli :

> ... Wie lieblich sanft
> War dann sein [Morpheus] Lächeln, und sein Blick wie selig !
> Dann mocht' es wohl geschehn, dass seines Hauptes
> Mohnblumenkranz auch meine Stirn berührte
> Und seltsam duftend allen Schmerz verscheuchte
> Aus meiner Seel' — Doch solche Linderung,
> Sie dauert kurze Zeit ; genesen gänzlich
> Kann ich nur dann, wenn seine Fackel senkt
> Der andre Bruder, der so ernst und bleich. —
> Gut ist der Schlaf, der Tod ist besser — freilich
> Das beste wäre, nie geboren sein (2).

Les splendeurs de ces hallucinations, si éblouissantes qu'elles soient, restent toujours bien caduques. Une pareille note de pessimisme imprègne déjà les poésies de jeunesse. C'est ainsi que la femme, objet de ses désirs, apparaît au jeune poète dans son rêve, lui souriant gracieusement et s'attendrissant sur son sort ; mais au réveil s'évanouissent aussitôt son sourire, ses larmes et le bouquet

---

(1) BÉGUIN, *op. cit.*, p. 325.
(2) *Morphine* : « ... Comme son sourire [de Morphée], alors, fut affectueux et doux, et son regard heureux ! Il a bien pu se faire que la guirlande de pavots de sa tête ait touché aussi mon front, et que ses parfums étranges aient dissipé toutes mes douleurs. Mais cet adoucissement ne dure que peu : je ne pourrai complètement guérir que lorsque l'autre frère, si sérieux et si pâle, renversera son flambeau. Le sommeil est bon — la mort est meilleure — mais le meilleur encore serait de n'être jamais né. »

qu'elle lui avait tendu. Et le mot secret qu'elle lui avait
chuchoté à l'oreille, tombe dans l'oubli :

> Du sagst mir heimlich ein leises Wort,
> Du gibst mir den Strauss von Cypressen.
> Ich wache auf, und der Strauss ist fort,
> Und das Wort hab' ich vergessen (1).

Toute considération de style mise à part : pour ce qui
est du fond, qu'on est ici près, et en même temps si loin,
du Néant de Mallarmé, de cette magie précieuse où se
mêlent les angoisses douloureuses de la poursuite futile
d'un idéal, qui à jamais fuit l'existence humaine :

> Quand l'ombre menaça de la fatale loi
> Tel vieux Rêve, désir et mal de mes vertèbres,
> Affligé de périr sous les plafonds funèbres
> Il a ployé son aile indubitable en moi.
>
> Luxe, ô salle d'ébène où, pour séduire un roi
> Se tordent dans leur mort des guirlandes célèbres,
> Vous n'êtes qu'un orgueil menti par les ténèbres
> Aux yeux du solitaire ébloui de sa foi (2).

Pour Mallarmé, comme pour les romantiques allemands,
le monde du rêve constitue une réalité magique, plus
saisissante et plus vraie que les magnificences terrestres.
Le rêve idéal de Mallarmé surimpose à la vie les harmonies
d'un univers caché jusque dans les plus humbles objets,
tels une feuille de papier vierge, un éventail déplié, le
reflet d'un mendiant dans une vitre. Par l'alchimie du
verbe, la matière la plus rebelle se transmue, se transfigure
en rêve, devient éthérée, et se dissout en musique. Les
paroles elles-mêmes acquièrent une transparence limpide,
et, se dégageant du poids de leur sens, se joignent gracieu-

---

(1) *Intermezzo*, LVI (version française, L) : « Tu me dis tout bas un mot,
et tu me donnes un bouquet de roses blanches. Je m'éveille, et le bouquet
est disparu, et je veux oublier le mot. » (Traduction de Gérard de Nerval,
en collaboration avec Heine. Curieusement, cette traduction trahit le texte,
dont le dernier vers se traduirait mieux par : « Et *j'ai oublié* le mot. »)

(2) Mallarmé, *Œuvres complètes*, Pléiade, p. 67.

sement en mélodies et en arabesques. Car pour Mallarmé,
le poète est pareil à cet ange qui jadis sut « ... Donner un
sens plus pur aux mots de la tribu » (1). Il est vrai que Heine
aspire, sans jamais la posséder, à cette qualité magique
qui, libérant dans la parole les puissances latentes de la
musique, plonge le langage dans le mystère, dans le vague
et dans l'indécis. Ses vers, débarassés de toute lourdeur
oratoire, et imitant la simplicité du chant populaire,
constituent cependant un remarquable pas en avant, dans
la bonne direction. Comme Mallarmé, Heine a la hantise
de la stérilité, bien qu'il ne se soit pas encore forgé un
langage suffisamment pur pour l'exprimer. Toutefois, dans
ses vers, le rêve éclate toujours brusquement comme une
bulle de savon ; à travers son existence éphémère on entrevoit à l'horizon le brutal univers des souffrances humaines :
le songe s'épuise dans un érotisme stérile, dans la vanité
des désirs insatisfaits, dans la triste conscience de l'échec
subi et d'une vie irrévocablement ratée.

Mallarmé, s'adonnant aux éblouissements du présent,
se désespère de voir s'enfuir un rêve idéal auquel l'artiste
en lui aurait voulu imposer une forme durable. Le rêve
est pour lui une réalité aussi belle, aussi unique, aussi
vierge que l'instant présent qui, comme les somptuosités
oniriques, à peine éclos sombre dans le Néant. Pour Heine,
au contraire, le rêve n'est qu'une illusion à laquelle succède
toujours de très près le désenchantement. Sceptique, il
n'oublie jamais que le rêve le jette dans un monde illusoire,
loin de toute réalité. Incrédule, il voudrait croire à ses idées,
refusant en même temps d'être la dupe du mirage que, dans
son œuvre, elles projettent devant lui. C'est ainsi qu'il
reste à tout moment le maître de sa vision, qu'il la soumet
entièrement au contrôle de sa volonté, même alors qu'il
semble s'y abandonner. Ainsi le rêve, à peine épanoui,
s'immole presque aussitôt dans une ironie aussi élégante

(1) *Ibid.*, p. 70, Le tombeau d'Edgar Poë.

que macabre. Il n'en reste à la fin que les rimes où le poète
conserve, comme dans une urne funèbre, les cendres
amères de ses amours charnels :

> Verblichen und verweht sind längst die Träume,
> Verweht ist gar mein liebstes Traumgebild' !
> Geblieben ist mir nur, was glutenwild
> Ich einst gegossen hab' in weiche Reime (1).

Même ce vague écho, cependant, se perd dans l'oubli.
Le chant, ce souffle auquel le poète a donné un corps et
une âme, ne lui appartient plus ; le poème prend son envolée
et suit, ombre d'une ombre, la vision qui s'anéantit dans
les ténèbres :

> Du bliebst, verwaistes Lied ! Verweh jetzt auch,
> Und auch das Traumbild, das mir längst entschwunden,
> Und grüss es mir, wenn du es aufgefunden —
> Dem luft'gen Schatten send' ich luft'gen Hauch (2).

Ainsi s'accomplit le cercle d'une création qui appelle
sa propre destruction : le songe, surgi du néant, prend
forme dans le poème. Mais au lieu de tendre vers l'infini,
de se prolonger au delà de la poésie, il s'immole dans
l'ironie du sceptique. Car loin de prendre au sérieux la
magie du rêve, Heine s'en sert uniquement comme d'un
heureux procédé littéraire. Le poème, une fois mis sur le
papier, fait dans l'esprit du poète ce vide qui lui fait guetter
aussitôt la nouvelle sensation, le nouveau rêve, où éclora
une nouvelle phase de son lyrisme.

2. Une secrète correspondance semble s'établir, pour
Heine, entre le rêve, la maladie et la mort. Seulement

_____

(1) *Traumbilder*, I, « Zueignung » : « Pâlis et emportés aux vents, depuis
longtemps sont les rêves ; emportée aussi l'image la plus chère de mes rêves.
Il ne me reste que ce que les flammes de ma passion m'ont fait sauvagement
couler en de tendres vers. »

(2) *Ibid.* : « Chant orphelin, tu me restes. A ton tour maintenant, laisse-toi
emporter aux vents, et cherche cette image de rêve, disparue depuis longtemps ;
apporte-lui mes nostalgies, lorsque tu l'auras trouvée. — A la rencontre de
l'ombre éthérée, j'envoie un souffle d'air. »

pour ceux, déclare-t-il, qui ne connaissent que le passé
et l'avenir, et ne savent pas vivre une éternité dans chaque
moment du présent, la mort représente une complète
cessation de la vie. « Oui, pour de tels hommes la mort
doit être affreuse ! Quand ces deux béquilles, le temps et
l'espace, leur manquent tout d'un coup, ils retombent
dans le néant éternel. » Ainsi parle, en bon kantien, le
narrateur de *Schnabelewopski*. Et le rêve ? pourquoi ne
craindrait-on pas de s'endormir autant que d'être enterré ?
« N'est-ce pas une pensée effrayante que le corps puisse
rester toute une nuit comme un cadavre éteint, pendant
que l'esprit nous entraîne dans la vie la plus agitée, vie
qui a toutes les terreurs de cette séparation que nous
avons créée entre le corps et l'esprit ? » (1). Baudelaire,
dont l'imagination se plaît dans un climat très semblable,
éprouve ce même frisson : « A propos du sommeil, aventure
sinistre de tous les soirs, on peut dire que les hommes
s'endorment journellement avec une audace qui serait
inintelligible, si nous ne savions qu'elle est le résultat de
l'ignorance du danger (2). » Les deux poètes, grands admirateurs de Chateaubriand (Heine cependant avec les
réserves qu'on fait devant la pensée d'un adversaire politique), subissent, sans doute inconsciemment, l'influence
de leurs lectures. Le rêve constitue pour Heine un symp-
tôme de cette étrange « maladie » qu'est le « spiritualisme »
chrétien. Si le malaise du spiritualisme prend son essor
dans les doctrines chrétiennes, Descartes l'a irrémédiablement approfondi en creusant outre mesure ce gouffre qui
sépare le corps de l'âme. Heine nous fait observer que les
Grecs et les Romains n'avaient que des rêves légers et
rares : un songe puissant était pour eux un événement ; on
le consignait dans les livres de l'histoire. L'ère des véritables
songes, déclare-t-il, ne se trouve guère que chez les anciens

---

(1) Heine, *Reisebilder*, vol. I, p. 347.
(2) Baudelaire, *Œuvres*, Pléiade, vol. II, p. 630, « Fusées, IX ». Cf. *Les
fleurs du mal*, CXXIV, « La fin de la journée ».

Juifs ; elle atteignit sa plus haute splendeur « chez ces Juifs modernes que nous nommons chrétiens ». C'est ainsi qu'un Heine saint-simonien, âgé de 36 ans, tranche astucieusement, mais aussi d'une manière fantaisiste, et non pas sans prétentions historiques, le problème psychologique du rêve. Ses prophéties d'un nouvel âge d'or annoncent déjà l'œuvre de Nietzsche, qui proclame le futur crépuscule de dieux et d'idoles. Les générations à venir, guéries du cauchemar chrétien, « frémiront quand [elles] liront un jour .quelle existence de fantômes nous avons menée, comme l'homme était partagé chez nous, et ne jouissait que d'une moitié de sa vie ». Avec la croix du calvaire commence pour Heine la grande période morbide de l'humanité. Dans ce meilleur avenir dont Heine se fait le prophète, avenir où le corps et l'esprit seront de nouveau confondus dans la conscience humaine, l'homme ne connaîtra peut-être plus le phénomène du rêve. La chair sera alors émancipée à l'égal de l'esprit, et seuls les malades « dont l'harmonie vitale a été troublée », seront hantés par les songes.

Et cependant, quels doux rêves a pu faire une humanité dominée par le christianisme : « Autour de nous s'évanouissaient toutes les magnificences du monde, et nous les retrouvions dans l'intérieur de notre âme... (1) » On devine chez Heine le regret d'un univers de souffrances condamné à disparaître, et la nostalgie de cette grande maladie qui, sous le regard poétique d'un Novalis, se transfigure en mythes et en une éblouissante vision cosmique où « le monde devient rêve, le rêve devient monde ». Mais à ce regret se mêle chez Heine le désir d'arracher l'humanité à son sommeil millénaire, et de substituer au songe de l'existence, le bonheur réel des jouissances terrestres. Peut-être avec plus de lucidité que nul autre, Heine prend-il conscience de son propre dilemme qu'il conçoit comme

(1) Heine, *Reisebilder*, vol. I, p. 347-349.

celui d'un homme de transition, suspendu dans le vide entre deux époques de l'histoire. La doctrine chrétienne attire autant le poète en Heine, qu'elle répugne à l'intellectuel en lui. Un Heine sentimental s'attendrit devant « cette immense consolation [que le christianisme] répandait parmi les hommes ». Un étrange enthousiasme entraîne cet esprit frivole à s'exclamer tendrement, devant l'image du Christ : « Une gloire éternelle appartient au symbole de ce Dieu souffrant... dont le sang a coulé comme un baume adoucissant sur les plaies de l'humanité. » Le poète s'incline avec respect devant « la sainte sublimité de ce symbole » ; il ne peut qu'admirer la « colossale unité » dans l'art et dans l'œuvre de l'Église médiévale. Cependant, le voltairien en lui couvre d'injures cette même Église, puisqu'elle a réduit l'homme en esclavage, tout en le poussant au renoncement des plaisirs charnels.

Quelle source précieuse et féconde pour les poëtes que cette vie chrétienne du moyen âge ! Le christianisme seul pouvait répandre sur cette terre tant de hardis contrastes, des douleurs si colorées, des beautés si hasardées ; tout cela est si grand, si merveilleux, si inouï, qu'on dirait que rien de pareil n'a jamais existé..., et que tout cela a été enfanté dans le délire d'une fièvre, dans le délire colossal de quelque dieu fou (1).

Cette « maladie affreuse », qui a transformé l'Occident entier en un immense hôpital, Heine s'en sait lui-même incurablement atteint : « Je crains bien d'être aussi, moi, infecté de cette maladie », s'écrie-t-il au spectacle d'une procession à Lucques (2). « Je fais partie aussi, moi, de ce vieux monde malade, et c'est avec raison que le poëte dit : on a beau se moquer de ses béquilles, on ne marche pas mieux pour cela. Je suis le plus malade de vous tous, et d'autant plus à plaindre que je sais ce que c'est que la santé (3). » Ailleurs, Heine condamne chez Hoffmann et

(1) HEINE, *De l'Allemagne*, vol. I, p. 15-16.
(2) HEINE, *Reisebilder*, vol. II, p. 231.
(3) HEINE, *De l'Allemagne*, vol. I, p. 117.

Novalis, cette tendance au rêve qui les éloigne toujours dangereusement de la réalité : « leur poésie est une maladie ». Par conséquent, « il appartient plus aux médecins qu'aux critiques de juger leurs écrits ». Puis, par un soudain repli sur lui-même, Heine est amené à s'écrier : « Mais avons-nous bien le droit de faire de telles critiques, nous qui ne sommes pas comblés d'un excès de santé ? Et maintenant surtout [en 1834-1835] lorsque la littérature ressemble à un vaste lazaret ? » Et de conclure : « A moins que la poésie ne soit elle-même une maladie, comme la perle qui n'est qu'une infirmité dont souffre le pauvre animal nommé l'huître (1). » Dans sa subjectivité, la poésie lyrique du romantisme ressemble à la création d'un dieu qui crée pour se libérer d'un cauchemar, d'une obsession maladive. Le dieu-poète des *Chants de la création* s'exprime sans ambiguïté pour ce qui est de sa vocation. Dans son âme brûle une folie ardente :

> Krankheit ist wohl der letzte Grund
> Des ganzen Schöpferdrangs gewesen ;
> Erschaffend konnte ich genesen,
> Erschaffend wurde ich gesund (2).

Mais cette création où Heine cherche à abolir son rêve ne lui procure qu'une fausse guérison ; la « santé » lui demeure inaccessible. Sans relâche, il doit participer aux souffrances universelles de l'humanité, « grâce à cette impressionnabilité merveilleuse, à cette involontaire sympathie, à cette maladie de l'âme, que nous trouvons chez les poëtes, et pour laquelle nous n'avons pas de vrai nom » (3).

Les apôtres de la santé se recrutent presque toujours

(1) *Ibid.*, p. 304-305.
(2) *Schöpfungslieder*, VII : « Oui, c'est la maladie qui a été le premier motif de ce besoin de création : en créant je pouvais guérir, en créant je devins sain. »
(3) HEINE, *Satires et portraits*, « Louis Boerne », p. 170-171.

parmi les grands malades qui cultivent leur maladie. Le
génie romantique compte le plus souvent parmi ces infirmes,
réels ou imaginaires, qui chantent la santé, mais n'ignorent
point qu'ils ont besoin de leurs infirmités ; que sans elles
leur vie se dépouillerait de tout sens. Nietzsche le devine ;
Novalis, Kleist, Byron, Hölderlin, Lamartine, Heine,
Nerval, Poë, Vigny et tant d'autres l'ont senti avant lui,
à l'instar de Jean-Jacques Rousseau. Les grandes tragédies
sont faites de la folie, des faiblesses et des impuretés de
l'âme. Rien n'est plus trivial ni plus prosaïque que la santé.
La maladie et l'ennui ennoblissent. Sans eux point de
grandeur. Sans eux point de poésie. Heine s'en doute :
« Les hommes malades sont véritablement toujours plus
distingués que ceux [qui sont] en bonne santé : car il n'y
a que le malade qui soit un homme ; ses membres racontent
une histoire de souffrance ; ... ils en sont spiritualisés. »
Par les tourments de la douleur, même les animaux pourraient parvenir à l'état d'hommes (1). Ce raisonnement,
poussé jusqu'à sa dernière conséquence, laisserait entrevoir
les dangers de la santé : en effet, doué d'une santé parfaite,
l'homme n'aboutirait-il pas à l'état de brute ? Ne devien-
drait-il pas comme ces dieux robustes, cruels et incestueux
qui peuplaient jadis l'Olympe et vivaient au delà du bien
et du mal, n'obéissant qu'à leur bon plaisir, à la loi du plus
fort ? L'émancipation de la chair — on se le demande
alors — la santé d'un monde libéré de tout vestige du
christianisme : ce paradis terrestre que Heine souhaite
avec tant de ferveur, lui inspire à la fois une pitié et une
terreur égales. Car une telle libération de l'homme entraî-
nerait aussi inévitablement le crépuscule de l'humanité.
L'homme qui, comme le surhomme de Nietzsche, aura
dépassé le spiritualisme chrétien, ne connaîtra plus ni
l'amour ni la charité. Il ressemblera à ces divinités grecques
qui, ignorant par elles-mêmes la douleur, se livrent à toutes

(1) HEINE, *Reisebilder*, vol. II, p. 92.

les violences, car elles ne savent pas non plus « ce qu'éprouve un pauvre homme torturé » (1).

Nulle part dans son œuvre, Heine ne formule ce paradoxe. N'empêche que cette équivoque anime tous ses écrits. Le poète érotique, dont l'imagination explore les enfers d'une sensualité inaccessible à l'homme, a en même temps la nostalgie d'une pureté spirituelle, de l'azur limpide à toujours hors de sa portée. Le névrosé aspire à une santé dont il ne veut pourtant pas, puisqu'elle marquerait le terme de sa carrière poétique. Ce séculier assoiffé de mystique se sent pour toujours exilé de l'idéal grec qui console même un Hölderlin pris dans le labyrinthe de la folie ; mais sa lucidité lui ferme également le gouffre du mystère judéo-chrétien qui accueille l'âme de Novalis. Il se sent à la fois Juif, Grec et *autre*. Car Heine est un poète moderne sur qui pèse cette double hérédité : il n'a ni la foi robuste, commune à la race des prophètes, ni la santé des Hellènes. Son corps, ses nerfs, son âme sont atteints par l'usure des siècles. Avec Flaubert, il pourrait s'écrier : « Hélas non ! je ne suis pas un homme antique ; les hommes antiques n'avaient pas de maladies de nerfs comme moi (2) ! »

(1) *Ibid.*, vol. II, p. 235.
(2) FLAUBERT, *op. cit.*, 1re série, p. 173. Lettre à Louise Colet du 13 août 1846.

Chapitre III

HELLÈNES ET NAZARÉENS

1. La voix sourde du conflit millénaire entre « Nazaréens » et « Hellènes » hantera Heine jusqu'à sa dernière heure. « Voilà dix-huit siècles », s'écrie-t-il en 1839, « que dure la brouille entre Jérusalem et Athènes, entre le saint-sépulcre et le berceau de l'art, entre la vie en [l']esprit et l'esprit dans la vie » (1). Ces accents rappellent plutôt Renan que Nietzsche ; et, cependant, « Nazaréens » et « Hellènes » correspondent, dans le vocabulaire de Heine, comme plus tard dans celui de Matthew Arnold, à cette autre antithèse que le grand philosophe, plus romantique que les romantiques, exprimera un demi-siècle plus tard, en opposant la morale d'esclaves à celle de maîtres (2). En 1840, dénonçant la « petitesse nazaréenne » de Boerne, Heine définit ses termes avec clarté :

Je dis *nazaréenne* pour ne pas me servir du mot *juive* ou *chrétienne*, bien que ces deux expressions soient synonymes pour moi, et que je ne les emploie pas pour désigner une religion, mais un caractère. *Juifs* et *chrétiens* sont pour moi des mots tout à fait similaires [sinnverwandt = apparentés de sens] par opposition aux *hellènes*, et, par ce dernier nom, je n'entends pas un peuple particulier, mais une direction d'esprit, une manière de voir innée et acquise tout ensemble. A ce point de vue, je dirais volontiers : tous les hommes sont ou juifs ou hellènes, les uns

---

(1) HEINE, *De l'Angleterre*, Calmann-Lévy, Paris, 1881, p. 14.
(2) Déjà dans un de ses articles pour la *RDM*, HEINE appelle le judéo-christianisme « une religion bonne pour des esclaves ». Cf. HEINE, *De l'Allemagne*, vol. I, p. 85.

avec des tendances ascétiques, iconoclastiques, spiritualistes,
— les autres avec une nature réaliste, tournée vers les joies de
la vie, et s'épanouissant avec fierté. C'est ainsi qu'il y a eu des
hellènes dans des familles de prédicateurs allemands et des juifs
qui sont nés à Athènes et descendent peut-être de Thésée. La
barbe ne fait pas le juif, ni la cadenette le chrétien (1).

Dans ce conflit s'opposent la Bible et l'*Iliade*, la nature
et l'art, la vérité et la beauté, la vieillesse et l'adolescence,
la charité et la violence, les plaisirs décadents de la douleur
et la volupté sadique, les larmes du calvaire et le rire du
Cronide. Et dans le domaine de l'art, le spiritualisme et
le sens plastique. En morale, la sombre « vertu républicaine » et un panthéisme de la gaie observance.

Comment s'expliquer le triomphe de cette longue
maladie nazaréenne, qui, ayant plongé l'homme dans des
excès de tristesse, l'a poussé à chercher, pendant des
siècles, dans la mortification de la chair une volupté morbide ? Heine pose la question en fils de son temps. L'esprit
philosophique, le romantisme et les idées libérales de son
époque se confondent dans sa réponse, sur laquelle plane
aussi vaguement l'ombre du divin marquis. Au premier
abord, le dogme catholique lui paraît comme une réaction
nécessaire et même bienfaisante « contre le terrible matérialisme qui s'était développé dans l'empire romain, et
qui menaçait de détruire toute la magnificence intellectuelle
de l'homme ». La chair était devenue « si effrontée... qu'il
fallait tous les aiguillons de la discipline chrétienne pour
la morigéner. Après un repas comme celui de Trimalcion,
il fallait une diète comme celle du christianisme » (2). Mais
cette simple mesure de discipline se prête à une interprétation infiniment plus audacieuse. On pourrait, par exemple
— et Heine le suggère — envisager l'origine du christianisme
comme la manifestation d'un étrange égarement sexuel.

(1) HEINE, *Satires et portraits*, Louis Boerne, p. 17-18.
(2) HEINE, *De l'Allemagne*, vol. I, p. 189-190.

Le poète érotique, pour qui le plaisir n'est qu'une douleur fort agréable (1), entrevoit derrière le voile du mystère les jouissances maladives du martyre. On pense à certaines pages de Renan, et même, sur le plan de la pathologie sexuelle, au baron de Charlus en proie à ses dernières aberrations terribles, quand on lit cette spéculation de Heine, si brutale dans l'absence de toute ambiguïté :

> Ou bien, comme les voluptueux vieillards qui excitent à coups de fouet leur corps engourdi, la vieille Rome énervée voulut peut-être chercher sous les déchirements de l'ascétisme monacal ces jouissances raffinées que produit la torture, et le plaisir qu'on trouve au sein de la douleur (2) ?

Du point de vue historique, ces réflexions manquent évidemment de tout mérite. Ce n'est pourtant point l'histoire qui fait l'objet de notre étude. Pour le critique littéraire, ce passage représente un intérêt tout particulier. On y surprend, avant la lettre, ce curieux climat de « décadence », ce courant clandestin de sado-masochisme, qui est l'atmosphère propre à certains ouvrages de la fin du XIXᵉ siècle, desquels Mario Praz a donné l'étonnant catalogue. Dans les œuvres de Baudelaire, Flaubert, Zola, Huysmans, Villiers de l'Isle-Adam, Mallarmé, Barbey d'Aurevilly et des Goncourt, parmi tant d'autres, perce une certaine lubricité violente et féroce. A peine dissimulée sous l'apparence d'un innocent intérêt scientifique ou de l'indignation morale (déguisements souvent très légers), cette complaisance dans la peinture de scènes à la fois sanglantes et lascives, laisse toujours deviner la présence de Sade. Nulle part, dans l'œuvre publiée de Heine, il n'est question du divin marquis. Un pareil silence règne dans sa correspondance. Mais il y a des influences sur lesquelles un auteur aime mieux se taire, et ce ne sont pas toujours les moins

---

(1) Heine, *Reisebilder*, vol. II, p. 56.
(2) Heine, *De l'Allemagne*, vol. I, p. 190.

importantes. A cet égard, il faut rappeler certaines observa-
tions révélatrices de Sainte-Beuve :

> J'oserai affirmer, sans crainte d'être démenti, que Byron
> et de Sade (je demande pardon du rapprochement) ont peut-être
> été les deux plus grands inspirateurs de nos modernes, l'un
> affiché et visible, l'autre clandestin — pas trop clandestin. En
> lisant certains de nos romanciers en vogue, si vous voulez le
> fond du coffre, l'escalier secret de l'alcôve, ne perdez jamais cette
> dernière clé. (1).

A plusieurs reprises, Heine parle de l'ascèse chrétienne
comme d'une manifestation lubrique, issue du Bas-Empire,
le dernier ressort sensuel d'une civilisation destinée à disparaître. Toujours se presse sous sa plume l'image de vieux
satyres désespérés, qui, ayant épuisé toutes les jouissances,
essaient de rallumer par la flagellation, le feu éteint dans
les cendres, et qui retrouvent dans l'immolation du corps
les derniers raffinements de la volupté. Dans sa critique littéraire vibrent parfois ces mêmes accents, où l'amour profane se mêle à l'amour sacré, la lubricité masochiste à la
discipline monacale, le blasphème à la prière. C'est ainsi,
par exemple, qu'il caractérise les personnages du dramaturge Zacharias Werner :

> Les héros de la plupart de ses drames sont déjà des amoureux
> pleins de renoncement monacal, de voluptueux ascétiques qui
> ont découvert dans l'abstinence un raffinement de plaisir, qui
> spiritualisent leur besoin de jouissances par le martyre de la
> chair, qui cherchent dans les macérations du mysticisme religieux
> les plus terribles béatitudes, et qui mériteraient le nom de saints
> roués (2).

Chez ces « Nazaréens modernes », les républicains socia-
listes, Heine signale, derrière les prétentions à la justice
et la vertu, un semblable courant de libertinage. Bien sûr,

---

(1) Quelques vérités sur la situation en littérature, *RDM*, 1843, vol. III,
p. 14. Réimprimé dans *Portraits contemporains*, t. III, p. 415. Cité aussi par
Mario Praz, *The Romantic Agony*, p. 80-81.
(2) Heine, *De l'Allemagne*, vol. I, p. 354.

les hommes de la Révolution, Robespierre et Saint-Just,
ainsi que « le terrorisme d'un comité de salut [peuvent]
sembler une médication nécessaire à ceux qui ont lu les
confessions des grands seigneurs français depuis la
régence » (1). Cependant, ces monstres de vertu, comme
les appellera Anatole France, font regretter la vraie grandeur du xviiie siècle qui, selon Heine, était « libertin et
sublime, riche et endetté ; qui prisonnier... écrivait les
romans les plus lubriques, mais aussi les plus nobles livres
d'émancipation [Befreiungsbücher] » (2). Quand Heine
chante la gloire de Mirabeau, on devine sous le masque
du tribun libertin et révolutionnaire un tout autre personnage : « « Ariel-Caliban, rayonnant de génie et de
« laideur », que la prose de l'amour dégrisait, quand la
poésie de la raison l'avait enivré ; un roué de la liberté,
transfiguré et digne d'adoration ; un être hybride que
pouvait seul décrire Jules Janin (3). » (Il s'agit évidemment
de Janin, jeune auteur de *L'âne mort*, et non pas du critique
vieilli, embourgeoisé et aigri, qui s'acharnera si bêtement
sur Heine, Baudelaire et les jeunes poètes des années
soixante). En lisant ce texte sur Mirabeau, on ne peut
s'empêcher de penser à Sade, qui pousse jusqu'à la dernière
conséquence la liberté et le libertinage, les mêlant dans ses
œuvres, où les récits d'une lascivité violente alternent
toujours avec de doctes dissertations sur l'émancipation
absolue de l'individu (4).

   Une atmosphère à la fois semblable et différente, plus

   (1) *Ibid.*, vol. I, p. 189.
   (2) HEINE, *Allemands et Français*, Calmann-Lévy, Paris, 1881, p. 169.
   (3) *Ibid.*, *loc. cit.*
   (4) *La philosophie dans le boudoir* donne peut-être le meilleur exemple de
ce procédé. Les narrations d'orgies sans pareilles y alternent avec des discours
« philosophiques ». Au milieu de l'ouvrage se trouve inséré le plus audacieux
plaidoyer pour la liberté absolue, qu'on ait jamais formulé : le pamphlet intitulé
Français, encore un effort si vous voulez être républicains. — Puisqu'il est question
de Jules Janin, mentionnons l'éreintement hypocrite contre Sade que se permit,
en 1834, dans la *Revue de Paris*, ce critique français, dont l'œuvre romanesque
porte pourtant si nettement l'empreinte du sadisme.

proche de Renan que de Sade, prédomine dans ce mythe
du dieu nazaréen, qui, conquérant en usurpateur l'Olympe,
se présente pâle et ensanglanté au festin des dieux libertins
de la Grèce :

... soudain entra, tout essoufflé, un juif pâle, dégouttant de
sang, une couronne d'épines sur la tête, et portant sur l'épaule
une grande croix de bois, et il jeta cette croix sur la splendide
table du banquet. Les vases d'or tremblèrent, les dieux se turent,
pâlirent davantage jusqu'à ce qu'ils s'évanouirent enfin en vapeur.

Il y eut alors un triste temps, et le monde devint gris et
sombre. Il ne fut plus question de dieux heureux ; on fit de
l'Olympe un hôpital où des dieux écorchés, rôtis et perforés, se
promenèrent ennuyeusement et pansèrent leurs blessures en
chantant de tristes litanies. La religion ne donna plus de joie,
mais des consolations ; ce fut une ensanglantée et lamentable
religion de suppliciés.

Peut-être était-elle nécessaire pour l'humanité malade et
écrasée. Qui voit souffrir son Dieu supporte plus facilement ses
propres souffrances... (1).

Et encore :

... quelle source de consolation pour tous les cœurs souffrants
ne fut pas le sang versé sur le sommet du Calvaire !... Ce sang
jaillit sur les dieux grecs qui s'ébranlèrent sur leur socle de marbre
blanc, comme frappés d'une terreur secrète ; ils furent atteints
d'un mal dont ils ne guérirent jamais. La plupart portaient
déjà en eux le germe de cette maladie dévorante ; mais ce fut
la peur qui hâta leur décès. Pan mourut le premier... (2).

Souvent réitérées, ces plaintes se rapprochent, pour
le thème, de la *Prière sur l'Acropole* ; pour le coloris, cependant, elles portent l'empreinte de cette *algolagnie* que Mario
Praz a eu le mérite d'arracher à l'oubli (3). On y détecte
un certain plaisir pris à la beauté tachée de sang et de
corruption, le frisson d'une jouissance tirée des douleurs

(1) Heine, *Reisebilder*, vol. II, p. 234-235.
(2) Heine, *De l'Allemagne*, vol. II, p. 19-20.
(3) Cf. Mario Praz, *The Romantic Agony*, 2e éd., Oxford University Press,
London-New York-Toronto, 1951, p. 47, n. 14, et *passim*.

qu'on inflige à autrui ou qu'on subit soi-même. Sentiment
complexe qui se voile souvent chez Heine, sous l'atten-
drissement de la pitié ; plus souvent encore, sous la raillerie
du sceptique amusé. A la différence de Renan, Heine ne
reste pas toujours épris de ces divinités en exil, méta-
morphosées (selon sa théorie) par le christianisme en
démons, qui, « se tenant cachés durant le jour, sortent,
la nuit venue, de leurs demeures, et revêtent une forme
gracieuse pour égarer les pauvres voyageurs et pour tendre
des pièges aux téméraires » (1). Accueillis par la légende
du Nord, les dieux antiques se confondent pour Heine,
lecteur de nombreux *Volksbücher*, avec ces « esprits élémentaires » qui, dans les traditions populaires, animent
de leurs activités souterraines la flore, les minéraux, les
eaux et l'air. A chaque instant, les persécutions d'un clergé
intolérant les obligent à changer de forme, d'occupation
et de domicile. L'exil les a réduits à la misère et aux plus
humbles emplois ; l'anathème les relègue, en compagnie des
anciennes divinités du Nord, parmi les diables et les
sorcières. La terrible malédiction que les disciples du
Nazaréen ont lancée contre la nature, a transformé en
pandémonium l'aimable monde de la fable antique et celui
de la légende panthéiste du Nord. Ces forces mystérieuses
de la nature dont les elfes, les nixes, les faunes, les nymphes
furent les allégories vivantes : le clergé chrétien les a
précipitées dans l'enfer. Pour Heine, aux arbres des anciens
bois sacrés ne pendent plus que des fruits défendus ; la
tristesse nazaréenne s'est emparée du monde, elle a pollué
toutes les sources de la vie. Seuls, le poète et l'enfant
trouvent encore, dans les traditions populaires, les symboles
d'un âge d'innocence perdu. C'est là le sujet des *Esprits
élémentaires* et des *Dieux en exil*. Si Heine ne s'éprend pas
des divinités détrônées de l'Olympe, il ne leur refuse
pourtant point sa compassion, mêlée d'ironie, bien sûr,

---

(1) HEINE, *De l'Allemagne*, vol. II, p. 190, « Les Dieux en exil ».

mais aussi de regrets et de terreur. Dans leur splendeur
égoïste, ils représentent un idéal inaccessible pour l'homme.
Mais il leur manque aussi la générosité des humains. Dans
sa réponse ironique aux *Götter Griechenlands* de Schiller,
Heine essaie de définir sa position :

> Ich hab' euch niemals geliebt, ihr Götter !
> Denn widerwärtig sind mir die Griechen,
> Und gar die Römer sind mir verhasst.
> Doch heil'ges Erbarmen und schauriges Mitleid
> Durchströmt mein Herz,
> Wenn ich euch jetzt da droben schaue,
> Verlassene Götter,
> Tote, nachtwandelnde Schatten,
> Nebelschwache, die der Wind verscheucht —
> Und wenn ich bedenke, wie feig und windig
> Die Götter sind, die euch besiegten,
> Die neuen, herrschenden, tristen Götter,
> Die schadenfrohen im Schafspelz der Demut —
> O, da fasst mich ein düsterer Groll,
> Und brechen möcht' ich die neuen Tempel,
> Und kämpfen für euch, ihr alten Götter,
> Für euch und eu'r gutes, ambrosisches Recht,
> Und vor euren hohen Altären,
> Den wiedergebauten, den opferdampfenden,
> Möcht ich selber knieen und beten,
> Und flehend die Arme erheben —
>
> Denn immerhin, ihr alten Götter,
> Habt ihr's auch eh'mals, in Kämpfen der Menschen,
> Stets mit der Partei der Sieger gehalten,
> So ist doch der Mensch grossmüt'ger als ihr,
> Und in Götterkämpfen halt' ich es jetzt
> Mit der Partei der besiegten Götter (1).

---

(1) *Die Nordsee*, Zweiter Zyklus, VI : « Die Götter Griechenlands. » « Je
ne vous ai jamais aimées, vieilles divinités classiques ! Pourtant une sainte
pitié et une ardente compassion s'emparent de mon cœur, lorsque je vous vois
là-haut, dieux abandonnés, ombres mortes et errantes, images nébuleuses que
le vent disperse, effrayées, et, quand je songe combien lâches et hypocrites
sont les dieux qui vous ont vaincus, les nouveaux et tristes dieux qui règnent
maintenant au ciel, renards avides sous la peau de l'humble agneau... oh !
alors une sombre colère me saisit, et je voudrais briser les nouveaux temples
et combattre pour vous, antiques divinités, pour vous et votre bon droit

2. Cependant, cette faible défense des Olympiens a une saveur amère et suspecte. Les vers de Heine, malgré leur ton prétentieux et impertinent pleins d'une sainte colère, trahissent le Nazaréen désillusionné. Il semble même que, loin de condamner l'esprit chrétien, le satiriste flagelle les abus du christianisme organisé. L'attitude de Heine se rapproche, en effet, de celle que Mauriac prête au personnage central du *Nœud de vipères*. Pareil à cet avocat torturé par l'avarice, Heine se fait, à son insu, une idée si haute du catholicisme qu'il n'en peut pas supporter la réalité médiocre. Il s'acharne donc contre la fausse dévotion qu'il ne sait d'ailleurs guère distinguer de la vraie : « L'hypocrisie est la sœur jumelle de la religion, et elles se ressemblent tant toutes les deux, qu'il est quelquefois impossible de les distinguer. C'est la même figure, le même costume, le même langage (1). » Il faut ajouter qu'il ne fait aucun effort pour y voir plus clair.

Comme les dieux anciens, l'art grec exerce sur Heine, un charme qui se double d'une certaine irritation. Il admire le sens plastique et ce sentiment aigu du présent qui se dégagent de la poésie et de la sculpture grecques. Cependant, devant ce qu'elle ressent comme la « froideur » de ces œuvres grandioses, l'âme romantique de Heine se replie sur elle-même. Il se déclare hostile aux mètres antiques. Question de tempérament ? Ou Heine se rend-il quand même compte de son inaptitude à manier l'hexamètre et le pentamètre ? De son propre aveu, il a dû abandonner, après quelques tentatives futiles, ces rythmes qui, de son vivant, ne rentrent pas dans son œuvre. « J'avoue...

parfumé d'ambroisie : et devant vos autels relevés et chargés d'offrandes, je voudrais adorer, et prier, et lever des bras suppliants...

« Il est vrai qu'autrefois, vieux dieux, vous avez toujours, dans les batailles des hommes, pris le parti des vainqueurs ; mais l'homme a l'âme plus généreuse que vous, et, dans les combats des dieux, moi, je prends [maintenant] le parti des dieux vaincus. » — Traduction de Nerval, dans *Poëmes et légendes*, p. 140-141.

(1) Heine, *De l'Allemagne*, vol. I, p. 257.

que de ma vie je n'ai pu écrire six lignes dans ce mètre
antique », admet-il dans une lettre à Immermann, « d'abord
parce que l'imitation des anciens répugne à ma nature
intime, ensuite parce que j'exige trop de l'hexamètre et
du pentamètre allemands, enfin parce que je suis trop
maladroit pour m'en servir » (1).

Ballotté entre l'amour et le mépris des survivances
mythologiques, Heine se déclare tantôt partisan, tantôt
adversaire de cette « *ecclesia pressa*, qui honore Homère
comme son prophète » (2). En 1847, au moment où la paralysie ravage déjà son corps, il projette dans son ballet de
Faust, une heureuse vision de cette santé grecque qu'il se
représente alors, à l'instar de Winckelmann et Gœthe,
comme un état d'équilibre, de paix entre la chair et l'esprit,
comme un mélange de sérénité et d'innocente volupté :

... à droite un temple de Vénus Aphrodite, dont la statue
brille derrière les colonnades, et tout cela animé par une verte et
fleurissante race d'hommes, adolescents en blancs habits de fête,
jeunes filles en tuniques de nymphes, la tête couronnée de roses
ou de myrtes. Tout ici respire la sérénité du génie grec, la paix
et l'ambroisie des dieux, le calme antique. Rien ne rappelle ce
nébuleux supernaturalisme, cette mystique exaltation voluptueuse ou maladive, cette extase de l'esprit qui veut se délivrer
des liens du corps et cherche un monde au delà de cette terre ;
partout une félicité réelle, plastique, sans le moindre mélange
de regrets rétrospectifs ou de prétentieuses et vides aspirations (3).

Cependant, l'idylle, l'ambiance du bonheur, ne lui
réussissent jamais aussi bien que ces chants où vibre la
douleur. Un soupçon d'amertume s'y mêle toujours. Ce
qui est bien plus frappant : les dieux grecs, à quelques
exceptions près, séduisent Heine seulement alors qu'ils se
montrent dans un état pollué. Sa peinture les surprend

---

(1) *Correspondance inédite*, 1re série, p. 50. Lettre datée de Berlin,
le 10 avril 1823.

(2) HEINE, *De l'Allemagne*, vol. II, p. 25. Texte daté de Heligoland, le
1er août 1830.

(3) *Ibid.*, p. 137, *Faust*, acte IV.

toujours, soit dans la dégradation de la débauche, soit dans l'humiliation de l'exil, changés en démons, en esprits maléfiques. Le crépuscule des dieux exerce sur lui la même fascination que le calvaire du Christ. L'image du dieu sacrifié hante ses vers et ses œuvres en prose. Le triomphe de l'esprit sur la chair, qui transfigure le bourreau en victime, devient, dans l'imagination de Heine, ce point central où se touchent les deux mythologies : l'une aboutissant à son terme, et entraînant avec elle dans les ténèbres toute joie de vivre ; l'autre s'acheminant vers cette triste victoire qui plongera l'homme occidental dans les affres de la morbidité. En somme, les dieux devenus boucs émissaires, les dieux au moment de leur immolation, les dieux couverts de sang et tachés de leurs propres crimes ou de ceux de l'humanité : voilà le seul spectacle divin capable d'émouvoir Heine. Spectacle qui ajoute à son lyrisme le frisson d'une pitié où se mêle cette secrète volupté que symbolise, dans son œuvre, la passiflore,

... cette fleur, à couleurs singulières et tranchées, dans le calice de laquelle sont tracés les instruments qui servirent au martyre de Jésus-Christ, tels que le marteau, les pinces, les clous, etc. *Une fleur qui n'est pas absolument repoussante, mais funèbre, et dont la vue excite en nous un plaisir déchirant semblable aux sensations douces qu'on trouve dans la douleur même* (1).

Ici peut-être plus qu'ailleurs se précise le côté « nazaréen » de Heine : la souffrance, la mort et la volupté se confondent dans la vision d'une sublime beauté, dont l'affreux charme ressort de la souillure dans le malheur, dans le sang et dans la torture. S'attardant sur l'image des dieux agonisants, cette délectation morose rapproche le martyre de l'orgie. Joignant le blasphème au sentiment religieux, et l'amour à l'immolation, cette manière de sentir trouve son pendant dans l'esthétique de Baudelaire.

(1) Heine, *De l'Allemagne*, vol. I, p. 188 (Nos italiques.)

On pense à ces *Deux bonnes sœurs* qui révèlent leur identité
sous les formes de la Débauche et de la Mort :

> Et la bière et l'alcôve en blasphèmes fécondes
> Nous offrent tour à tour, comme deux bonnes sœurs,
> De terribles plaisirs et d'affreuses douceurs.

On songe également au célèbre passage des *Fusées* où
le poète définit son beau idéal :

> ... l'idée d'une puissance grondante, et sans emploi, — quel-
> quefois l'idée d'une insensibilité vengeresse (car le type idéal du
> Dandy n'est pas à négliger dans ce sujet), quelquefois aussi, — et
> c'est l'un des caractères de beauté les plus intéressants — le mys-
> tère, et enfin (pour que j'aie le courage d'avouer jusqu'à quel
> point je me sens moderne en esthétique), *le malheur*. Je ne pré-
> tends pas que la Joie ne puisse pas s'associer avec la Beauté, mais
> je dis que la Joie est un des ornements les plus vulgaires ; — tandis
> que la mélancolie en est pour ainsi dire l'illustre compagne, à
> ce point que je ne conçois guères (mon cerveau serait-il un miroir
> ensorcelé ?) un type de Beauté où il n'y ait du *Malheur*. — Appuyé
> sur — d'autres diraient : obsédé par — ces idées, on conçoit qu'il
> me serait difficile de ne pas conclure que le plus parfait type de
> Beauté virile est *Satan*, — à la manière de Milton (1).

Le dandysme et la mélancolie se confondent aussi dans
la peinture que Heine fait de Satan. Dans l'œuvre du poète
allemand, les traits du dignitaire infernal « expriment la
tristesse d'un ange déchu et le profond ennui d'un prince
blasé » (2). Aux plaisirs sensuels, le diable, tel que le dépeint
Heine, apporte cette infirmité si baudelairienne qu'est la
frigidité, le froid glacial de ses étreintes amoureuses (3).
Du reste, Méphistophélès se présente, dans les ouvrages
de Heine, en grand seigneur. Son caractère n'a rien de bas
ni de bouffon : « Méphistophélès n'est pas un misérable
va-nu-pieds de l'enfer, c'est un *esprit subtil*, comme il le
dit lui-même, un démon de haut parage, un noble démon

---

(1) BAUDELAIRE, *Œuvres*, Pléiade, vol. II, p. 633.
(2) HEINE, *De l'Allemagne*, vol. II, p. 135.
(3) HEINE, *De l'Allemagne*, vol. II, p. 174.

très haut placé dans la hiérarchie souterraine... (1). »

Parmi les nombreuses métamorphoses du diable qu'offre la légende de Faust, la transformation de Méphistophélès en cheval ailé, transportant le docteur ennuyé au gré de ses désirs en tous lieux, renferme pour Heine un « sens profond » (d'ailleurs facile à déchiffrer) :

Ici, l'esprit malin représente non seulement la rapidité de la pensée de l'homme, mais encore la puissance de la poésie, vrai Pégase qui, dans le plus court délai, met en la possession de celui qui le monte toutes les magnificences et toutes les jouissances de la terre (2).

L'allégorie du vice représente ici la vertu même de la poésie. Elle symbolise cette puissance magique qui ouvre à l'imagination les portes de la volupté et lui fait découvrir ses propres richesses. Par ce paradoxe, le satanisme se transpose sur un plan esthétique. C'est par la porte du mal que le poète entre dans le domaine de son trésor spirituel. L'indifférence de la nature vis-à-vis de toute moralité, et les richesses qui attendent le poète une fois qu'il aura franchi le seuil du Mal, l'autorisent à se servir de cette entrée interdite. Dans le climat de pessimisme qui prédomine dans les poésies de Heine, les « malheurs de la vertu » constituent un thème privilégié :

> ... Das ist das Los,
> Das Menschenlos ; — was gut und gross
> Und schön, das nimmt ein schlechtes Ende (3).

> Und der schlechtre Mann gewinnt (4).

> Gefallen ist der bessre Mann,
> Es siegte der Bankert, der schlechte... (5).

---

(1) *Ibid.*, p. 166.
(2) *Ibid.*, p. 169.
(3) *Matratzengruft*, XXIX : « Voilà le destin, le destin de l'homme : ce qui est bon et grandiose et beau, prend une mauvaise fin. »
(4) Valkyren, dans *Romanzero*, « Historien », 3 : « Et le pire des hommes sort vainqueur du combat. »
(5) Schlachtfeld bei Hastings, *ibid.*, 4 : « Mort reste sur le champ de bataille l'homme de valeur ; le bâtard, le mauvais, triomphe. »

Le refrain qui revient toujours dans ses chants est celui du vertueux vaincu par l'indigne. Le spectacle d'une petite fille fouettée transporte Heine enfant au comble des délices voluptueuses, dont le seul souvenir est capable de réchauffer les esprits animaux du poète paralysé. L'analyse ironique des jouissances que lui procure la vue de l'innocence flagellée, et sa double identification avec le bourreau et la victime, forment le sujet d'un poème scabreux, qui porte le titre de *Citronia*. Ajoutons que Heine est, comme Sade, violemment opposé à la peine capitale. En dehors du contexte général, ce détail ne témoignerait que d'un intérêt humanitaire. Mais il prend un sens tout particulier dans l'ensemble de ces attitudes, qui ouvrent sur son œuvre, une perspective toute nouvelle.

Il ne resterait qu'un pas pour que Heine parvînt à la fameuse formule du marquis de Sade : « ... si la prospérité accompagne le crime, les choses étant égales aux vues de la Nature, il vaut mieux prendre parti parmi les méchans qui prospèrent, que parmi les vertueux qui échouent » (1). Ce pas, Heine se garde bien de le franchir. Trop préoccupé d'une vie aisée, il ne prend point le risque de plaider en faveur du crime. Et pourtant, son esprit frise parfois la complaisance dans le péché et le crime. La bassesse d'une morale de cuistres, telle qu'il l'a connue à Hambourg, lui arrache ce cri de colère que (toutes considérations de style mises à part) auraient pu pousser, indifféremment, le divin marquis, Baudelaire ou Rimbaud :

> O, dass ich grosse Laster säh,'
> Verbrechen blutig, kolossal, —
> Nur diese satte Tugend nicht,
> Und zahlungsfähige Moral (2) !

---

(1) Sade, *Justine ou les malheurs de la vertu*, Le Soleil Noir [Paris], 1952, p. 6.

(2) Anno 1829, *Neue Gedichte, Romanzen*, VII : « Que je puisse voir des vices grandioses, des crimes sanglants et colossaux, au lieu de cette vertu bien nourrie et cette morale capable de payer. »

3. Pour Heine, la foi primitive des nations européennes, et surtout celle des peuples du Nord, était panthéiste. « Ses mystères et ses symboles reposaient sur un culte de la nature ; dans chaque arbre respirait une divinité ; toutes les apparitions du monde sensible étaient divinisées. Le christianisme retourna cette manière de voir : au lieu de diviniser la nature, il la diabolisa (1). » Ainsi, dans sa conquête de l'Occident, le dogme chrétien transforma en démons les anciens dieux. Mais sous la souillure démoniaque, le poète saura découvrir la forme divine et, par la magie du Verbe, la restaurer à la vie : « La nature n'a-t-elle pas eu jadis une sensibilité tout comme les hommes, et peut-être plus qu'eux ? La force inspiratrice d'un Orphée, a pu, dit-on, entraîner sur ses rhythmes les arbres et les pierres (2). » Ce don orphique ne s'est pas entièrement perdu ; comme dans un passé reculé, les éléments parlent encore de nos jours aux êtres privilégiés, à l'enfant et au poète. Pour Heine, comme pour Novalis, les Schlegel et la plupart des romantiques allemands, un système de secrètes correspondances relie l'âme du poète lyrique à la nature animée : « O nature ! vierge muette ! je comprends bien les éclairs qui tressaillent sur ta noble figure, comme une tentative impuissante pour parler, et tu m'émeus d'une pitié si profonde que je pleure, » s'exclame-t-il avec un peu trop de sentimentalité. « Mais alors tu me comprends aussi, moi, et ton regard s'éclaircit, et tu me souris avec tes yeux d'or. Belle vierge ! je comprends tes étoiles, et tu comprends mes larmes (3) ! »

Une telle complicité avec les puissances de la nature fait du poète le blasphémateur par excellence. L'idée s'impose, mais Heine ne la formule pas avec clarté. Et pourtant, en montrant l'envers de la démonologie, il parvient à en tirer ces pièces justificatives dont il a besoin

(1) HEINE, *De l'Allemagne*, vol. I, p. 19.
(2) HEINE, *Reisebilder*, vol. II, p. 207.
(3) HEINE, *Reisebilder*, vol. II, p. 210.

pour faire le procès du christianisme médiéval. Son acte
d'accusation : en diabolisant les anciennes divinités, ces
esprits qui habitent les « éléments », le dogme chrétien a
commis un suprême attentat contre la nature. La réhabilitation des dieux païens qu'entreprend Heine constitue,
en même temps, la défense d'un satanisme qui se cache à
peine sous l'innocent masque panthéiste.

Évidemment, Heine ne peut raisonner qu'en homme de
son temps. Ce « romantique défroqué » (comme il aime
s'appeler lui-même) (1) n'est pas encore assez « défroqué »
pour ne pas voir le Moyen Age sous un jour fort fantasque.
Pour lui, cette époque de *tenebrae* (le terme vient de
Pétrarque !) couvre toutes les périodes du Bas Empire
jusqu'au XVIe siècle. C'est à peine s'il aperçoit quelques
nuances dans cette « unité de l'esprit médiéval », où il ne
voit au fond que la tyrannie spirituelle et temporelle d'une
Église Romaine toute-puissante. Le sens de la renaissance
carolingienne lui échappe autant que celui des XIIe et
XIIIe siècles, âge où fleurissent le rationalisme thomiste et
une poésie mondaine d'une délicatesse extrêmement raffinée. Heine vit, en effet, dans une ignorance presque totale
de cette riche littérature médiévale qui confirme la permanence des études humanistes à travers les époques les plus
soumises au règne de l'Église. Il se lance dans des spéculations sans fondement sur l'attitude de l'Église médiévale
vis-à-vis de la poésie lyrique. Lui, qui n'a même pas feuilleté
le *Roman de la Rose* (2), ose hardiment affirmer que le
poète médiéval, qui glorifiait la nature et trouvait dans
Ovide les modèles de ses allégories, fut le plus souvent
persécuté comme hérétique. L'Église, suggère donc Heine,
atteignit de sa persécution « bien souvent aussi... les
poètes qui ne faisaient dériver leur enthousiasme que

---

(1) HEINE, *De l'Allemagne*, vol. II, p. 243.
(2) Publié au XIXe siècle, en 1814, par MÉON, et longuement commenté,
du temps de Heine, par NISARD, dans *Le temps*, numéro du 18 mars 1837,
et par LE ROUX DE LINCY, dans la *Revue de Paris*, mars 1837, etc.

d'Apollon et assuraient aux dieux païens proscrits un refuge dans le pays de la poésie ». Il soupçonne que ce fut une jalousie réciproque qui produisit un si terrible dissentiment entre les serviteurs du Verbe spirituel et ceux du Verbe temporel (1).

Il est évident que, malgré ses lectures assidues dans les *Volksbücher* allemands, Heine ne comprend pas grand-chose au Moyen Age. Il ignore que la littérature du XIIe siècle avait réussi, à sa manière, la synthèse où aspire en vain le poète moderne : les tendances classiques s'y confondent parfaitement, quoique d'une façon assez naïve, avec l'esprit « nazaréen ». Une telle synthèse, Heine ne la trouve point avant Shakespeare : « Shakespeare est à la fois Juif et Grec, ou plutôt ces deux éléments contraires, le spiritualisme et l'art, se sont fondus en lui pour former un tout d'un ordre supérieur (2). » Une harmonie de ce genre, conclut-il, « un pareil mélange ne serait-il pas la tâche de toute la civilisation européenne ? Ce résultat est encore bien loin de nous » (3).

De toute façon, Heine lui-même se sent bien éloigné d'un tel accord des contraires. Des deux attitudes d'esprit, tantôt l'une, tantôt l'autre gagne le dessus dans son œuvre. Ce désir de rétablir l'accord universel, de réconcilier les extrêmes, prédomine dans tous ses écrits. La lutte pour l'émancipation du corps et la quête d'une libération sociale, qui donnerait en même temps libre cours aux aspirations libertines de l'individu : voilà les tendances qui colorent, déjà en 1824, les vers de ce nouveau « chevalier du Saint-Esprit » dont le programme revendique, avec la liberté des hommes, l'égalité de la chair et de l'esprit :

> Alte Todeswunden heilt er,
> Und erneut das alte Recht ;
> Alle Menschen, gleichgeboren,
> Sind ein adliges Geschlecht.

(1) HEINE, *De l'Angleterre*, p. 15.
(2) HEINE, *De l'Allemagne*, vol. II, p. 22.
(3) *Ibid., loc. cit.*

> Er verscheucht die bösen Nebel
> Und das dunkle Hirngespinst,
> Das uns Lieb' und Lust verleidet,
> Tag und Nacht uns angegrinst (1).

Dix ans plus tard, l'ambiguïté de cet idéal se précise :
sous l'inspiration de « l'église invisible des saint-simoniens,
qui est partout et nulle part, comme l'église chrétienne
avant Constantin » (2), le poète usurpe hardiment la place
de saint Pierre. Sur l'unité retrouvée de l'âme et du corps,
il prétend ériger une nouvelle église, où Dieu se manifestera
aussi bien dans les créations de l'esprit que dans les étreintes
amoureuses :

> Auf diesem Felsen bauen wir
> Die Kirche von dem dritten,
> Dem dritten neuen Testament ;
> Das Leid ist ausgelitten.
>
> Vernichtet ist das Zweierlei,
> Das uns so lang betöret ;
> Die dumme Leiberquälerei
> Hat endlich aufgehöret.
> . . . .
> Der heil'ge Gott der ist im Licht
> Wie in den Finsternissen ;
> Und Gott ist alles was da ist ;
> Er ist in unsern Küssen (3).

Temporairement, autour de 1830, Heine croit trouver
dans le saint-simonisme une religion capable de guider

---

(1) *Harzreise*, « Bergidylle », 2. Version des *Reisebilder*, vol. I, p. 52 : « Il
guérit de vieilles blessures mortelles, / Et renouvelle le droit primitif : / Que
tous les hommes, nés égaux, / Sont une race de nobles.

« Il dissipe les méchantes chimères / Et les fantômes ténébreux, / Qui nous
gâtaient l'amour et le plaisir, / En nous montrant à toute heure leurs faces
grimaçantes. »

(2) HEINE, *De la France*, p. 295.

(3) Seraphine, VII, *Neue Gedichte*, *Verschiedene* : « Sur ce rocher, nous
bâtissons l'église du troisième nouveau testament : plus de souffrances à subir.

« Elle est anéantie, la discorde qui nous a si longtemps ensorcelés ; le sot
martyre des corps a cessé enfin...

« Le saint Dieu est dans la lumière comme dans les ténèbres ; Dieu est tout
ce qui est, il est dans nos baisers. »

l'humanité vers un nouvel âge d'or. (A moins que ce ne fût Heine lui-même qui — telle est l'opinion d'Émile Montégut — inspira au saint-simonisme le dogme de l'émancipation de la chair (1).) La formule panenthéiste du « père » Enfantin plaît à l'âme aristocratique d'un poète qui ne s'est jamais complu dans le climat du socialisme, avec ses prétentions à l'égalité de tous les hommes. Si tout est en Dieu, proclame Enfantin, il est néanmoins vrai que Dieu ne se manifeste point au même degré dans toutes les choses (2). La société saint-simonienne se fonderait sur une hiérarchie du talent ; à sa tête, les prêtres et les artistes représenteront la religion ; les savants comme maîtres de la science y occuperont le second échelon ; puis suivront les industriels auxquels incombera la tâche d'exploiter, selon les règles de la raison, les richesses du globe. Un tel ordre social, qui remplace l'aristocratie de sang par la noblesse du talent, flatte Heine, victime dès son enfance des persécutions que lui vaut sa naissance juive. Mais il n'adhère pas sans certaines réserves à une « religion » qui envisage l'art comme un sacerdoce et demande que toute œuvre du poète, du peintre, du sculpteur, du musicien, témoigne de la haute consécration de sa mission sainte, qu'elle ait pour but le bien-être et l'embellissement du genre humain. Car pour Heine, l'artiste n'aura d'autre maître que sa propre conscience. De sa disponibilité, le poète se fera une loi, tout en laissant l'esprit ouvert à l'affluence de toutes les idées, si contradictoires qu'elles soient. Aux « généreuses mais absurdes exigences de la nouvelle doctrine », Heine oppose l'indépendance de l'art : « ... je tiens pour l'autonomie de l'art, qui ne doit être le valet ni de la religion, ni de la politique, mais au contraire son propre but, comme le monde » (3).

(1) Cf. Émile MONTÉGUT, Esquisses littéraires : Henri Heine, *RDM*, t. LXIII, du 15 mai 1884, p. 262.
(2) *Œuvres d'Enfantin*, Paris, 1868, vol. I, p. 116.
(3) HEINE, *De la France*, p. 295.

4. Cette situation au-dessus de la mêlée, Heine la garde au milieu des querelles qui déchirent cette *Jeune Allemagne*, dont, malgré lui, il sera le chef. En dépit de tout ce qui le sépare de ses camarades, il se déclare solidaire de ce mouvement qui, par tant de côtés, se rapproche du saint-simonisme :

> Eux aussi [les écrivains de la *Jeune Allemagne*] ils ne veulent faire aucune différence entre leur vie et leurs écrits, ils ne séparent plus la politique de la science, l'art de la religion, et ils sont en même temps artistes, tribuns et apôtres... Ils puisent dans une nouvelle croyance une passion dont les écrivains de l'époque antérieure n'avaient aucun pressentiment. Cette passion, c'est la foi au progrès, foi qui est née de la science. Nous avons mesuré les pays, pesé les forces de la nature, compté les moyens de l'industrie, et voici ce que nous avons trouvé : La terre est assez grande, chacun a assez d'espace pour y bâtir la cabane de son bonheur. Cette terre peut tous nous nourrir, si tous nous voulons travailler, au lieu de vivre aux dépens les uns des autres. Alors il sera superflu de prêcher le ciel aux pauvres pour ne pas leur faire envier le bonheur des riches. Le nombre de ceux qui possèdent cette foi et cette science n'est pas trop grand, il est vrai. Mais le temps est venu où les peuples comptent bien moins par le nombre des têtes que par la valeur des cœurs... (1).

Mais la *Jeune Allemagne* sombrera dans le marxisme et dans les idées hégéliennes, et, à son tour, l'édifice de la nouvelle église saint-simonienne s'écroulera. Ses « pères » feront fortune dans les entreprises de chemins de fer, ou dans la construction du canal de Suez. Au milieu des ruines de l'église saint-simonienne retentissent déjà les voix des iconoclastes à venir. Tout semble alors indiquer que les débris de la famille dispersée de Saint-Simon, et tout l'état-major des fouriéristes, finiront par passer « à l'armée toujours croissante du communisme, et prêtant au besoin brutal la parole qui donne la forme, ils se chargeront en quelque sorte du rôle de pères de l'église. Un

----

(1) HEINE, *De l'Allemagne*, vol. I, p. 344.

pareil rôle », ajoute Heine, « est déjà rempli par Pierre Leroux ... » (1).

Mais déjà à une époque où Heine se rapproche du saint-simonisme, ses propres considérations sceptiques et sa foi au progrès se répondent. Il a une grandiose vision de l'humanité revenue à la santé, qui, ayant rétabli l'harmonie primitive du corps et de l'âme, instituera sur terre un nouvel ordre où la liberté politique se confondra avec le libertinage. Alors des générations plus belles et plus heureuses naîtront de libres hyménées, et souriront douloureusement en songeant à leurs pauvres ancêtres dont la vie s'est tristement écoulée dans l'abstinence de toutes les joies terrestres. Cependant, ce sont peut-être là de folles espérances : «... peut-être n'y a-t-il à espérer de résurrection pour l'humanité ni dans le sens politique, ni dans le sens religieux. L'humanité est peut-être destinée à d'éternelles misères... Hélas, s'il en était ainsi, ce serait un devoir pour ceux-là même qui regardent la religion comme une erreur, que de la maintenir ». Qu'ils parcourent alors l'Europe, qu'ils prêchent le néant et la renonciation à tous les biens de la terre, « qu'ils montrent aux hommes enchaînés et avilis la consolante image du crucifix, et qu'ils leur promettent après leur mort toutes les joies du ciel » (2).

Désabusé, comme Flaubert et Baudelaire, par l'échec de la Révolution de 1848, et déçu par le saint-simonisme (qu'il n'a d'ailleurs jamais pris trop au sérieux), Heine retrouve en lui-même à nouveau ce déchirement qui oppose, dans un perpétuel conflit, le Juif et l'hellénisant. Son prétendu retour à une foi plus déiste que judaïque, ne remédie en rien à cette situation. S'insinuant dans ses écrits, l'idéal grec ne cesse guère de hanter son

(1) HEINE, *Lutèce*, LX [éd. all. : « Anhang I »], le 25 [éd. all. : 15] juin 1843, p. 367.

(2) HEINE, *De l'Allemagne*, vol. I, p. 13-14.

esprit. C'est en vain qu'il cherche à le chasser de ses
chants :

> Fort mit der Lyra Griechenlands,
> Fort mit dem liederlichen Tanz
> Der Musen, fort ! In frömmern Weisen
> Will ich den Herrn der Schöpfung preisen.
>
> Fort mit der Heiden Musika !
> Davids frommer Harfenklang
> Begleite meinen Lobgesang !
> Mein Psalm ertönt : Halleluja ! (1)

Ce retour à la foi, très affiché mais peu convaincant,
n'exclut pas les vaines tentatives que fera le poète pour
réconcilier les tendances nazaréennes et hellénistes qui
s'opposent dans son esprit. Par son refus catégorique
de se figer dans aucune doctrine, Heine maintient intacte
son ambivalence. Dans cette disponibilité se manifeste
l'espérance contre tout espoir, de résoudre le conflit intime,
de conquérir cette santé que Heine conçoit comme un état
d'équilibre entre le « spiritualisme nazaréen » et l'innocence
charnelle des Hellènes. Aussi nous assure-t-il qu'il se
contente d'un simple réveil du sentiment religieux. Le
poète est en état de se passer de tout dogme positif, car
il « possède la grâce, et devant son esprit se dévoilent tous
les symboles et s'ouvrent toutes les portes du ciel ». Pour y
entrer, affirme-t-il, le poète n'a « besoin ni de la clef de
saint Pierre, ni de celle d'aucun autre concierge des différentes églises... Mes prétentions à ce privilège de poète
sont restées toujours les mêmes » (2).

Mais Heine ne parviendra jamais à une sorte d'harmonie
intime : la dispute en lui entre le « Nazaréen » et l'« Hellène »

---

(1) Halleluja, *Matratzengruft*, XXIII : « Loin de nous la lyre de la Grèce,
loin de nous la danse libertine des Muses, loin ! bien loin ! Je veux célébrer
sur des modes plus pieux le Maître de la création.

« Plus de musique païenne ! Que les pieux accords de la harpe de David
accompagnent mon chant de louanges ! Mon psaume répète *Alleluia* ! »

(2) Heine, *De l'Allemagne*, vol. II, p. 307-308.

se poursuivra jusqu'au bord du tombeau. La querelle
interminable lui arrache ce sublime cri de douleur que
renferme le dernier poème de l'agonisant, jeté sur le papier
quinze jours avant sa mort. Par une douce nuit d'été, la
magie du rêve transporte le poète au delà de la vie. Son lit
devient un sarcophage qu'entourent pêle-mêle, les ruines
de toutes les époques. Autour de lui, il aperçoit les statues
brisées des centaures et du sphinx, d'êtres mi-hommes,
mi-animaux. Les chimères de tous les siècles se donnent
rendez-vous dans les bas-reliefs de cette couche mortuaire.
On y voit « les dieux libertins de l'Olympe » auprès d'Adam
et d'Ève ; les scènes de la guerre de Troie à côté d'épisodes
tirés de la Bible ; Bacchus, Priape et Silène en compagnie
de l'ânesse de Balaam ; saint Pierre voisinant avec Satan :

> Die Gegensätze sind hier grell gepaart,
> Des Griechen Lustsinn und der Gottgedanke
> Judäas ! Und in Arabeskenart
> Um beide schlingt der Epheu seine Ranke (1).

A la tête du sarcophage, la passiflore, se transfigurant
en femme, devient par la magie du rêve l'image de la
bien-aimée. Ainsi le symbole de l'amour sacré se métamorphose en symbole de l'amour profane. Dans le silence
de la mort, le couple amoureux trouve la sublime volupté :

> O Tod ! mit deiner Grabesstille, du,
> Nur du kannst uns die beste Wollust geben ;
> Den Krampf der Leidenschaft, Lust ohne Ruh,
> Gibt uns für Glück das albern rohe Leben (2) !

---

(1) Für die Mouche, *Matratzengruft*, XXVIII [Nachlese] : « Ici sont accou-
plés les contrastes les plus tranchés, la joie sensuelle des Grecs, et la divine
pensée de la Judée ! Et le lierre grimpant se joue autour de toutes deux comme
une capricieuse arabesque. »

(2) *Ibid.*, « O Mort, avec ton silence de tombeau, tu peux seule nous donner
la meilleure des voluptés. Ce sont les spasmes de la passion [la version des
Poésies inédites donne un grave contresens, en traduisant *Krampf* par « combat »,
Kampf], une joie sans repos, que la vie grossière, absurde et niaise d'ici-bas
nous donne pour du bonheur. »

Ces accents font écho à l'attitude que Heine prenait
envers l'hellénisme dans ses œuvres de jeunesse : le vrai
caractère des statues des dieux grecs « ne consiste pas,
comme nos esthétiques le prétendent, dans un calme
éternel sans passion, mais, au contraire, dans une éternelle
passion sans trouble [ohne Unruhe] » (1). Cependant, pour
le poète, qui se transporte par l'imagination dans le calme
de la mort, cette félicité illusoire est de courte durée. A
l'extérieur de la tombe s'élève une furieuse querelle. L'air
résonne de piétinements et d'imprécations ; ce tapage met
en fuite l'image de la bien-aimée. Dans le bruit sauvage de
la dispute, le poète croit reconnaître maintes voix : ce sont
les bas-reliefs de sa tombe.

> Spukt in dem Stein der alte Glaubenswahn ?
> Und disputieren diese Marmorschemen ?
> Der Schreckensruf des wilden Waldgotts Pan
> Wetteifernd wild mit Mosis Anathemen !
>
> O, dieser Streit wird enden nimmermehr,
> Stets wird die Wahrheit hadern mit dem Schönen,
> Stets wird geschieden sein der Menschheit Heer
> In zwei Partein : Barbaren und Hellenen (2).

Mais tout ce fracas mythologique est dominé par le
braiement idiot de l'ânesse de Balaam, symbole à la fois de
la stupidité humaine, de l'intolérance, du fanatisme religieux et d'un conflit qui restera toujours sans solution :

> Das fluchte, schimpfte ! gar kein Ende nahms
> Mit dieser Kontroverse, der langweilgen,
> Da war zumal der Esel Balaams,
> Der überschrie die Götter und die Heilgen !

---

(1) HEINE, *Reisebilder,* vol. II, p. 244-245.

(2) *Matratzengruft, loc. cit.* : « L'antique folie de la foi reparaît-elle comme
un revenant dans la pierre ? Ces figures de marbre disputent-elles entre elles ?
Le cri de terreur de Pan, le dieu sauvage des forêts rivalise de férocité avec
les anathèmes de Moïse.

« O ! ce combat ne finira jamais ! Toujours le vrai sera en guerre avec le
beau. Toujours l'armée de l'humanité sera divisée en deux partis : Hellènes
et Barbares. »

Mit diesem I-A, I-A, dem Gewiehr,
Dem schluchzend ekelhaften Misslaut, brachte
Mich zur Verzweiflung schier das dumme Tier,
Ich selbst zuletzt schrie auf — und ich erwachte (1).

---

(1) *Ibid.*, « Tout cela jurait, pestait ; cette ennuyeuse controverse ne prenait pas de fin ; il y avait là surtout l'âne de Balaam qui criait plus haut que les dieux et les saints !

« Cet I-A, I-A hennissant, ce dégoûtant hoquet de l'absurde bête, me mit presque au désespoir : moi-même, je finis par crier — et je m'éveillai. »

DEUXIÈME PARTIE

L'IRONIE, LE BLASPHÈME ET LA FEMME

LA CRÉATION, RÊVE D'IVROGNE

Ne suis-je pas un faux accord
Dans la divine symphonie,
Grâce à la vorace Ironie
Qui me secoue et qui me mord ?

BAUDELAIRE, *L'héautontimorouménos.*

Les visions de Heine naissent d'un état d'exaltation
qui paraît fort suspect à sa raison. Elles débordent toujours
dans le réel, et le choc de l'idéal avec la réalité produit
un désenchantement qui se résout dans les dissonances
de l'ironie. Au milieu du rêve, le poète prévoit l'inévitable
réveil qui anéantira un bonheur par trop factice. Ce monde
sens dessus dessous que nous montre son œuvre, se présente
dans *Le tambour Legrand* comme le songe d'un dieu pris
de vin, qui, dans son sommeil d'ivrogne, ignore qu'il crée
tout ce qu'il rêve. Mais cette débauche d'une imagination
divine, symbole de la création du poète, où l'extravagance
alterne avec la sagesse ne pourra longtemps durer : « Le
dieu se réveillera ; il frottera ses paupières endormies ; il
sourira, et notre monde s'écroulera dans le néant... Il
n'aura jamais existé (1). »

Une telle caricature de la philosophie de l'identité, où
Heine raille en les parodiant Fichte, Hegel et Schelling,
n'a rien d'étonnant dans un livre qui porte le titre plus
moqueur que prétentieux d'*Ideen*. On aurait tort, bien sûr,
de prendre pour une critique valable ce qui, pour l'auteur
lui-même, ne constitue qu'une boutade. On ne peut pour-

---

(1) HEINE, *Reisebilder*, vol. I, p. 154.

tant pas refuser tout intérêt à l'ironie de cette feinte rigueur
que Heine met dans l'application de principes qui
proclament l'identité de la pensée et de la nature. C'est
alors que la cosmologie prend un tournant aussi inattendu
que facétieux. Tout se dérègle, tout devient désordre et
frénésie dans cet univers que les philosophes de la nature
conçoivent comme une manifestation spontanée d'idées
divines. Derrière l'existence, on ne devine pas autre chose
que les hallucinations d'un dieu en démence. Ce monde qui,
chez Hegel, devient monde en prenant conscience dans
l'esprit de l'histoire, se révèle comme une immense plaisanterie, comme un agrégat d'images folles. Le majestueux
dieu hégélien, ce *Weltgeist* qui se réalise par une longue
suite de cataclysmes, revêt aux yeux de Heine le masque
bouffon de Silène. Des excès de l'ivresse, il tire un univers
qui s'immole aussitôt que l'effréné « créateur malgré lui »
revient à l'état de sobriété.

Considérée de la sorte, la nature cesse d'obéir à une
volonté suprême, qui, à son tour, serait soumise à la nécessité de sa propre loi. A la raison divine se substitue alors la
folie d'un artiste génial, romantique, capable à tout instant
de donner à sa création une nouvelle direction, ou de la
renier, de la réduire à zéro. En somme, un dieu qui pourrait
traiter son œuvre comme s'il ne l'avait jamais créée. Tout
devient alors liberté, jeu du hasard et de la fantaisie. Du
coup, cette harmonie cosmique que Hamann et Novalis
croyaient saisir par le rêve s'évanouit dans le vacarme
d'un univers discordant, d'une fantasmagorie sans autre
règle que le bon plaisir des dieux. Dans un tel monde,
gouverné par le caprice — monde où le chaos prend arbi-
trairement l'apparence de l'ordre — l'âme du poète n'est
plus qu'un « faux accord » parmi les infinies dissonances
de « la divine symphonie ».

Cependant, le poète rompu aux formules du romantisme
allemand peut deviner la sagesse sous le masque de la
folie, et des desseins infiniment subtils sous l'apparence

du désordre. Il suffit d'envisager toute création comme de
la poésie, de poser l'humour comme le principe de toute
poésie, d'expliquer le comique comme le revers du sublime
(*Das umgekehrte Erhabene* de Jean-Paul) « qui aboutit au
fini par le contraste avec l'idée », contraste où le fini
s'anéantit et se dissout dans l'infini (1) : et l'ironie divine
se révèle dans toute sa grandeur terrifiante. Si le caprice
gouverne l'univers, le poète, ce créateur dont l'œuvre refait
le monde, peut se munir à l'instar des dieux d'un brevet
d'irresponsabilité, qui l'autorise à abandonner le choix
des idées à l'intuition du moment. Sa responsabilité
d'artiste n'ira pas plus loin que son adhésion au code
esthétique qu'il s'impose. Avec Friedrich Schlegel, il trouvera la justification de son œuvre dans « les intentions
secrètes qu'il poursuit dans le silence [et] qui excèdent
toujours ce qu'on peut en supposer chez le génie dont
l'instinct est devenu l'arbitraire même » (2).

Par une telle apologie du caprice et de l'irresponsabilité,
la révolte romantique tourne au blasphème : le créateur
humain se met sur un pied d'égalité avec les dieux, dont
il se proclame en quelque sorte le concurrent. En faisant
valoir le droit divin du génie, il se place à la fois au-dessus
de son œuvre et de l'humanité. Au fond, il ne fait qu'imiter
les procédés d'ironie d'un dieu qui semble s'amuser aux
dépens de ses propres créatures : les créant à son image, il
les laisse agir dans une liberté qui se trouve être illusoire
puisqu'il leur refuse une intelligence à l'égal de la sienne.
Ainsi, en proie à l'illusion d'une grandeur qu'elles ne
possèdent point, elles se débattent misérablement dans
leurs vaines tentatives pour sortir d'une condition qu'il
ne leur est pas donné de dépasser.

(1) Jean-Paul Richter, *Vorschule der Ästhetik nebst einigen Vorlesungen
in Leipzig über die Parteien der Zeit*, Fr. Perthes, Hamburg, 1804. Pro-
gramm VII, vol. I, p. 173-179.
(2) *Fried. v. Schlegel's Sämmtliche Werke*, Zweite Original-Ausgabe, Ignaz
Klang, Wien, 1846, vol. VIII, p. 101, « Charakteristik der Meisterischen Lehrjahre von Gœthe » (1798).

A) SITUATION DE L'IRONIE DE HEINE DANS LE CONTEXTE ROMANTIQUE ALLEMAND

CHAPITRE PREMIER

POÉSIE ET IRONIE
ORIGINALITÉ DE HEINE

1. En dehors des règles de la grammaire, de la structure, du style et de la versification, les caprices de l'intuition constituent le seul principe auquel se plie le poète romantique. L'arbitraire rebelle à la loi, qui lui dicte son œuvre, fait de lui autant le complice que le concurrent de Dieu, et aboutit à cette ironie dont Friedrich Schlegel a si magistralement esquissé les caractéristiques dans son article sur *Wilhelm Meisters Lehrjahre*. Il nous y montre un Gœthe qui, traitant ses personnages avec une apparente légèreté, s'élève infiniment au-dessus de son héros et des événements que son roman reflète. Mais qu'on ne se trompe point sur les intentions de Gœthe : en dépit de son sourire moqueur, elles restent sérieuses et didactiques. Le comique ne lui sert qu'à révéler l'absurdité des contacts entre l'idéal et la vie, le contraste entre l'espoir et la réalité, et le triomphe de celle-ci sur l'imagination. L'humour du romancier étale avec fraîcheur la niaiserie et la vulgarité qui se cachent sous les prétentions à la noblesse. Si cette ironie se montre cruellement logique, si elle manque de tendresse et d'élé-

vation, si — destructrice du rêve — elle revendique à tout
instant les droits de la réalité, elle se pénètre néanmoins
d'une finesse toute particulière, qui se manifeste par le
style :

> Ce style périodique qui se moque de sa propre dignité et de
> son importance ; ces négligences et ces tautologies apparentes
> par lesquelles s'achèvent les propositions conditionnelles de façon
> qu'elles se confondent avec les clauses consécutives, et qui, selon
> le cas, disent tout ou ne disent rien, ou prétendent tout vouloir
> dire ou rien ; ces formules prosaïques qui envahissent l'atmos-
> phère poétique du sujet représenté ou parodié ; cet air voulu
> d'une pompe poétique au milieu de circonstances fort prosaïques :
> tout cela repose souvent sur un seul mot, même sur un seul
> accent (1).

Ces réflexions dépassent de loin le cadre d'un simple
compte rendu. Elles gagnent en intérêt par leur contenu
théorique, car Schlegel s'y exprime en son propre nom.
L'ironie romantique s'y découvre comme une sorte de joie
maligne et destructrice, qui constate et fustige la vanité
universelle. Le poète qui y a recours, ressemble à un
Prométhée à l'envers : il tend à ses créatures le feu divin,
mais le retire brusquement aussitôt qu'elles croient l'avoir
à leur portée. Du reste, il ne les crée que dans un but égoïste,
comme autant de miroirs de ses sentiments et de ses
humeurs. Car pour Friedrich Schlegel, « tous les poètes
sont quand même des Narcisse » (2). L'ironie, on le devine,
est pour lui une duplicité, dans les deux sens du mot : « Une
idée est une notion perfectionnée jusqu'à l'ironie, une
synthèse absolue d'antithèses absolues, l'alternance continue et spontanée de deux pensées en conflit [der stets sich
selbst erzeugende Wechsel zwey streitender Gedanken] (3). »

---

(1) Friedrich SCHLEGEL, *op. cit.*, p. 107-108.
(2) *Athenaeum, eine Zeitschrift von August Wilhelm Schlegel und Friedrich
Schlegel*, Ersten Bandes zweytes Stück, « Fragmente », Vieweg, Berlin,
1798, p. 35.
(3) *Ibid.*, p. 31.

Dans l'esthétique de Schlegel, l'ironie constitue donc un
élément inséparable de l'idée. Du coup, elle se trouve aussi
intimement liée à l'idéal (qui est pour Schlegel ce point
où l'idée et le fait coïncident), ou, autrement dit, un moyen
terme entre la réalité et ce qu'il vient d'appeler « la synthèse
absolue ». C'est à l'idéal, et non pas à l'idée, que le poète
devra s'attacher s'il veut toutefois empêcher son esprit de
tourner en rond dans le vide des spéculations creuses. Comme
la poésie n'est jamais qu'un mensonge (1) qui exprime
le beau, ce qui s'y passe n'arrive jamais ou arrive toujours.
Elle cesse d'être poésie, si elle veut nous persuader que ses
actions se rapportent au présent (2). En 1823, cette même
pensée (assez mal assimilée) est paraphrasée par Heine
qui, à cette époque-là, n'a pas encore rompu avec les
Schlegel : « Le vrai poète ne raconte point l'histoire de sa
propre époque, mais celle de toutes les époques ; c'est
pourquoi le vrai poème est aussi toujours le miroir du
présent, et le miroir de la somme de tous les présents (3). »

Les romantiques aspirent en vain à ce « naïf » qui, dans
l'esthétique de Schiller, correspond à peu près à une
Naturpoesie, dont, cependant, ce poète blâme les abus
chez Bürger et le grand nombre d'auteurs de chants populaires. Si le poète romantique ne parvient pour ainsi dire
jamais à cet état primitif où il deviendra pur instrument
de la nature, c'est que sa culture forme un obstacle insur-
montable ; c'est que ses impressions passent par le filtre
de la réflexion, de cette conscience qui fait de lui (toujours
selon la définition de Schiller) un poète sentimental. Mais
pour Schlegel, le naïf est à la fois instinctif et voulu. Le
naïf aboutirait à la niaiserie s'il s'avérait uniquement
instinctif, et à l'affectation s'il n'était que voulu. Ce « voulu »
dépasse d'ailleurs la conscience : le côté volontaire repré-

---

(1) *Ibid.*, p. 34.
(2) *Ibid.*, p. 25.
(3) *Briefe*, vol. I, p. 74. Lettre à son beau-frère, M. Embden, datée du
3 mai 1823.

sente la liberté du poète. Même dans le « naïf » d'Homère,
(pour les romantiques allemands, le « poète de la nature »
par excellence) on trouve au moins autant d'intention que
« dans la grâce de charmants enfants ou de jeunes filles
innocentes ». S'il ne l'y met pas lui-même, sa poésie, « et le
véritable auteur de celle-ci, la nature », se chargeront de
donner à son œuvre l'allure voulue (1). A son tour, le « naïf »
se réduit pour Schlegel à une forme de l'ironie, constituant
« ce qui est ou ce qui semble naturel, individuel ou classique
jusqu'à l'ironie, ou jusqu'à ce cycle où les choses se créent
et se détruisent elles-mêmes » (2). A la base de toute création
artistique, on devine ainsi l'ironie et cette foi en la liberté
qui fait que l'esprit humain « impose sa loi à toutes choses
et démontre que l'univers est son œuvre d'art » (3). Tout
devient allusion et fantaisie, et les mots se trouvent presque
trop brutaux pour renfermer tant de subtilité. Par ce côté,
qui s'adresse au lecteur initié, le romantisme allemand
anticipe, à près d'un siècle de distance, l'esthétique de
Mallarmé. Dans le style du vrai poète, proclame Schlegel,
rien n'est un ornement superflu : tout constitue des hiéro-
glyphes nécessaires (4). « La poésie est de la musique pour
l'oreille intérieure, et de la peinture pour l'œil intérieur ;
mais de la musique assourdie, mais de la peinture éthérée (5). » Et l'on ne peut que penser à la musique du silence,
si chère à Mallarmé, quand on lit cet aphorisme de Schlegel :
« Il y a des gens qui préfèrent contempler la peinture, les
yeux fermés, afin que leur imagination ne soit point
troublée (6). »

Envisagée de la sorte, l'ironie supprime toute gravité
et tout sentiment de la gravité. La dissolution de la réalité
va, sous son empire, jusqu'à l'anéantissement du langage

(1) Friedrich SCHLEGEL, *op. cit.*, p. 14-15
(2) *Ibid.*, p. 14.
(3) *Ibid.*, p. 43.
(4) *Ibid.*, p. 45.
(5) *Ibid.*, p. 45.
(6) *Ibid.*, p. 45.

par la musique. L'exercice de l'ironie détruit tout sérieux
en créant un monde fictif, gai et subtil. L'ironie devient
alors comme le jeu d'un enfant terrible, qui, pour l'exé-
cution de ses desseins irresponsables et fantasques, prend
dans la nature ce qu'il lui plaît, et regroupe à son gré les
éléments qui la composent. Peu importe s'il peuple de
monstres son univers factice. Tout l'intérêt de la poésie
romantique semble découler, pour Schlegel, de l'« originalité » du poète, même alors que celle-ci l'empêche d'observer, comme il faut, les règles qui limitent les genres de la
poésie. Ce qui est original devient du coup « intéressant »,
et « l'intéressant » révèle son aspect poétique par tout ce
qui l'écarte de la réalité philistine et prosaïque. Aucune
limite ne s'impose à cette originalité qui peut aller jusqu'à
la dernière extravagance. « Du point de vue romantique,
même les espèces bâtardes [Abarten] de la poésie », dit
Schlegel, « celles qui sont excentriques et monstrueuses,
ont leur valeur comme des matériaux et des exercices préli-
minaires à l'universalité : à la seule condition qu'il y ait
là quelque chose, qu'elles soient originales » (1). Le lecteur
averti devine, dans ces principes hardis, les premiers indices
encore vagues et timides d'un art à venir, qui sera celui
de Lautréamont, et même celui des surréalistes, dont
plusieurs aspects, pour la plupart extérieurs, se rapprochent curieusement du romantisme allemand, comme, par
exemple, le retour à la fable, aux mythes et aux contes
populaires. Les surréalistes eux-mêmes sont les premiers
à reconnaître ces affinités ; ils se sont souvent référés à
Achim von Arnim. Il est évident que l'esthétique de
Schlegel se projette par plus d'un côté dans un avenir qui
dépasse de loin les théories que, vingt-sept ans plus tard,
Le globe allait formuler à l'égard du romantisme. Le
29 octobre 1825, ce journal résume la doctrine du mouvement romantique dans ces termes fort modérés : « Or,

---

(1) *Ibid.*, p. 36.

cette doctrine, c'est la liberté, c'est l'imitation directe de
la nature, c'est l'originalité (1). » A vrai dire, cette notion de l'originalité comme élément du beau remonte au
XVIIIᵉ siècle, et plus particulièrement aux *Conjectures*
de Young (1756). Ces dernières, Diderot les paraphrase.
Il répond par la négative à la question de savoir si les
artistes classiques de l'époque pourraient jamais égaler
les Anciens :

> ... il est donc impossible à nos artistes d'égaler jamais les
> Anciens ? Je le pense, du moins en suivant la route qu'ils tien-
> nent, en n'étudiant la nature, en ne la recherchant, en ne la trou-
> vant belle que d'après des copies antiques, quelque sublimes
> qu'elles soient et quelque fidèle que puisse être l'image qu'ils
> en ont. Réformer la nature sur l'antique, c'est suivre la route
> inverse des Anciens qui n'en avaient point ; c'est toujours tra-
> vailler d'après une copie (2).

2. L'ironie des romantiques allemands, qui ne se soumet
qu'à la fantaisie et à l'originalité, ébranle l'univers et le
transforme en une turbulence d'images souvent incongrues.
Elle introduit dans la poésie des visions noires et monstrueuses où s'unissent l'ange et la bête, et où toutes les
sensations du poète se confondent dans le vertige. Comme
but elle se propose de prouver la liberté de l'esprit humain,
sa capacité de dépasser les lois de la nature et les conventions de la société. La révolte de l'individu bat ici son plein.
Le poète se réserve le droit de plier à sa volonté toutes les
valeurs, de les renier et de les renverser au gré de son
imagination. La réalité devient fable, et la fable réalité.

Exposant aux rires le monde philistin, la révolte romantique, cependant, s'avère réactionnaire sur les plans social
et politique. Elle se tourne vers l'idéal du Moyen Age

---

(1) *Le globe*, n° 177, t. II, p. 919. — Cité d'après Pierre TRAHARD, Le romantisme défini par « Le globe », *Études romantiques* publiées sous la direction de
Henri GIRARD, Les Presses françaises, Paris, 1924, p. 90.

(2) DIDEROT, Salon de 1767, *Œuvres*, éd. Assézat, vol. XI, p. 14. Cité par
Georges MAY, *D'Ovide à Racine*, Presses Universitaires de France, Paris,
1949, p. 6.

chevaleresque, et même vers la fable des âges primitifs.
La nostalgie du passé la domine. Le romantisme allemand
se complaît avant tout dans l'atmosphère d'un univers
démoniaque, en dehors de la réalité, mais dépeint souvent
avec un réalisme qui rivalise avec la nature, et qui fait
ressortir avec plasticité une abondance de détails. Dans
ce monde fantasque, qui est celui de Hoffmann, d'Achim
von Arnim, de Brentano et de La Motte-Fouqué, les
spectres d'antan, les monstres, les vampires, les elfes, les
ondines et les revenants possèdent une vie autrement
vibrante que celle des personnes vivantes dans leurs contes
et dans leurs ballades.

3. Cette forme démoniaque de l'ironie, qui se moque
de la vie pour prêter au grotesque éphémère l'apparence
de la vie, marque pour Heine un point de départ. Les
Jeunes Souffrances abondent en thèmes noirs. Le jeune
poète s'y délecte à l'exercice d'une ironie morose, qu'il
manie d'ailleurs, dès ses premiers essais, avec maîtrise.
La vie s'y revêt du linceul. Les fantômes s'incarnent et
s'animent d'une sensualité grimaçante, mais les vivants
portent sur le front l'empreinte de la mort. Sur de nocturnes paysages plane le spectre des amours non consom-
mées. Dans les cimetières, les ombres des amants trompés
et morts avant l'heure, dansent au clair de lune leur ronde
ténébreuse.

Cependant, ce délire macabre s'épuise dans ses propres
excès. L'ironie de Heine s'allège et devient presque éthérée
dans les premiers *Reisebilder*. La sentimentalité du jeune
poète s'y anéantit presque toujours dans une sorte de
tendresse comique. On a l'impression que l'auteur s'y
détache pour ainsi dire de ses sentiments, qu'il les tient à
distance pour s'en moquer, non pas, pourtant, sans les
chérir en secret. Ici, l'ironie recouvre, en partie, son sens
étymologique : elle devient dissimulation. Parfois, on
surprend même les procédés de cette ironie qui secoue tous

les sens et produit une synesthésie, dont la manifestation
marque le désir sentimental du poète, sa *Sehnsucht* panthéiste de se confondre avec la nature :

> Nous sommes encore au matin ; le soleil a parcouru à peine
> la moitié de sa carrière, et les parfums de mon cœur sont si éner-
> giques qu'ils me montent à la tête en vapeurs enivrantes, et je ne
> sais où cesse l'ironie et où le ciel commence. Je peuple l'air de
> mes soupirs, et je voudrais me dissoudre en délicieux atomes, me
> perdre dans la divinité incréée (1).

Mais déjà dans les premiers écrits de Heine, l'ironie a
un certain arrière-goût amer, qui la distingue de l'ironie
des Schlegel. Tandis que celle-ci vise presque toujours
à l'oubli de la vie et fait de l'humour, de la folie, de la
Narrheit une clé de la vision poétique, l'ironie de Heine
exprime le plus souvent, sous l'apparence de la légèreté,
un pessimisme parfois féroce à l'égard de la femme et du
destin. Cette ironie prend son essor dans le désenchantement d'un jeune homme dont les amours sont plus imaginaires que malheureuses, et dans l'amertume du jeune
Juif qu'aucun sentiment religieux n'attache au judaïsme,
mais qui se sent néanmoins traité en réprouvé par une
société qu'il méprise, et dont il recherche cependant les
éloges. Il n'est guère nécessaire d'insister sur ce dernier
point. C'est le cas paradoxal du poète juif en quête d'un
public qui le repousse pour des raisons sociales. Public
hostile, prévenu contre l'homme, mais aussi le seul public
auquel puisse s'adresser le poète réduit à s'exprimer dans
la langue allemande, et qui, pour s'affirmer, a besoin de
ses lecteurs.

4. Pour ce qui est des « amours » de jeunesse de Heine,
un germaniste américain, Hermann J. Weigand, a eu le
mérite de les examiner de près. Déjà en 1892, Hessel avait
constaté que le personnage appelé « Madame », dans *Le*

---

(1) HEINE, *Reisebilder*, vol. I, p. 97, « Harzreise ».

tambour Legrand, ne serait autre que Friederike Robert (1).
M. Weigand, à son tour, rejette la théorie d'Elster selon
laquelle il s'agirait dans ce livre de la transposition romanesque d'un double amour malheureux dont Heine aurait
comblé tour à tour ses cousines Amélie et Thérèse.
M. Weigand démontre que le poète n'y transpose qu'une
seule affaire de cœur, mais avec force retours en arrière,
destinés à brouiller les cartes et à maintenir le lecteur
sur le qui-vive (2). Quoi qu'il en soit, une lecture attentive
de l'*Intermezzo* et du *Retour* nous permet de conclure que
ces prétendues amours de jeunesse touchèrent beaucoup
moins le cœur de Heine que son imagination. Le jeune
poète romantique, en quête d'expérience, eut besoin d'un
amour tragique. Tout semble indiquer qu'il s'en fabriqua
un, pour éprouver avec sincérité des sentiments propres
à se traduire en poésie. A la lumière des théories de Friedrich
Schlegel, un tel procédé n'aurait rien d'étonnant. Dans les
Athenaeums-Fragmente, Schlegel semble justifier le poète
qui, pour se procurer les exaltations nécessaires à la production poétique, écarte toutes les barrières de la moralité
conventionnelle et se crée par un artifice les sensations que
la vie ne met point à sa portée : « L'essence du sentiment
poétique consiste peut-être en cela qu'on peut se transporter
par l'exaltation en dehors des limites de sa propre personnalité : qu'on peut s'exalter pour un rien, et donner libre
cours à sa fantaisie, même sans avoir pour cela de causes
extérieures (3). »

L'amour que le jeune Heine prétend éprouver pour
l'une ou l'autre de ses cousines est sans doute, jusqu'à un
certain degré, l'œuvre de son imagination. C'est un artifice
qui lui permet de participer au *Weltschmerz* et d'arriver à

(1) Karl HESSEL, Heines Buch Le Grand, *Vierteljahrschrift für Literatur-
geschichte*, V (1892), p. 547-556.

(2) Hermann J. WEIGAND, The Double Love-Tragedy In Heine's *Buch
Le Grand*; A Literary Myth, *The Germanic Review*, vol. XIII, n° 2, April, 1938,
p. 121-126.

(3) Friedrich SCHLEGEL, *op. cit.*, p. 140-141.

cette expérience intime de l'amour universel qu'il veut mettre dans ses poésies. On ne serait peut-être pas loin de la vérité si l'on remaniait tant soit peu ces jolis vers de l'*Intermezzo* :

> Aus meinen grossen Schmerzen
> Mach' ich die kleinen Lieder (1),

en y intervertissant les adjectifs :

> Aus meinen kleinen Schmerzen
> Mach' ich die grossen Lieder... (2)

Certains vers du *Retour* semblent d'ailleurs indiquer qu'on peut douter de la profondeur de ces amours. Heine y laisse provisoirement tomber le masque de l'amant déçu, et découvre toute la fragilité de ses sentiments. Sur le ton d'une franchise dénuée de prétentions, le poète nous fait comprendre qu'à force de chanter ses chagrins, et de persuader autrui de sa propre misère, il finit par y croire lui-même :

> Man glaubt, dass ich mich gräme
> In bitterm Liebesleid,
> Und endlich glaub' ich es selber
> So gut wie andre Leut' (3).

Le lecteur est peut-être censé deviner, sous l'allure désinvolte du quatrain, le sens tragique d'une timidité qui empêche l'amoureux de communiquer ses sentiments à l'objet de sa passion. Ailleurs, Heine insiste sur l'impossibilité d'une intelligence mutuelle entre deux êtres qui s'aiment : « Quelle singulière espèce que ces hommes ! Que leur vie est bizarre ! Que leur destinée est tragique !

---

(1) *Lyrisches Intermezzo*, XXXVI : « De mes grandes douleurs, je fais mes petits chants.

(2) « De mes petites douleurs, je fais mes grands chants. »

(3) *Die Heimkehr*, XXX : « On croit que je souffre d'amers chagrins d'amour. Et à la fin, j'y crois moi-même autant que les autres. » [« So gut wie andre Leut' », emprunté au jargon juif, a un sous-entendu intraduisible, plein de moquerie et d'une jovialité quelque peu impertinente.]

Ils s'aiment et peuvent rarement se le dire, et s'ils le
peuvent, ils n'ont pas toujours le bonheur de s'entendre... (1) » Que penser, cependant, d'un amour specta-
culaire, qui feint de ne connaître que les aveux silencieux,
faits devant le miroir, dans la solitude de la chambre, mais
dont tout le monologue intérieur, toute l'inquiétude du
silence, se prononcent quand même à haute voix, en vers
fort travaillés, devant le grand public ? Le poète fait du
lecteur son confident, mais il cache sa passion au seul
personnage intéressé :

> Und ach ! ich hab' immer geschwiegen
> In deiner Gegenwart (2).

Les mots qu'il écrit dans l'album d'Amélie Heine, et la
seule lettre à sa cousine qui nous soit conservée de cette
époque, n'expriment rien qui dépasserait le sentiment d'une
bonne camaraderie (3). Mais pourquoi alors, se demande-
t-on, ces reproches féroces d'infidélité ? Comment s'expliquer les anathèmes violents lancés dans ces chants acerbes
contre une femme qui, à ce qu'il paraît, ne pouvait même
pas se douter qu'elle était aimée ?

> Habe mich mit Liebesreden
> Festgelogen an dein Herz,
> Und, verstrickt in eignen Fäden,
> Wird zum Ernste mir mein Scherz (4).

Ici, l'ironie-dissimulation réalise, au plus haut degré,
ses puissances latentes de création. Elle devient, en effet,
une force créatrice de sentiments et de sensations, qui
dépassent de loin la simple expérience vécue. On l'a
remarqué et souvent répété : les recueils de l'*Intermezzo*

---

(1) HEINE, *Reisebilder*, vol. I, p. 349-350.
(2) *Die Heimkehr*, XXX : « Et hélas ! je me suis toujours tu en ta présence. »
(3) *Briefe*, vol. I, p. 10. *Ibid.*, p. 402.
(4) *Die Heimkehr*, LVII : « Par le mensonge de mes discours d'amour,
je me suis attaché à ton cœur, et, pris dans mon propre filet, la blague devient
sérieuse.

et du *Retour* forment deux romans, faits de courts chants
lyriques, et d'épigrammes. Chacun dans une tonalité différente, ils décrivent l'éveil, l'épanouissement et l'immolation d'un rêve d'amour. Tout s'y tient, dans une structure
des plus fermes et des plus logiques. Le narrateur parcourt
avec une rapidité vertigineuse un cycle parfait dont les
différentes étapes marquent l'enthousiasme naïf, les premiers doutes, la prise de conscience d'un amour malheureux,
l'infidélité d'une femme gaie, jolie et cruelle, le désenchantement, le désespoir, la colère, les invectives, la
peinture de la femme fatale, et enfin, la libération par
l'ironie, l'espoir d'un « nouveau printemps ».

L'« hypocrite lecteur » participe avec sympathie aux
mouvements secrets d'un cœur qu'il prend pour celui du
poète. L'illusion est parfaite. Sous l'allure tantôt naïve,
tantôt nonchalante, et souvent coléreuse de ces petits
poèmes toujours élégants, se révèle un sérieux farouche :
les pérégrinations tragiques d'une âme tourmentée par les
cruels caprices d'une femme perfide au sourire innocent.
Tout cela ressemble beaucoup aux *Lettres à Jenny Colon*
de Gérard de Nerval, qui traduisit si magistralement
l'*Intermezzo*, et dont Heine aurait dit qu'il voyait en lui
son *alter ego* (1). Seulement, chez Heine, le ton est plus
léger, et les sentiments montrent plus de nuances.

Le lecteur se laisse prendre à l'artifice, et il identifie
l'infortuné narrateur, qui parle à la première personne du
singulier, avec le poète lui-même. Mais, à la vérité, celui-ci
n'a fait que réussir ce tour de force où aspire tout auteur
dramatique et tout romancier : il est devenu, selon la
formule de Musset, « ce monsieur qui passe ».

Par ce côté, Heine se montre artiste dans l'acceptation
la plus généreuse du mot. La comédie qu'il joue a tous les
attributs de la vraisemblance, et elle nous frappe par sa

---

(1) Julia CARTIER, *Un intermédiaire entre la France et l'Allemagne : Gérard
de Nerval*, Société Générale d'Imprimerie, Genève, 1904, p. 75.

vérité psychologique. Au lieu de tendre le miroir à une
expérience par trop limitée et individuelle, ses poésies
reflètent avec fidélité les grandes et les petites émotions de
l'amour universellement humain. Cette intuition de visionnaire, qui perce jusque dans les replis les plus secrets du
cœur, distingue — nous semble-t-il — le génie du simple
talent poétique. Celui-ci se contente le plus souvent de
transposer en poésie ces nostalgies vagues, substituts
d'aventures, dont il pense combler le vide d'une existence
d'où se dégage, pour tout sens, l'échec de la vie. Le génie,
par contre, se projette par l'imagination dans une vérité
universelle jusqu'à ce que celle-ci prenne le moule de sa
propre personnalité : ce qui est général devient alors particulier, pour se transformer ensuite par la poésie en une
vérité universelle, dont le sens se communique au lecteur
comme une puissance latente de sa propre vie. Heine
possède à un haut degré cette force de se projeter en dehors
de lui-même et de faire subir à son âme des métamorphoses
remarquables. Il ressemble par là au héros tragique de
Hegel, qui dépasse l'hypocrisie, ou la simple dissimulation
sous un personnage fictif : son existence double se résout,
l'acteur et le personnage deviennent un, la conscience que
l'acteur a de lui-même sort de son masque et se représente
telle qu'elle se connaît, c'est-à-dire, comme la voix d'un
destin commun, et inséparable de la conscience générale
et collective (1).

(1) Cf. HEGEL, *Phänomenologie des Geistes*, Jubiläumsausgabe, éd. Georg
Lasson, Meiner, Leipzig, 1907, p. 477.

CHAPITRE II

L'IRONIE DE HEINE

1. Ainsi ce jeu de l'ironie-dissimulation sert un but
sérieux : il fait éclater aux yeux du lecteur le sens tragique
de la vie. A mesure que Heine se libère, ou croit se libérer,
de l'influence des Schlegel, il s'éloigne, ou au moins pense
s'éloigner de leur conception de l'ironie. Il faut dire qu'il
y avait, dès le début, un écart entre son esthétique et celle
de son maître de Bonn, August Wilhelm Schlegel. Déjà,
dans son premier écrit critique, qui date de 1820, Heine se
dresse contre le vague et l'indécis d'une poésie qui, tendant
vers l'infini, menace d'effacer tous les contours, et détruit
autant l'unité des objets que celle de l'univers. Le jeune
poète demande pour le romantisme cette même plasticité
qui anime la poésie des Anciens. Il est vrai que Heine parle
alors en romantique désireux d'occuper dans le mouvement
une situation originale, plutôt que de s'en écarter.

Les images du romantisme doivent, il est vrai, éveiller les
idées plutôt que les fixer avec précision. Mais jamais et nulle
part je n'honorerai du nom de *vrai romantisme* cette chose, que
beaucoup prennent pour tel, savoir un certain mélange d'émail
espagnol, de brouillards écossais et de clinquant italien, images
vagues et confuses, projetées en quelque sorte comme d'une lan-
terne magique, et qui par le jeu de leurs couleurs bigarrées, frap-
pées d'éclats de lumière fantastiques, produisent sur l'esprit je
ne sais quel étourdissement bizarre. Au contraire, pour réveiller
ces sentiments romantiques, il faut des images aussi claires, aussi

nettement dessinées que celles de la poésie plastique. Cela n'empêche pas que ces images romantiques puissent être amusantes en elles-mêmes ; car elles sont les précieuses clefs d'or avec lesquelles, selon les vieux contes bleus, on ouvre les beaux jardins enchantés des fées (1).

Heine condamne en même temps cet enthousiasme mystique qui s'efforce d'imposer à la poésie romantique une orientation purement chrétienne. Le christianisme médiéval et l'esprit de chevalerie, semble-t-il au jeune poète, furent peut-être nécessaires pour la découverte du climat romantique. A présent, conclut-il, ils ont accompli leur mission. Le romantisme devrait s'en libérer et se détourner du passé féodal, symbole de la servitude intellectuelle et physique. Les tendances esthétiques de La Motte-Fouqué et du poète rhénan Jean-Baptiste Rousseau lui paraissent suspectes. S'il attaque le mysticisme, il agit en fils du XVIIIe siècle français, en voltairien, qui se dresse contre un ennemi qu'il ne lui est pas donné de comprendre. Il lui manque évidemment la profondeur d'un Hegel qui devine que l'essence de tout ce qui est mystique ne se manifeste point sous la forme d'une ignorance enthousiaste, mais au contraire, par une sorte de conscience, qui révèle à l'individu qu'il ne fait qu'un avec l'esprit de l'univers (2) ; qu'il ne faut donc pas confondre avec le mysticisme ce qui ne constitue, au fond, qu'une vague nostalgie de l'infini. Celle-ci, toujours selon Hegel, n'exprime que l'impuissance de l'individu incapable de réaliser son désir : le vrai mysticisme est une réalisation qui dépasse toute nostalgie.

C'est précisément cette nostalgie transcendante que — sans l'analyser, mais guidé par un sûr instinct — le jeune Heine attaque chez les poètes romantiques. Il devine qu'elle correspond à une sublimation ironique de la forme,

(1) HEINE, *Drames et fantaisies*, Le romantisme, Calmann-Lévy, Paris, 1882, p. 388-389.
(2) HEGEL, *Phänomenologie des Geistes*, éd. cit., p. 464.

dont l'exercice finit par anéantir tout fond. C'est dans ces
termes que Hegel la condamne chez les Schlegel, et surtout
chez Kleist et Novalis. Elle représente pour le dialecticien
une sorte de « phtisie de l'esprit qui atteint aussi le corps
et en détermine le sort ». « Bien qu'il y ait dans les déve-
loppements », continue l'argument de Hegel, « dans les
caractères et les situations beaucoup de vivacité, ce qui
leur manque, c'est ce contenu substantiel qui, en fin de
compte, décide de tout ». Et Hegel arrive à une conclusion
qui tranche avec acuité le problème même de l'ironie
romantique. Celle-ci se donne un air de supériorité, en se
plaçant infiniment au-dessus de tout ce qui constitue le
monde du fini, la nature, l'œuvre d'art, et même la vertu
de l'artiste ; d'autre part, dans l'acte d'anéantir tout ce
qui est ordre et unité, elle ne recule point devant l'emploi
de moyens aussi vulgaires que la blague insipide, et même
la franche niaiserie : « La vivacité y devient une énergie
du déchirement, à savoir, d'une ironie qui se produit inten-
tionnellement, et qui détruit, et veut détruire, la vie (1). »

Hegel, cependant, va trop loin. Il se laisse aveugler par
l'antipathie que lui inspire la conversion de Friedrich
Schlegel. S'il s'acharne contre l'esthéticien, il vise en vérité
le catholique. Pour Friedrich Schlegel, comme pour tous les
romantiques, et d'ailleurs pour Heine, la vraie ironie, qui
est celle du voyant, trouve ses maîtres chez Aristophane,
Shakespeare et Gœthe. Aristophane surtout nous fait
concevoir en contraste avec le comique toute la profondeur
de cette tragédie humaine, dont l'aspect le plus terrifiant
est peut-être le spectacle de la folie qui se prend pour de
la sagesse. Avec cet auteur ancien, Heine en particulier
se sent des affinités qui l'invitent à l'imitation. Aussi lui
arrive-t-il de s'appeler un « Aristophane allemand » (2).
Le XXVIIe chapitre de son grand poème satirique sur

_____

(1) HEGEL, *Werke*, Duncker u. Humblot, Berlin, 1834, vol. XVI, p. 500 :
« Ueber Solger's nachgelassene Schriften und Briefwechsel », etc. (1828).
(2) HEINE, *De l'Allemagne*, vol. II, p. 337.

l'Allemagne, le *Wintermärchen*, prétend faire écho à la fin
des *Oiseaux* :

> Im letzten Kapitel hab' ich versucht
> Ein bisschen nachzuahmen
> Den Schluss der « Vögel », die sind gewiss
> Das beste von Vaters Dramen (1).

Cette comédie a exercé, toute sa vie, une fascination
toute particulière sur l'esprit de Heine. Déjà en 1825,
lorsque A. W. Schlegel est encore pour lui un « maître,
dont la finesse... passerait par le trou d'une aiguille » (2), le
poète condamne comme « insupportablement fausse et
superficielle » l'interprétation que l'auteur du *Cours sur
l'Art dramatique* donne des *Oiseaux*. Pour A. W. Schlegel,
l'intrigue de cette pièce ne constitue qu'une « plaisanterie
gaie et baroque », mais Heine y voit

une prodigieuse vue d'ensemble sur l'univers..., la folie humaine
affrontant les dieux, une véritable tragédie, d'autant plus tragique, que cette folie finit par triompher et garde jusqu'au bout
l'heureuse illusion que sa ville aérienne existe réellement, que les
dieux ont été vaincus, et qu'elle a tout obtenu, même la possession de la toute-puissante et superbe Basilea (3).

Le même argument est repris, huit ans plus tard, dans
L'Europe littéraire (4) ; mais cette fois-ci avec plus d'âpreté
et de vigueur. Entre-temps, Heine a quitté définitivement
l'Allemagne, laissant derrière lui quelques-unes de ses plus
chères illusions. Un nouveau monde, le monde de l'exil,
sort des vestiges de ses espoirs abandonnés. Parmi ces
chimères, le désir d'entrer dans l'enseignement supérieur
(soit à Munich, soit à Berlin), et celui de se faire diplomate,
avaient occupé des places privilégiées. La rupture avec

---

(1) « J'ai cherché dans le dernier chapitre de mon poème à imiter un peu
la fin des *Oiseaux*, qui sont certainement la meilleure de toutes les pièces de
feu mon père » [c'est-à-dire, Aristophane].

(2) *Correspondance inédite*, vol. I, p. 238. Lettre à Friederike Robert,
datée de Lunebourg, le 12 octobre 1825.

(3) *Ibid.*, p. 239.

(4) *L'Europe littéraire*, n° 23, du 22 avril 1833. Réimprimé dans *De l'Allemagne*, vol. I, p. 275 sqq.

A. W. Schlegel s'est précisée, Heine s'est rapproché des
saint-simoniens. Il entretient des rapports assez tièdes
avec certains milieux de réfugiés allemands à Paris, qui
pour la plupart lui répugnent, mais dont les attentions
flattent sa vanité. Un peu malgré lui, il se trouve tacitement
reconnu comme l'un des chefs d'un mouvement dont
l'allure reste plus littéraire que politique. A cette époque,
il suit la pente de sa prudence qui le lance dans la voie
d'un modérantisme à orientation libérale. Dans la Monarchie de Juillet, il croit reconnaître son idéal politique,
voué pourtant à l'échec. Ses rapports avec Boerne et l'aile
radicale de l'émigration allemande commencent à s'ai-
grir. Toutefois, aux yeux du futur chef malgré lui de la
Jeune Allemagne, les préoccupations politiques et sociales
paraissent à ce moment plus importantes que la poésie.
Il pense, d'ailleurs à tort, avoir épuisé les ressources du
poète. Depuis quelques années, croit-il, l'âge du prosateur
(qu'il conçoit alors comme celui de la maturité de l'écrivain)
a commencé pour lui. Les grands cycles de ses poèmes de
jeunesse restent enfouis dans le *Buch der Lieder*, publié
en 1827, mais qui ne sera découvert par le grand public
que dix ans plus tard, au moment où paraîtra la seconde
édition. Le *Nouveau Printemps* avait paru dans la 2e édition
du volume II des *Reisebilder* (1831). Déjà avant 1830, sa
production lyrique s'était considérablement ralentie. Le
7 juin 1826, Heine avait écrit à Wilhelm Müller : « ... le
poëte lyrique en moi est à sa fin, et vous le sentez vous-
même sans doute. La prose me reçoit dans ses amples bras,
et vous lirez, dans les prochains volumes des *Reisebilder*,
beaucoup de folies, de duretés et de colères en prose ;
surtout de la polémique » (1). Bientôt, après l'émigration
à Paris (mai 1831), les poésies se feront encore plus rares ;
le poète traverse en effet une crise. Les anciennes sources
d'inspiration se dessèchent à mesure que pâlit le souvenir

(1) *Correspondance inédite*, 1re série, p. 297-298.

des paysages familiers. Rien n'a encore pris leur place : le tourbillon de la vie parisienne ne permet pas encore au mal du pays d'élever sa voix sourde dans l'âme du poète, et sa maladie n'est pas encore assez avancée pour lui arracher des cris de douleur. Déjà dans sa lettre à Müller, Heine avait justifié le ton polémique que prendra sa prose : « Nous vivons dans des temps trop mauvais, et celui qui a force et courage est tenu d'aller sérieusement au combat contre le mal qui s'enfle d'orgueil, et la médiocrité qui se pavane d'une manière si insupportable (1). » Dans le *Voyage de Munich à Gênes* (1828), doutant sérieusement de son génie poétique, Heine réclame « le glaive du militant » plutôt que le « laurier » du poète : « ... j'ai été un brave soldat dans la guerre de délivrance de l'humanité » (2).

Ces mots pathétiques préparent la voie à une polémique peu glorieuse contre Platen. Polémique fondée sur un malentendu, mais aussi provoquée par les attaques antisémites du comte arrogant. La querelle avec Platen, adroite mais mal venue, avait énormément nui à la réputation de Heine. Gœthe, en plaignant le sort du poète allemand (« un écrivain allemand — un martyr allemand »), regrette devant Eckermann les polémiques fratricides que se livrent les poètes de son pays : « Et encore si c'était la foule bornée qui persécutait les hommes supérieurs ! Mais non ! un homme doué et un homme de talent se persécutent l'un l'autre. Platen irrite Heine, et Heine irrite Platen, et chacun d'eux cherche à calomnier l'autre, à déchaîner contre lui la haine du public. Et pourtant, le monde est assez grand et assez large pour permettre à chacun de vivre et d'accomplir paisiblement sa tâche, surtout lorsque chacun trouve en son propre talent un ennemi qui l'occupe suffisamment (3). »

(1) *Ibid.*, p. 298.
(2) Heine, *Reisebilder*, vol. II, p. 104-105.
(3) Eckermann, *Gespräche mit Gœthe*, Reclam, Leipzig, s. d., vol. III, p. 222. Entretien du 14 mars 1830.

Mais aussi, cette querelle malencontreuse avec Platen
avait donné à Heine la réputation d'un polémiste redoutable. Désormais, sous sa plume, la polémique deviendra
une arme formidable, qu'il se jure de vouer à une cause
généreuse, à la médiation entre l'Allemagne et la France.
Ridiculiser la gallophobie d'outre-Rhin, et détruire, en
France, les mythes répandus par Mme de Staël sur la
littérature allemande, et sur le doux quiétisme politique
des Allemands : voilà la tâche qu'il se propose. Aux Allemands, il veut faire connaître le sens des Révolutions de
1789 et de 1830, qui, à son avis, ont apporté à la France
l'esprit de l'émancipation sociale et politique. Aux Français, il veut démontrer les tendances réactionnaires du
romantisme allemand, tout en leur expliquant cette autre
révolution, cette prise de conscience morale, que la philosophie idéaliste a produite en Allemagne. Le romantisme
représente pour lui un retour en arrière, une tentative
ridicule et dangereuse d'anéantir le libéralisme bourgeois
et de le remplacer par l'idéal d'un Moyen Age chevaleresque
et « irrationnel ». D'autre part, il prévoit avec la perspicacité du voyant, les périls de cette révolution allemande, qui,
prenant son essor dans l'esprit de la Réforme, s'annonce dans
les œuvres de Hegel et de Schelling comme un cataclysme
menaçant l'Europe entière, et, en particulier, la France.

Dans ces circonstances, Aristophane lui sert de repous-
soir aux auteurs comiques du romantisme, surtout à Tieck
et aux disciples de celui-ci. Heine ne se fait d'ailleurs point
d'illusions sur la pensée politique de l'auteur ancien. Il le
dénonce comme un réactionnaire, un partisan du féoda-
lisme, opposé aux poètes progressistes de l'époque, parmi
lesquels il compte Euripide. Le grand dramaturge comique
est pour lui un « catholique païen ». Il l'appelle même, avec
une pointe à l'adresse de Corneille, le « marguillier athénien
Aristophane » (1). Mais, abstraction faite de ses tendances

---

(1) Heine, *De l'Allemagne*, vol. I, p. 266-267.

pour ainsi dire « ultra », Aristophane a le courage (nous dit Heine) de dramatiser toute la profondeur de ses vues sur la société. Dans les *Oiseaux* (et Heine revient sur son argument de 1825), il représente sous les masques les plus burlesques, les manies insensées des hommes, leur goût de bâtir des chimères dans l'espace, leur audace à braver les dieux éternels, et la vanité de leur triomphe. A la fin des *Oiseaux*, Paisteteros s'élève avec la puissante Basilea dans sa ville de nuées ; les dieux sont forcés de se conformer à sa volonté, et Folie célèbre, au son de joyeux chants d'hyménée, son union avec Puissance (1). Ce triomphe de la folie a pour Heine quelque chose de funeste : plus tragique que la tragédie ; la victoire des fous sur le bon sens contient l'idée de l'anéantissement universel dans une bacchanale de la mort, et dans un feu d'artifice destructeur, allumé par l'ironie du destin (2).

Quelle est, en revanche, l'essence de la comédie romantique ? En Tieck et en ses disciples, Heine ne voit que des imitateurs superficiels d'Aristophane, qui se contentent d'emprunter au maître certains de ses procédés extérieurs. Leurs comédies sans comique de caractère ou de situation, et sans unité intérieure, nous introduisent « immédiatement dans un monde fabuleux où les animaux parlent et agissent comme des hommes, et où le hasard et le caprice prennent la place de l'ordre naturel des choses » (3). Mais leur ironie s'épuise dans les bagatelles. Elle se détache — il est vrai — de [tout ce qui est terrestre, et ressemble à l'oiseau de paradis légendaire ; mais aussi, comme cet oiseau mythique, elle n'a point de pattes, et ne peut marcher sur terre (4). Avec cela, il manque à l'ironie romantique des ailes puissantes et ce souffle majestueux, qui lui permettraient de

---

(1) *Ibid.*, p. 276-277.
(2) *Ibid., loc. cit.*, et WALZEL, IV, p. 410, « Die Bäder von Lucca », chap. XI, omis dans l'édition française.
(3) HEINE, *De l'Allemagne*, vol. I, p. 276.
(4) *Correspondance inédite*, 1re série, p. 240.

s'élever jusqu'aux hauteurs limpides de la contemplation
où atteint une ironie autrement profonde, qui est tout à
fait perspective cosmique, et dont la magie ouvre au poète-
voyant une vue d'ensemble sur les choses, sur le destin
des dieux comme sur le sort des humains. Spirituelle mais
sans élévation ni profondeur, et dépourvue de toute
hardiesse de pensée, l'ironie romantique flotte, enfantine
et avec gaîté, parmi les ombres qui peuplent les limbes
de la puérilité. Car ces auteurs comiques du romantisme
allemand

se sont interdit toute haute pensée, toute vaste contemplation
du monde ; sur les deux plus importantes choses humaines, la
politique et la religion, ils ont gardé un très-modeste silence, et
ils ne se sont hasardés à traiter que le thème choisi par Aristophane, dans *Les Grenouilles*. Pour objet principal de leurs satires,
ils ont choisi le théâtre lui-même, et ils se sont moqués, avec plus
ou moins de verve, des défauts de notre scène (1).

Un jugement bien plus sévère se trouve dans le *Voyage
de Munich à Gênes*. L'ironie romantique s'y présente
comme un moyen rétroactif par lequel on peut défaire toute
sottise ou même la transformer en chose raisonnable. « Ce
moyen est tout simple, et consiste à déclarer qu'on n'a fait
ou dit la sottise en question que par ironie. » L'argument
continue avec acuité : « Ainsi, ma chère enfant, tout
avance dans ce monde : la sottise devient ironie ; la flagor-
nerie manquée, satire ; la lourdeur naturelle, persiflage
adroit ; la folie réelle, verve comique ; l'ignorance, esprit
brillant (2). »

Souvent aussi, l'ironie-dissimulation cache la révolte
douce, souriante mais clandestine contre un régime d'oppression intellectuelle. Dans ce cas, elle devient le détour
que la prudence conseille à un esprit subtil, qui veut duper
la censure sans courir le risque de s'exposer aux persé-

---

(1) Heine, *De l'Allemagne*, vol. I, p. 277.
(2) Heine, *Reisebilder*, vol. II, p. 6.

cutions. Les idées se manifestent alors sous un déguisement
burlesque, qui semble suggérer que l'auteur se moque des
vérités qui lui tiennent à cœur. Le lecteur initié comprend à
demi-mot. Sachant que ces plaisanteries apparentes sont
bien plus profondes qu'elles ne veulent le paraître, il devine
toute leur portée sous le voile léger de l'humour. Mais ce
voile se présente comme un rideau opaque et impénétrable
au grand public, qui n'est pas dans le secret de l'auteur.

Cette forme de l'ironie, fine mais peu efficace du point
de vue pratique, puisqu'elle ne prêche qu'aux convertis,
marque, pour Heine, de la part de l'écrivain, un certain
manque de courage civique. Même Gœthe ne lui semble
point exempt de ce péché (si péché il y a, car l'argument est
en dehors de la littérature). Son ironie « humoristique »,
tenue en haute estime par ses disciples, se présente à
Heine comme le signe de sa dépendance, de cette servitude
politique qui assujettit en Allemagne si souvent même
les esprits les plus audacieux. Ceci explique (sans l'excuser)
une ruse du génie qui, à l'exemple de Cervantes, réussit à
trouver une échappatoire qui restera voilée au censeur,
ce symbole de la bêtise contemporaine. Comme Cervantes
dut chercher, au temps de l'Inquisition, un refuge dans
l'ironie, pour ne pas donner prise aux familiers du Saint-
Office, « Gœthe prit l'habitude de dire avec ce même ton
d'ironie tout ce qu'il ne pouvait pas dire nettement, lui
ministre d'État, lui courtisan » (1). Heine reconnaît cependant que Gœthe n'a jamais tu la vérité : qu'il l'a seulement
revêtue d'ironie et d'humour quand il n'osait pas la montrer
toute nue. « Les honnêtes Allemands, qui plient sous la
censure... », explique Heine au public français, « et qui ne
peuvent cependant jamais renfermer leurs opinions, sont
particulièrement réduits à la forme ironique et humoristique » (2).

(1) HEINE, *De l'Allemagne*, vol. I, p. 286.
(2) *Ibid.*, p. 287.

L'ironie-dissimulation se présente ici à la droiture de
l'esprit comme un moyen précieux d'évasion, quand les
circonstances extérieures s'opposent à la liberté d'expression. Cependant, même sous une apparence innocente,
l'action destructrice de l'ironie se communique, nous
semble-t-il, à l'observateur attentif. Ce libre jeu de la
fantaisie, qui se moque des ridicules humains et dérègle
l'ordre de la nature, permet à tout lecteur un peu fin de
faire d'audacieux rapprochements, en ce qui concerne
l'ordre politique et social. Il met en relief la fragilité de
toutes les institutions devant la puissance de l'esprit
humain, dont l'action, franchissant les barrières de la
convention, peut ébranler l'univers et bouleverser toutes
les valeurs traditionnelles.

Ce côté un peu plus profond de l'ironie romantique, qui
n'existe (il faut l'avouer) qu'en puissance, échappe presque
entièrement à l'attention de Heine. Qu'il se doute pourtant
quelque peu de son existence, un passage de *Lutèce* semble
l'indiquer. Le correspondant de la *Gazette d'Augsbourg*
nous introduit dans un milieu populaire, digne du crayon
de Toulouse-Lautrec. L'ironie devenue révolte se révèle
avec toute la brutalité du cynisme dans un bal public,
sous la Monarchie de Juillet, où les gardes municipaux
et plusieurs agents de police surveillent d'un air soucieux
« la moralité dansante ». Bien que l'œil sévère de la police
empêche que le cancan soit dansé avec trop de liberté,
les danseurs des bastringues n'en savent pas moins suggérer
leurs pensées interdites « par toutes sortes d'entrechats
ironiques, par les gestes les plus plaisants d'une décence
exagérée, et la sensualité voilée apparaît alors plus déver-
gondée que la nudité elle-même ». Mieux que tout autre
langage symbolique, la danse, ce vertige vécu, qui met
tous les sens en branle, est capable d'exprimer les protestations tacites du libertinage, et la rébellion muette d'une
classe populaire, qui, malgré les apparences, n'a point réussi
à conquérir la liberté. Car, pour l'observateur étranger

qu'est Heine, ce ne sont pas seulement les rapports entre
les deux sexes qui forment dans les guinguettes de 1842
le sujet de danses obscènes :

> Il me semble parfois qu'on y bafoue en dansant tout ce qui
> est regardé comme noble et sacré dans la vie des hommes, mais
> ce qui a si souvent été exploité par des fourbes et rendu ridicule
> par des imbéciles, que le peuple ne saurait plus y croire comme
> autrefois. Oui, il a perdu la foi en ces sentiments sublimes, dont
> parlent et chantent tant nos Tartufes politiques et littéraires ;
> les fanfaronnades de l'impuissance surtout ont tant dégoûté ce
> peuple de toutes les choses idéales, qu'il n'y voit plus rien autre
> que des phrases vides de sens, que de la *blague*, comme il dit dans
> son argot. De même que cette désolante manière de voir est
> représentée par le type dramatique de Robert Macaire, de même
> elle se manifeste dans la danse du peuple qu'on peut considérer
> à juste titre comme une véritable pantomime du Robert-Macai-
> rianisme (1).

Tel qu'il paraît aux yeux de Heine, ce persiflage dansé,
qui se sert d'expédients raffinés et souvent spirituels pour
éluder la censure chorégraphique, raille tous les rapports
sociaux. Par leur franche impudeur, ces danses indescrip-
tibles acquièrent un aspect démoniaque, un côté *Walpur-
gisnacht* assez inquiétant. Tout indique que ces énergies
libérées pourraient facilement prendre une direction bien
différente, où la fureur destructrice dépasserait les bornes
d'une simple pantomime.

Les danseurs de bastringue font montre de cette même
hypocrisie qui ne cache rien, et qui ne veut rien cacher, que
Heine trouve dans le caractère de Hamlet. L'interprétation
fort originale qu'il donne du prince danois — si elle fausse
quelque peu le personnage du héros shakespearien —
illustre cependant, très bien le point de vue du poète
allemand. Pour Hamlet, le plus honnête des mortels, la
dissimulation ne sert qu'à faire ressortir d'autant plus
vivement, par la force du paradoxe, la vérité cryptique de

(1) HEINE, *Lutèce*, Calmann-Lévy, Paris, 1892, p. 241.

ses épigrammes et de ses attitudes. Hamlet constitue à tous
les égards l'antithèse d'un Tartuffe ou d'un Julien Sorel :
la transparence de son masque est voulue. Le Hamlet que
voit Heine veut qu'on reconnaisse l'homme véritable sous
l'hypocrite, la vraie folie sous la folie jouée :

> Il est fantasque, parce qu'un esprit fantasque choque moins
> l'étiquette de cour qu'une franchise vigoureuse. Dans toutes ses
> saillies ironiques, il laisse toujours voir qu'il se manière à dessein ;
> son opinion véritable se décèle dans tout ce qu'il dit et ce qu'il
> fait, à tout homme qui s'entend à voir quelque chose, et même
> au roi à qui il ne peut dire ouvertement la vérité (il est trop faible
> pour cela), mais auquel il ne prétend la cacher d'aucune façon.
> Hamlet est parfaitement loyal ; l'homme le plus loyal pouvait
> seul dire : « Nous sommes tous des fourbes. » En jouant le fou il
> ne veut pas non plus nous tromper, il sent bien lui-même qu'il
> est fou (1).

A cela on pourrait répondre que Hamlet se libère par
l'action, par une sorte d'engagement existentiel, si tel est
le sens du cinquième acte de la tragédie shakespearienne.
Cet argument, on ne saurait l'avancer ni pour Tieck, ni
pour Gœthe, ni pour Heine lui-même, dont l'attitude reste,
toute sa vie, dans un état de flux, complexe et équivoque.
Cependant, c'est précisément de ses inconséquences personnelles et de ses propres paradoxes que Heine tire sa
poésie.

2. Quelles sont les exigences de Heine à l'égard de
l'ironie ? Il nous dit clairement ce qu'elle ne doit pas être.
« Un trait d'esprit, isolé, est sans valeur. Une saillie n'est
supportable que quand elle sort d'un fond sérieux », écrit-il
en 1825 sur Saphir, un faiseur de calembours fort goûté à
l'époque, auquel il oppose alors Shakespeare, Jean Paul
et Boerne. « Les bons mots ordinaires », reprend l'argument,
« ne sont autre chose qu'un éternuement de l'esprit » (2).

---

(1) HEINE, *De l'Allemagne*, vol. I, p. 287.
(2) *Correspondance inédite*, 1ʳᵉ série, p. 228-229. Lettre à Moser, datée de
Gœttingue, le 1ᵉʳ juillet 1825.

Dans une cascade d'images qui se précipitent en succession rapide, Heine compare la plaisanterie sans fond de sérieux à un chien de chasse qui court après son ombre, un singe en jaquette rouge qui se regarde bêtement entre deux miroirs, et, enfin, à un bâtard engendré dans la rue, par le bon sens et la folie (1). Le trait d'esprit restera une pure niaiserie s'il n'est pas greffé sur la pensée. Le peu d'ironie qu'on trouve çà et là dans les ouvrages secondaires de Kant ne manque jamais d'atteindre son but. « L'esprit s'y cramponne à la pensée, et, en dépit de sa ténuité, s'élève ainsi à une hauteur satisfaisante. » Sans un pareil appui, l'esprit même le plus riche resterait caduc et sans saveur, car : « comme une vigne qui manque de soutien, il lui faudrait ramper tristement à terre, et y pourrir avec ses fruits les plus précieux » (2).

Au poète âgé de 28 ans, qui croit s'apercevoir d'un affaiblissement de son don lyrique, l'ironie apparaît comme un signe de maturité. C'est ainsi qu'il explique l'amertume de ses poésies les plus récentes à son ancien camarade d'études, Karl Simrock, le futur traducteur du *Nibelungenlied* et de la *Chanson de Gudrun*. Il n'en est plus à ses premières effusions d'amour, et, quand parfois pour lui la poésie lyrique reparaît encore [*sic*], remarque-t-il, peut-être avec un peu trop de coquetterie, elle se pénètre de part en part, d'un élément plus spirituel, qui n'est autre que l'ironie. En général, l'ironie se montre riante et amicale : c'est le cas chez Gœthe : « Chez moi », continue-t-il, « elle a passé d'un saut à une sombre amertume » (3).

Dans les chants de cette manière, le dandysme voile légèrement les émotions romanesques, « la belladone se mêle au parfum des roses », et les éclats d'un rire que le poète veut démoniaque déchirent le calme des paysages

---

(1) *Ibid.*, *loc. cit.*
(2) Heine, *De l'Allemagne*, vol. I, p. 121.
(3) *Correspondance inédite*, 1re série, p. 269. Lettre à K. Simrock, datée de Hambourg, le 30 décembre 1825.

baignés de clair de lune. Un désenchantement élégant suit
sur le coup l'extase des visions amoureuses. Mais les
sarcasmes dissimulent à peine la sentimentalité, et c'est
là précisément l'effet que Heine recherche. Car le poète
joue un double jeu. Il veut qu'on entrevoie cette sentimentalité qu'il chérit dans le secret et désavoue en public.
Le lecteur doit saisir toute la complexité de la situation.
Il doit participer à cette sensiblerie qui fait que le poète
se plaît dans un climat de mollesse sentimentale et un peu
masochiste. Mais en même temps, il est pris à témoin par
l'intelligence d'un auteur qui sait dénoncer et mettre à nu
les ridicules de sa propre sentimentalité. L'*Intermezzo*,
Le Retour, le *Nouveau Printemps*, et, jusqu'à un certain
degré, même les poèmes de *La mer du Nord* reflètent
cet état d'esprit où les sentiments, à peine évoqués,
menacent de s'anéantir aussitôt dans l'ironie, mais, au
lieu de s'y immoler, en ressortent avec d'autant plus de
netteté.

Dans les *Fresko-Sonette* (1821), cet art de la double
dissimulation n'est pas encore devenu comme une seconde
nature. La sentimentalité y est loin d'avoir appris à jouer
à cache-cache avec le lecteur ; aucun dandysme ne déguise
sa crudité, et, par les cascades d'hyperboles qui l'expriment,
elle acquiert même un aspect involontairement comique.
Dans ces poèmes, le poète ne se donne pas encore pour un
homme du monde. Ce n'est pas tant par l'art que par le
spectacle de ses propres malheurs qu'il tâche d'émouvoir
le lecteur. Il sombre dans le byronisme, et charge tellement
la peinture de ses sentiments qu'ils en paraissent suspects
et même un peu ridicules, sous l'apparat d'une rhétorique
baroque qui les encombre de sa lourdeur. Quand parfois,
sous ces excès, perce l'ironie, elle manque de légèreté et
même de toute profondeur. Le rire n'y exerce aucune
puissance libératrice : il se révèle, au contraire, comme un
élément de démence, qui ajoute au cauchemar, au lieu de le
dissiper :

Und wenn das Herz im Leibe ist zerrissen,
  Zerrissen, und zerschnitten, und zerstochen —
  Dann bleibt uns doch das schöne gelle Lachen (1).

La sincérité se montre ici comme un défaut d'art. A force d'appuyer sur cette sincérité (si toutefois sincérité il y a dans ce tableau d'une folie précieuse), le poète a réussi à éliminer de ses vers tout vestige de poésie.

Une dizaine d'années plus tard, longtemps après avoir reconnu et corrigé les méprises esthétiques de sa jeunesse, Heine fait le procès de la sentimentalité, qui lui apparaît alors comme un produit du matérialisme. Le matérialiste, explique-t-il dans un article pour la *Gazette d'Augsbourg*, porte dans l'âme la conscience vague que tout n'est pas matière en ce monde. Son entendement limité a beau lui démontrer la matérialité de toutes choses, son âme se révolte par instinct. Parfois, il se sent tourmenté par un besoin secret de reconnaître dans les choses une origine purement spirituelle, et ce tourment produit « l'affection vague » qu'on appelle sentimentalité. On voit — soit dit en passant — d'où Baudelaire tire les termes même d'un jugement dévastateur sur Heine, qu'il tient responsable de toute une « école païenne » de poètes français. Baudelaire vise, sans les nommer, Parnassiens et précurseurs du Parnasse, tels Banville, Louis Ménard, Gautier, Leconte de Lisle et Laprade (2), qui, à ce qu'il prétend, auraient « trop lu et mal lu Henri Heine et sa littérature pourrie de sentimentalisme matérialiste » (3). Il est évident qu'il accuse Heine d'une tendance que celui-ci est le premier à condamner, mais à laquelle il ne saura jamais entièrement échapper. « La sentimentalité », déclare en effet Heine, « est le désespoir de la matière qui, ne pouvant se suffire, rêve, dans un

---

(1) *Fresko-Sonette an Chr. Sethe*, III : « Et quand le cœur dans le sein est déchiré, déchiré et coupé en morceaux, et poignardé : alors il nous reste toujours le beau rire strident. »
(2) BAUDELAIRE, *Œuvres*, Pléiade, vol. II, p. 760. Note d'Y. LE DANTEC.
(3) *Ibid.*, p. 420.

désir indécis et mal arrêté, à une sphère meilleure » (1).
Les auteurs sentimentaux, ajoute-t-il, vus en négligé, ou
la langue déliée par le vin, sont toujours ceux qui expec-
torent le matérialisme avec la grossièreté la plus cynique.
« Mais le ton sentimental, surtout quand il est galonné de
quelques oripeaux patriotiques, moraux et religieux, passe
auprès de la masse pour le signe d'un naturel chaste et
noble (2). » Sans doute, Heine se souvient non sans rougir
de certaines effusions de jeunesse, en particulier d'un long
hymne patriotard, composé au moment du *Wartburgfest*
(« Deutschlands Ruhm will ich besingen », etc.).

Dans ces conditions, l'ironie devient un puissant moyen
que l'esprit tient à sa disposition pour se subjuguer la
matière. C'est le procédé par lequel l'art se soumet la
nature. Cela nous amène loin de cette ironie facile de
certains romantiques, procédé qui, selon Solger, « prête
au néant un semblant d'existence afin de pouvoir l'anéantir
plus aisément » (3). L'ironie apparaît ainsi, tout au contraire,
comme une force de révélation artistique, inséparable de
l'enthousiasme, telle que l'envisage l'esthétique de Solger.
Sous cette perspective, l'ironie gagne une profondeur
presque mystique. Ce n'est plus là cette simple dissimulation dont l'action n'affirme, en fin de compte, que la
supériorité de l'auteur sur l'objet de sa raillerie. Elle se
distingue en même temps de l'interrogatoire socratique, où
Hegel ne voit d'ailleurs qu'une expression fort spirituelle
de l'urbanité athénienne.

Dans le système de Solger, l'union de l'ironie et de
l'enthousiasme (car c'est ce point de jonction qu'il appelle
« ironie ») se révèle comme la charnière même de toute
l'esthétique. L'enthousiasme représente dans cette théorie
de l'art « la perception du divin en nous », l'ironie celle de

---

(1) Heine, *De la France*, p. 271.
(2) *Ibid., loc. cit.*
(3) Cité par Maurice Boucher dans *K. W. F. Solger, Esthétique et philosophie de la présence*, Stock, Paris, 1934, p. 110.

« notre inexistence et de la destruction de l'idée sombrant
dans le réel » (1). Considérée ainsi, l'ironie devient en même
temps ce carrefour où l'idéal immole le réel dans l'acte
de la création. « Cet acte », explique Solger, « ne se produit
que dans le moment où l'idée ou essence prend la place
du réel et par là anéantit la réalité en tant que telle, c'est-à-
dire ce qui était purement phénoménal. C'est là le point
de vue de l'ironie » (2). L'artiste prend inévitablement ce
point de vue au moment où il essaie de traduire en œuvre
d'art son rêve idéal. Il comprend alors que l'idée, expression
de l'infini, dépasse ses moyens de réalisation. Sa création
portera à la fois l'empreinte d'un enthousiasme calme,
contemplatif, loin de toute exaltation, et celle du désenchantement. Du coup, l'ironie se montre comme l'élément
décisif de l'acte créateur : en elle s'unissent l'intuition et
la conscience du poète ; elle représente cet instant où
s'allient dans son esprit l'impulsion et la lucidité (3), le
moment même où naît l'idée de l'œuvre comme une illu-
mination soudaine qui pousse impérieusement l'auteur
vers l'expression. On saisit alors pourquoi Solger déclare
que « sans ironie il n'y a point d'art du tout » (4). Son
raisonnement semble suggérer que le procédé complexe
qu'il appelle « ironie » révèle au poète son don de voyant,
tout en donnant à son art une direction, un sens, et en lui
imposant ses limites.

L'esthétique de Solger exerce sur Heine, depuis environ
1825 jusqu'aux approches de 1840, une très vive fascination.
Heine a sans doute lu ou parcouru *Erwin ; vier Gespräche
über das Schöne* (1815), les *Philosophische Gespräche* (1817),
les *Nachgelassene Schriften* (1826), et les *Vorlesungen über
Aesthetik*, publiées par Heyse en 1829. Tout semble d'ailleurs indiquer qu'il a intuitivement saisi certains aspects

(1) *Ibid.*, p. 109.
(2) *Ibid.*, p. 110.
(3) *Ibid.*, p. 112.
(4) *Ibid.*, p. 107.

superficiels de la pensée de Solger, sans pour cela l'avoir
suivie jusque dans ses profondeurs mystiques. Pour quelqu'un qui n'est pas au courant du vocabulaire un peu
bizarre de Solger, il sera facile de se laisser entraîner à de
fausses conclusions par le sens apparent des termes que cet
esthéticien emploie d'une manière si particulière. On se
demande si Heine n'a pas cédé un peu mollement à la
séduction de la terminologie, à première vue si imprécise,
de Solger. Dans l'esthétique de ce penseur, le génie parcourt
un cycle dont les différentes étapes présentent une certaine
ressemblance (purement extérieure) avec la structure de
l'*Intermezzo* et du *Retour*. Allant de l'enthousiasme à ce
désenchantement que produit l'idéal aux prises avec la
réalité, son trajet moral aboutit à une ironie libératrice,
où le conflit des contraires se résout dans la synthèse de
l'art. Heine prend peut-être trop au pied de la lettre ces
mots d'enthousiasme, de désenchantement et d'ironie,
auxquels Solger donne un sens si peu conforme à l'usage
mais néanmoins très précis. C'est ainsi que Heine a peut-
être cru trouver, à un certain moment, en Solger l'esthéticien dont les théories conviennent le mieux à son propre
art. La chose est probable ; quoi qu'il en soit, il est difficile
de l'affirmer, puisque Heine lui-même n'en parle jamais
avec précision.

Cependant, une telle supposition (que nulle preuve ne
semble étayer) expliquerait pourquoi Heine place Solger,
critique littéraire, au-dessus d'August Wilhelm Schlegel (1).
D'autre part, il est fort possible (et même plus probable)
qu'il l'oppose à son ancien maître dans un but purement
polémique. Anti-catholique comme Hegel, et à l'instar
de celui-ci injuste envers les écrivains catholisants, Heine
reste partial au protestant Solger. S'il voit pourtant en lui
un esthéticien de premier rang, il refuse en même temps de le
suivre dans les sentiers un peu brumeux de son mysticisme.

(1) HEINE, *De l'Allemagne*, vol. I, p. 260.

De toute façon, Heine a tort quand il accuse les frères Schlegel de s'être approprié l'ironie romantique de Solger, qui, à ce que prétend notre poète, l'aurait le premier élaborée (1). Hegel aussi exagère les différences qui s'établissent, selon lui, entre l'ironie de Solger, cette véritable mystique aux facettes tragiques, et l'ironie romantique qui (telle que la comprend Hegel) se veut au contraire facile, légère, irresponsable dans son action destructrice. Heine reconnaît d'ailleurs sa faute de jugement, puisqu'il fait discrètement amende honorable. Si son erreur subsiste dans le manuscrit allemand dont la traduction parut dans *L'Europe littéraire*, il l'élimine, en revanche, dans toutes les éditions de la *Romantische Schule* et dans son livre *De l'Allemagne*. Heine reste également loin de la vérité quand il suggère dans ce même texte condamné que l'ironie des Schlegel, comme celle de Solger, paraît prendre son essor dans l'idéalisme de Fichte, « dans ce système profondément ironique où le *moi* est opposé au *non-moi* et celui-ci entièrement annulé » (2).

Cependant déjà en 1825, lorsque Heine se pique encore d'appartenir tant soit peu au groupe des disciples de Schlegel, il condamne fermement ce jeu de l'égotisme qui, pour s'affirmer, a besoin de faire sombrer le monde extérieur dans le néant. La vraie ironie se découvre alors à son entendement comme « une vue grandiose du monde », et, soutient-il hardiment, « une intuition de ce genre est toujours tragique » (3). Il ne s'agit plus alors de cette ironie romantique qui immole tout ce qui est précision, dissolvant dans le flou toute forme déterminée et tous les contours. Ce n'est plus cette vague nostalgie de l'âme qui veut s'unir à l'infini où toutes les valeurs se confondent dans un flot-

---

(1) État actuel de la littérature en Allemagne : De l'Allemagne depuis Mme de Staël. Premier article, *L'Europe littéraire*, 1ʳᵉ année, nº 1, du 1ᵉʳ mars 1833, p. 3. Cf. WALZEL, vol. VII, p. 448, et ELSTER, vol. V, p. 533.

(2) *Ibid., loc. cit.*

(3) *Correspondance inédite*, 1ʳᵉ série, p. 240. Lettre à Friederike Robert, datée de Lunebourg, le 12 octobre 1825.

tement nébuleux. Cette ironie se révèle, au contraire,
comme une perspective cosmique, une vue d'ensemble qui
unifie l'univers et en fait ressortir avec netteté tous les
contrastes plastiques. Car Heine possède un sens très
développé de la forme plastique, de l'image précise et
souvent sculpturale. Très fréquemment, dans sa poésie
et dans sa prose, le thème de la femme s'allie à celui du
marbre et de la statue. Sa prose abonde en abstractions
qui deviennent des images plastiques dont la vivacité
dépasse de loin la simple allégorie. Avec Gautier, il
pourrait s'exclamer : « Toute ma valeur... c'est que je suis
un homme pour qui le monde visible existe (1). » Mais son
art va bien plus loin : c'est par son imagerie souvent si
bizarre qu'il rend l'invisible visible. La plasticité de ses
images, et parfois un martèlement intérieur du vers, communiquent au lecteur les mouvements secrets du cœur,
tout comme ils animent son ironie. « Plastique ! plastique !
La plastique », s'écrie avec dégoût Baudelaire, toujours
en pensant à Heine et à ses « disciples » français : « cet
affreux mot me donne la chair de poule, la plastique
l'a empoisonné, et cependant, il ne peut vivre que par ce
poison » (2). Le Baudelaire de 1852 ne comprend pas, ou
ne veut pas comprendre que l'ironie de Heine a pour
fonction de mettre en relief plutôt que de voiler les tourments de la créature en proie à ses illusions. Baudelaire
méconnaît ce qu'il comprendra pourtant quinze ans plus
tard, dans l'ébauche de sa lettre à Jules Janin : l'ironie de
Heine (dont la plasticité voulue de la forme et de l'imagerie est comme une charnière) constitue pour le poète
allemand « l'élément essentiel de la tragédie » (3). C'est elle,
en effet, qui fait naître la conscience que le lecteur prend de

---

(1) *Journal des Goncourt*, vol. I, p. 182.
(2) BAUDELAIRE, éd. cit., vol. II, p. 423. Ainsi parle un poète qui se donne,
cependant, l'épithète d'un « Amant de la muse plastique » (*Les épaves*, XI,
« Les Promesses d'un visage »).
(3) *Correspondance inédite*, 1ʳᵉ série, p. 241.

se trouver en présence d'une œuvre d'art, d'une transposition, et non pas d'une simple copie de la vie. C'est elle, l'esprit qui anime les corps, et qui plie à son gré la matière jusqu'à ce qu'elle se pénètre de lucidité, prenne forme et devienne presque transparente. L'ironie ajoute en même temps un élément de détente et de réflexion au frisson du lecteur ému par le spectacle des pauvres masques ballottés comme les feuilles au vent par le destin et par leurs propres folies. Elle nous empêche de trop nous identifier avec l'action tragique qui se déroule devant nos yeux, sans pour cela dissiper cette angoisse secrète, dont la présence nous fait comprendre que nous assistons à la représentation de notre vie en puissance, que le jeu des acteurs incarne nos instincts et nos passions cachées. C'est ainsi que l'ironie, adoucissant quelque peu les horreurs de la réalité, devient ce centre même d'où rayonne tout art : sans elle, il n'y aurait point de poésie. De telles conclusions nous rapprochent curieusement de Solger. « Il est impossible », déclare Heine, « à moins de tomber dans ce qui est le contraire même de la poésie, de représenter autrement que dans le vêtement bariolé de la folie, ce qu'il y a de plus monstrueux, de plus effrayant et de plus horrible ; on se réconcilie ainsi avec ces choses » (1).

Un an plus tard, Heine revient à la charge dans *Le tambour Legrand*, son « livre d'idées », écrit pour cette même Friederike Robert, à laquelle il avait adressé la lettre anticipant ce développement. Puisque la vie est si fatalement sérieuse, affirme-t-il, elle ne serait pas du tout supportable « sans cette alliance du pathétique et du comique » (2). Comme preuve il cite à nouveau Aristophane, son auteur comique favori. Aristophane atteint à l'apogée de la poésie, parce qu'il sait déguiser, sous l'humour bigarré, les événements les plus tragiques. Il ne nous

(1) *Ibid.*, p. 241.
(2) HEINE, *Reisebilder*, vol. I, p. 201.

montre les images les plus épouvantables du délire humain
que dans le miroir de la raillerie. C'est ainsi qu'il nous fait
assister au désespoir suprême du penseur qui découvre sa
propre nullité.

Gœthe joue sur la même idée dans son *Faust*. Lui aussi,
Heine nous le fait observer, « ne se hasarde à le montrer
que dans les vers burlesques d'un jeu de marionnettes ».
De même Shakespeare « place les plus tristes complaintes
sur les malheurs de l'humanité dans la bouche d'un fou,
pendant qu'il fait sonner joyeusement ses grelots » (1).
Aristophane, Gœthe et l'auteur du *Roi Lear*, continue
Heine, ont tous pris pour modèle le grand poète originel
[den Urpoeten], « qui dans sa tragédie universelle aux mille
actes, a poussé à l'extrême cet HUMOR, comme nous le
voyons tous les jours » (2).

3. Cette conception tragique de l'ironie semble expliquer
l'attitude d'un poète qui, à tout instant, se moque de sa
propre misère. Devant le problème des deux infinis, Heine
se trouve être l'opposé de Pascal, il choisit le rire pour ne
pas céder aux larmes. Comme il ne croit ni au péché originel
ni au sacrifice du Christ, la question de la grâce ne se pose
pas pour lui sur le plan religieux. Contrairement à Pascal,
il sent et ressent l'injustice divine (ou ce qu'il prend pour
telle), et, devant un dieu tortionnaire, il défend les droits
de la créature. Mais soumis à l'action de cette mystérieuse
force majeure, il reconnaît en même temps ses propres
limites : l'incapacité où il se trouve d'y changer quoi que
ce soit. Toute révolte prométhéenne contre la hiérarchie
cosmique lui paraît donc non seulement futile, mais fran-
chement niaise. Le monde obéit aux lois d'une Nécessité
supérieure contre laquelle l'homme ne peut rien, mais que
l'esprit humain peut néanmoins railler impunément.

C'est donc avec un sourire ironique que Heine s'incline

(1) *Ibid., loc. cit.*
(2) *Ibid., loc. cit.*

devant les forces aveugles et titaniques qui conspirent
contre lui. Et s'il courbe le dos, pour mieux parer les coups
du destin, il le fait avec l'élégance du dandy ; dans son
attitude, il rentre aussi un peu de la pétulance fourbe de
Scapin. Heureux, se dit-il, s'il s'en tire, dans sa longue
carrière d'impudent, avec quelques contusions légères.

Car il lui reste l'impudence, la liberté de créer. Manière
de protester, malgré tout, de sa dignité. La poésie impose
l'ordre de l'esprit humain à ce chaos apparent qu'est le
monde extérieur. L'ironie sert à Heine d'intermédiaire
entre l' « être » et le « paraître », entre la réalité brute et
le monde factice que parfait son imagination. Son rêve
idéal purifie la nature, dissout harmonieusement ses dissonances, la rend plus ordonnée, et lui prête une âme.
C'est une leçon donnée par le poète au créateur de l'univers,
la vengeance de la créature outragée. Si les lamentations
souvent comiques du poète, sa raillerie du sort, peuvent
pour ainsi dire « dégonfler » la fatalité en la dépouillant de
son pathétique, la magie de la vision poétique peut
« enchanter » la nature, l'ensorceler jusqu'à ce qu'elle se
mette spontanément à imiter les formes mêmes que
l'artiste lui propose. C'est par cette manière de sortilège
que l'ironie humaine prend sa revanche sur l'ironie divine.
Ce paradoxe qui renverse les rôles en faisant de la nature
l'imitatrice de l'art — paradoxe développé avec tant
d'esprit dans les *Intentions* de Wilde, et repris par Gide
dans son *Dostoïevsky* — Heine l'avait déjà reconnu en 1836 ;
il l'exprime dans les *Nuits florentines*. En fréquentant
l'opéra italien, le héros de cette charmante nouvelle (qui
n'y va d'ailleurs que pour contempler les figures des belles
Italiennes) arrive à la conclusion qu'un physionomiste
pourrait « très-facilement démontrer, par l'idéal de leurs
traits, l'influence des beaux-arts sur les formes corporelles
du peuple italien ».

La nature a repris ici aux artistes le capital qu'elle leur
avait jadis prêté, et voyez comme elle fait rendre à ce capital

les intérêts les plus agréables ! La nature, après avoir fourni
jadis des modèles aux artistes, copie aujourd'hui, à son tour,
les chefs-d'œuvre auxquels ces modèles ont servi. Le sentiment
du beau a pénétré le peuple entier, et de même que la chair agit
autrefois sur l'esprit, aujourd'hui l'esprit réagit sur la chair. C'est
un culte qui n'est pas stérile que cette dévotion aux belles
madones, aux beaux tableaux d'autel, qui s'impriment dans
l'âme du fiancé, pendant que la fiancée porte dévotement au
fond du cœur l'image d'un beau saint. Ces affinités électives ont
créé ici une race encore plus belle que la douce terre sur laquelle
elle fleurit et que le ciel lumineux qui les entoure de ses rayons
comme d'un cadre doré (1).

Sans aller aussi loin que les « décadents » de la fin du
siècle, qui parviennent par le culte absolu de l'art à la
négation de toute beauté naturelle, Heine devance ici un
de leurs concepts les plus saisissants. La beauté dormante
de la nature s'épanouit pour l'homme, en imitant l'idéal
que lui propose l'artiste. Toujours conforme à la vision
que celui-ci communique à son public, cette beauté se
révèle, ou elle s'évanouit, dans le désenchantement. Cette
idée, qui renferme toute la puissance magique dont dispose
l'ironie, Heine l'illustre dans quelques vers du *Tambour
Legrand*. Le poète peut créer toute la féerie des vieux
contes. Mais un seul mot suffit pour désenchanter la nature
entière :

> Und doch ein einziges Entzaubrungswort
> Macht all die Herrlichkeit im Nu zerstieben,
> Und übrig bleibt nur alter Trümmerschutt
> Und krächzend Nachtgevögel und Morast.
> So hab' auch ich mit einem einz'gen Worte
> Die ganze blühende Natur entzaubert (2).

---

(1) HEINE, *Reisebilder*, vol. II, p. 307. — Heine se souvient sans doute ici
de cette page du *Laokoon*, où Lessing affirme que la Grèce devait en partie la
beauté de ses citoyens à l'influence favorable que la statuaire exerçait sur eux.
(« Erzeugten schöne Menschen schöne Bildsäulen, so wirkten diese hinwiederum
auf jene zurück, und der Staat hat schönen Bildsäulen schöne Menschen mit
zu verdanken. ») Cf. Gotthold Ephraim LESSING, *Vermischte Schriften*, VOSS,
Berlin, 1792, 9. Theil, p. 28, « Laokoon, oder : über die Grenzen der Malerey
und Poesie », II.

(2) *Ideen. Das Buch Le Grand*, ELSTER, III, p. 134-135 : « Et pourtant une
seule parole de désenchantement / Fait en un instant tomber tout cet éclat

Mais le désenchantement ne fait que briser un charme, une illusion ; il laisse intacte la réalité qui en ressort avec d'autant plus de laideur et de brutalité. L'imagination peut enchanter et désenchanter la nature, elle ne peut ni la créer, ni l'anéantir. Sur le plan psychologique, incapable donc de parfaire ou de détruire cet univers gouverné par l'iniquité et par les caprices de la fortune, Heine accepte avec un sourire d'amertume les voluptés de ce lent anéantissement qu'est la vie humaine. Il utilise l'ironie pour opposer l'orgueil humilié mais intact à l'humilité orgueilleuse du chrétien. Cette ironie affirme les droits de la créature, par contraste avec la soumission aveugle que pratique envers son Créateur le chrétien, à peu près sûr de s'engager dans la voie du salut. L'ironie constitue pour Heine un acte gratuit, un défi faible et ambigu lancé aux puissances qui déterminent la destinée humaine. Mais au lieu d'aboutir à la révolte, ce défi se replie sur lui-même : car Heine ne manque jamais de s'inclure lui-même parmi les objets de sa raillerie. A la protestation spirituelle contre le sort se mêle ainsi toujours le rire du bouffon. Du coup, la vague protestation se confond avec l'acceptation (riante malgré tout) du destin, et de ce mélange sort un troisième état d'esprit qui n'est pas loin de la résignation.

en poudre, / Et il ne reste rien que de vieilles ruines, / Des oiseaux nocturnes [et leur croassement] et des marécages. / C'est ainsi que moi, par une seule parole, / J'ai désenchanté toute la nature fleurie... » Heine, *Reisebilder*, vol. I, p. 151-152.

CHAPITRE III

LA SATIRE POLITIQUE ET SOCIALE

1. Cependant, cette résignation ironique apparente ne détermine nullement l'attitude de Heine envers les abus sociaux. Malgré le flottement de sa pensée politique, il y a, dans son esprit, permanence de certains principes. Heine a pleinement conscience de sa situation paradoxale qui fait de lui un carrefour où les idées de deux siècles confluent, s'attirent, se heurtent et se repoussent mutuellement. Une âme hautaine et aristocratique s'allie en lui à un esprit foncièrement progressiste. Il se dit « royaliste » (1), mais il n'y a guère de roi contemporain qui échappe à sa critique sévère et mordante. Avec une vigueur jamais lassée, toujours égale à elle-même, il raille les prétentions du roi de Prusse, fait la satire de Louis de Bavière, et tourne en dérision les espoirs subversifs du parti ultra en France. Louis-Philippe, cette « meilleure république » offerte par Lafayette au peuple de Paris, n'échappe pas non plus à sa raillerie. Heine est déconcerté par les ruses qu'emploie le « roi des Français » pour frustrer ses sujets de la Charte promise. Il ne s'en cache point ; si bien que ses francs reportages lui coûtent sa position de correspondant parisien pour la *Gazette d'Augsbourg*. Au fond, la monarchie n'a pour lui qu'une valeur théorique. Avec justesse, il y voit cette force historique qui a amoindri les privilèges de la noblesse, et qui, s'appuyant sur la bourgeoisie, a contribué à l'affranchissement du peuple. En vérité, Heine se

(1) HEINE, *De la France*, p. 16 : « Monarchiste comme je l'ai toujours été, comme je le suis toujours... »

déclare démocratique à un point, où le roi lui apparaît comme un simple symbole de la puissance populaire, qui s'oppose aux forces de l'oppression féodale. L'émancipation des peuples (proclame-t-il) se produira parallèlement à l'émancipation des rois qui, pour l'instant, sont encore prisonniers de leurs courtisans. Une fois rendus à leurs peuples, ils deviendront pour ainsi dire l'incarnation du « souverain », au moins dans le sens que Rousseau sait donner à ce mot (1). On comprend alors pourquoi Heine exalte en Racine, l'organe même d'une nouvelle société, « le premier poëte moderne », dont les vers, lui semble-t-il, contiennent déjà en puissance tous les gestes de Bonaparte. Par contre, en Corneille et dans la Fronde, il entend encore râler « la voix de la vieille chevalerie qui pousse son dernier soupir » (2). Considérations politiques, en marge de la littérature, qui expliquent cependant pourquoi certains critiques de l'époque, et Heine parmi eux, prennent Corneille pour une sorte de précurseur du romantisme allemand.

Quelques écrits de Heine suggèrent qu'il cherche déjà depuis longtemps à concilier la mission du poète avec celle du bâtisseur d'un meilleur avenir. Depuis 1828 environ, il essaie d'aboutir à une sorte de synthèse où se confondraient ces deux penchants, en apparence si contradictoires. *La mer du Nord, Les bains de Lucques, La ville de Lucques* et ses pages sur l'Angleterre représentent autant de tentatives dans cette direction. Aux passages d'une polémique mordante, Heine mêle dans les derniers *Reisebilder* l'ironie de ses fantaisies, qui, le plus souvent, sont de la poésie en prose. Le *Post-Scriptum* aux *Reisebilder*, qui constitue dans les éditions françaises le XVe et dernier chapitre de *La ville de Lucques* (3), donne sous la forme d'une anecdote la

---

(1) *Du contrat social*, chap. VII, et *passim*.
(2) HEINE, *De l'Allemagne*, vol. I, p. 264-265.
(3) Dans l'édition allemande, ce *Schlusswort*, daté le 29 novembre 1830, suit les *Englische Fragmente*, ELSTER, vol. III, p. 501-505.

définition du rôle qui incombe au poète dans une époque
d'oppression politique. Heine nous montre l'empereur
Maximilien Ier, en 1482 captif à Bruges, et abandonné par
les grands de l'empire. Tout à coup s'ouvre la porte de sa
prison, et entre Kuntz de la Rose (1), le fou de la cour,
pour apporter au souverain malheureux ses consolations
et ses conseils. Et le poète de commenter :

> O patrie allemande ! ô cher peuple allemand ! je suis ton
> Kuntz de Rosen [*sic*]. L'homme dont l'emploi était de te faire
> passer le temps, et qui n'avait qu'à te réjouir aux bons jours,
> pénètre dans ta prison au jour du malheur : ici, sous mon man-
> teau, je t'apporte ton bon sceptre et ta belle couronne... Si je
> ne puis te délivrer, je veux au moins te donner des consolations,
> et tu auras près de toi quelqu'un pour te parler de tes douleurs
> poignantes et t'inspirer du courage, quelqu'un qui t'aime, et
> dont les meilleures plaisanteries et le sang le plus pur sont à ton
> service. Car toi, mon peuple, tu es le véritable empereur, le véri-
> table maître du pays... Ta volonté est souveraine et bien plus
> légitime que ce bon plaisir avec ses vêtements de pourpre qui
> invoque un droit divin sans autre garant que les huiles de char-
> latans tonsurés... Ta volonté, mon peuple, est la seule source
> légitime de toute-puissance. Encore que tu sois dans les fers, ton
> bon droit l'emportera à la fin ; le jour de la délivrance s'approche,
> une nouvelle ère commence... Mon empereur ! la nuit vient de
> finir, et dehors brille la pourpre matinale (2).

A la pensée et au langage, on reconnaît ici sans difficulté le disciple de Jean-Jacques Rousseau, qui s'est
assimilé jusqu'au vocabulaire du *Contrat social*. Ce n'est
pourtant que le langage du pamphlétaire, car sur le plan
social, Heine ne conçoit point le rôle de l'écrivain comme
celui d'un révolutionnaire. Comme le fou du *Roi Lear*
(l'allusion est transparente), le littérateur dissimulera ironiquement sa sagesse sous l'apparence de la folie, pour
prononcer les prophéties les plus audacieuses ; et, prophète,

---

(1) Kunz von der Rosen, *alias* Kunz Rösslin, confident de Maximilien Ier.
Dans l'édition allemande, Heine confond cet empereur avec Charles Quint,
erreur qu'il corrige dans la version française.
(2) Heine, *Reisebilder*, vol. II, p. 287-288.

il se placera au-dessus de la mêlée, en dehors de toute politique du jour. Ainsi il représentera l'esprit devenu don du voyant, initié au mystère de cette Nécessité supérieure qui guide de loin une humanité encore ignorante de son sort. C'est ainsi que se révèle à sa conscience toute l'ironie du destin. Si l'écrivain prépare la révolution, il ne combat pas, pour cela, dans les rangs des militants. « L'écrivain qui veut préparer une révolution sociale », dira Heine, quelques années plus tard, « peut sans inconvénient être à un siècle en avant de son époque » (1). Le tribun, lui, n'a pas cet avantage. S'il l'avait, il s'éloignerait trop des masses pour pouvoir s'en faire aimer, pour les conduire, enfin pour servir les intérêts du jour. Mais le vrai domaine de l'écrivain-poète n'est point la politique, c'est l'histoire à venir. Sa parole crée l'action ; mais son admiration ne va jamais à l'acte : elle va à l'esprit qui inspire cet acte. Si donc, selon la formule de Friedrich Schlegel, l'historien est un prophète tourné vers le passé, on dirait que le poète, tel que le conçoit Heine, est un historien tourné vers l'avenir. Sa pensée anticipe, et même trace le cours de l'histoire. « C'est dans la poitrine des écrivains d'une nation que repose l'image de ses destins futurs (2). » Toute l'ironie de l'histoire consiste en ce que les grands hommes d'action ne réalisent (et encore, souvent inconsciemment) que les idées rêvées par les « faibles » de la génération précédente : ils ne sont que des ouvriers à la solde du rêveur. « N'oubliez jamais ceci, vous autres, fiers hommes d'action. Vous n'êtes que la main-d'œuvre inconsciente des penseurs, qui, souvent dans le silence de l'humilité, vous ont tracé avec précision toutes vos actions. » Robespierre n'était que la main de Rousseau, une main sanglante qui donna un corps à l'âme créée par Rousseau. « Cette crainte sans repos qui empoisonnait toute la vie de Jean-Jacques venait

(1) HEINE, *De la France*, p. 212.
(2) HEINE, *De l'Allemagne*, vol. I, p. 342.

peut-être de ce que son esprit se doutait du genre d'accoucheur dont ses idées avaient besoin pour venir au
monde... (1) »

Comme la nature imite l'art, ainsi l'histoire se conforme
aux grandes idées que lui propose l'esprit humain. Sous la
forme de prophéties, elle se manifeste par la parole du
poète et du penseur, avant de se traduire en faits sous la
main de l'homme d'action.

La même idée se dégage du VIe chapitre du *Wintermärchen :* Paganini était hanté d'un esprit familier, Napoléon
d'un petit homme rouge qu'il voyait la veille de tout
événement important, Socrate avait son démon, Heine a
le sien. Toujours, quand les idées jaillissent de son esprit,
il sent la présence d'un homme robuste aux yeux vifs,
qui cache sous le manteau la hache du bourreau. Un jour,
se trouvant enfin face à face avec son silencieux compagnon,
devant la cathédrale de Cologne, il lui demande des explications que l'autre ne lui refuse point : Heine est le juge,
son compagnon mystérieux, le bourreau qui, dans un
temps peut-être encore lointain, exécutera son jugement.
A Rome, les consuls étaient toujours précédés d'un licteur
portant devant eux une hache ; Heine aussi a son licteur,
mais au lieu de le précéder, celui-ci le suit avec sa hache
redoutable :

> Ich bin dein Liktor, und ich geh'
> Beständig mit dem blanken
> Richtbeile hinter dir — ich bin
> Die Tat von deinem Gedanken (2).

Sous l'équivoque de la métaphore se cache vaguement
l'angoisse d'un poète qui, s'exagérant puérilement la

---

(1) *Zur Geschichte der Religion und Philosophie in Deutschland*, III. Buch.
ELSTER, vol. V, p. 248. Omis dans les éditions françaises.
(2) *Deutschland, ein Wintermärchen*, Kaput VI : « Je suis ton licteur et je
te suis sans cesse avec la hache impitoyable ; je frappe, et ce que ton cerveau
a enfanté, s'accomplit. Je suis l'action qui suit ta pensée. » [La traduction
autorisée rend mal le sens du quatrain, donnant « fait » au lieu d' « action »
pour l'allemand « Tat ».]

portée de sa parole, croit comprendre qu'il ne saura point arrêter les puissances aveugles qu'une fatalité l'oblige à déchaîner. Il sait d'ailleurs qu'il n'y a aucune protection contre cette hache qu'on porte derrière lui, et qui, un jour, pourra fort bien s'abattre aussi sur lui-même.

Heine se montre en effet, terrifié par le spectre du nivellement intellectuel qui résultera de cette « révolution » qu'il souhaite autant qu'il la craint. Mais il est suffisamment utopiste (au moins l'indique-t-il dans la préface de *Lutèce*) pour ne pas hésiter à sacrifier, si besoin est, la poésie à ce qu'il entend par la justice sociale et le bonheur du plus grand nombre. Malgré l'horreur où il tient tout ce qui est populace — et il y a à cet égard des pages fort révélatrices dans son *Louis Boerne* — presque tous ses efforts tendent vers la réalisation d'un nouvel humanisme, de nuance sociale. Comme Byron, il se sent à l'étroit dans les traditions surannées, qui néanmoins l'attirent par leur côté poétique. S'il souffre d'un déchirement intérieur, il réussit quand même à dépasser le désespoir par l'ironie créatrice. Sa raillerie s'acharne impitoyablement contre les ridicules tant du romantisme néo-féodal et pieusement catholisant que de la bourgeoisie enrichie et n'adorant d'autre dieu que l'argent. Mais elle laisse toutefois entrevoir, derrière la sévère condamnation des abus sociaux, les espérances que le poète met dans l'avenir de l'humanité. Son scepticisme cache assez mal une foi presque inébranlable au progrès. Si Heine ne peut pas choisir son siècle, il se choisit au moins dans son siècle, affrontant aussi les périls que son choix lui fait encourir.

Envers les vestiges de la féodalité qui l'entourent, et en face de cette mécanisation progressive de la vie qu'il devine derrière la révolution industrielle, le jeune Heine adopte l'ironie mordante du révolté qu'il admire chez Byron. A un certain moment, il s'identifie avec le poète anglais, dont la colère contre les classes privilégiées atteint « de son venin mélodieux les fleurs les plus sacrées de la

vie ». Le portraitiste aimerait sans doute être reconnu
lui-même dans ce portrait macabre et démoniaque qu'il
donne d'un Byron « qui se poignarde le cœur comme un
arlequin en démence, pour arroser gentiment des flots de
son sang noir tous ces messieurs et dames » (1).

Considéré du point de vue politique, toujours assujetti
aux exigences de l'heure, ce « grincement de dents révolutionnaire » — comme Heine lui-même, non sans s'en moquer
un peu, caractérise cette attitude puérile — ne tire évidemment pas plus à conséquence que le dépit d'un enfant
terrible. Mais envisagée sous l'aspect de l'histoire, sa
position gagne en profondeur : elle devient alors une sorte
d'engagement intellectuel, préfigurant non seulement
l'action, mais encore la portée de celle-ci dans tout ce
qu'elle a de plus inquiétant, c'est-à-dire, la menace qu'elle
constitue pour le poète lui-même et pour tout ce qui lui
est cher. Heine a, en effet, une intuition fort juste de la
psychologie des masses, et cette intuition précède de
longtemps la confirmation par les faits, nommément le
tournant que prendra la Révolution de Février. Les
pogromes qui accompagnèrent à Hambourg les soulè-
vements populaires de 1830 avaient, de bonne heure,
enseigné à Heine une certaine méfiance du peuple. La
foule a, pour lui, l'inconstance des courtisanes. Aujourd'hui
elle renverse les autels que, hier encore, elle avait encensés.
Heine n'ignore point que, le lendemain d'une victoire
populaire, l'intellectuel (vénéré encore la veille) devient
dangereux pour la cause qu'il a soutenue, puisque sa
pensée, ne s'arrêtant jamais au présent, se tourne aussitôt
vers un nouvel avenir. Les masses, une fois au pouvoir,
ont coutume d'immoler leurs prophètes d'antan dont le
sens critique, dépassant les événements, met en danger
tout « ordre nouveau ». D'autre part, les nouveaux maîtres

---

(1) *Die Nordsee III*, ELSTER, vol. III, p. 116. Omis dans les éditions
françaises des *Reisebilder*.

une fois établis, ne s'en tiendront point aux promesses faites avant leur avènement au pouvoir. Ils supprimeront brutalement l'intellectuel qui s'obstine à rappeler un idéal aboli par les exigences politiques de l'heure. « Ah ! mon cher maître, ne me faites pas tuer », répond le fidèle Kuntz de la Rose à l'empereur emprisonné qui lui demande comment il veut être récompensé pour son grand dévouement (1).

Cependant, Heine sait qu'à moins de mourir à temps, le poète ne pourra point échapper à sa destinée qui lui impose le double rôle de voyant et de bouc-émissaire. Avec cela, il a pleinement conscience de cette ironie du sort qui fait de sa pensée la force même qui, traduite en action, se déchaînera contre lui. Juge et bourreau du présent, il deviendra la victime de ce même avenir que déclenchera sa parole, créatrice de faits. Cette situation paradoxale, Heine l'exprime à plusieurs reprises avec l'enjouement un peu forcé du fataliste, révolté « quand même », qui se moque d'un destin contre lequel il ne peut rien. Elle ressort avec clarté de la préface de *Lutèce*.

L'idée que Heine se forme de sa propre situation dans le siècle, est-elle justifiée par les faits ? Il est évident qu'il prend trop au sérieux la portée de son œuvre, et les dangers auxquels il croit s'exposer. Heine poète lyrique, il est vrai, se crée un public de plus en plus étendu. Heine prosateur séduit une élite spirituelle par le style à la fois impertinent, délié, pétulant et railleur de sa prose poétique. Heine pamphlétaire, par contre, n'atteint jamais qu'à un succès de scandale. Il s'aliène toutes les couches de la société allemande par ces franches attaques qu'il lance indifféremment dans toutes les directions contre les ridicules. Ses flèches portent souvent trop loin, puisqu'il vise trop haut. Aussi manquent-elles parfois leur but. Sa satire mordante du chauvinisme,

---

(1) Heine, *Reisebilder*, vol. II, p. 289.

des romantiques catholisants, et même des républicains,
irrite tous les milieux politiques, littéraires et religieux.
Plutôt que de les passionner, elle embarrasse les quelques
amis qui lui restent. En même temps, la critique de Heine
devance trop son époque pour paraître vraiment dangereuse
à ses adversaires. L'interdiction par laquelle la Diète de
Francfort, dans son décret du 10 décembre 1835, frappe les
œuvres de Heine et celles des autres *Jeune Allemagne*, ne
constitue qu'un avertissement. Elle n'est suivie par aucune
demande d'extradition ; on n'exige même pas (comme
c'est le cas de certains républicains) que le gouvernement
français refoule les écrivains réprimandés. Heine fait
d'ailleurs amende honorable par une lettre ouverte, très
humble, servile même, qu'il adresse à la haute assemblée,
le 28 janvier 1836. Dans cet écrit, il annonce sa rupture
définitive avec la *Jeune Allemagne*. Le malheur qui le
frappe est loin de lui nuire auprès de la Monarchie de
Juillet. Depuis des années, le prince héritier, Ferdinand-
Philippe, se trouve parmi les admirateurs les plus fervents
du poète, dont il lit les poésies en allemand. Ses infortunes
lui valent même (par l'intermédiaire de la princesse
Belgiojoso et de l'historien Mignet, secrétaire perpétuel
de l'Académie, et amant de la belle Italienne) de recevoir
de Thiers une pension annuelle. Cette pension de
4.800 francs par an que Heine touche, à partir de 1836, sur
les fonds secrets des Affaires étrangères, lui sera coupée
par Lamartine, après la Révolution de Février (1). C'est
ce qui explique les pages amères et injustes que le poète
allemand consacre à Lamartine dans l'édition allemande
de *Lutèce*.

Pour ce qui est de sa tranquillité politique, les choses
s'arrangent donc fort bien pour Heine. Certes, la Prusse
lance contre lui des mandats d'arrêt toujours renouvelés,

---

(1) Cf. *Briefe*, III, p. 147-148. Lettre au marquis Édouard de Lagrange,
datée du 23 juin 1848.

mais sous Louis-Philippe, Heine est en France à l'abri
des proscriptions vraies ou imaginaires. Il est pourtant
d'une susceptibilité et d'une méfiance maladives. Car
Heine se croit constamment en butte aux persécutions.
La moindre vexation, démesurément agrandie par son
esprit soupçonneux, lui paraît acquérir aussitôt des proportions gigantesques. Sa sensibilité de nerveux lui fait
pressentir une catastrophe dès la moindre tempête dans
un verre d'eau. Cette angoisse et cette irritabilité peu
communes lui inspirent d'ailleurs ses meilleures pages
satiriques.

La crainte des conséquences possibles pousse Heine
à recourir à des précautions parfois risibles. Risibles
puisqu'elles ne répondent à aucune nécessité. Ce qui est
peut-être plus remarquable encore : le poète semble faire
l'impossible pour rendre ses propres précautions inefficaces.
Il prend le parti de jouer au fou pour dire impunément
des vérités qui lui paraissent hardies, et trop dangereuses
pour être prononcées sur un ton sérieux, au moins à
l'époque où il est. Mais sous la forme bigarrée du paradoxe
dont il les revêt, le sens de ses mots reste toujours transpa-
rent. L'auteur ne fait, à ce qu'il paraît, nul effort pour
dissimuler sa pensée, et il ne s'en cache point. Son jeu est
celui d'un franc-tireur roué, qui se sert de toutes les ruses
dont dispose son imagination riche, pour duper un adversaire plus fort mais aussi moins habile que lui. Dans ce
combat fort inégal, il a tous les avantages d'un esprit
supérieur, d'autant plus averti qu'il se rend compte des
dangers qui le guettent. L'ironie est la seule arme à sa
disposition : elle donne à ses idées une élégance légère et
une certaine âpreté poignante, qui, aux yeux de l'initié,
les font ressortir avec beaucoup plus de clarté. Heine
espère que ses idées, sous cette forme ironique et légère,
se glisseront facilement dans l'esprit du lecteur confiant.
Celui-ci se laissera prendre au dépourvu. Il acceptera, sans
s'en douter, un point de vue dangereux, car il se sentira

quand même flatté par un auteur qui le met du côté des
rieurs.

Mais ici encore, Heine distingue clairement le métier
du poète de celui du prosateur. Le poète doit enflammer
le courage « par le feu de l'amour ». Source vivante d'enthousiasme, il doit enivrer, ravir et ennoblir tout un
peuple (1). Qu'exige-t-on du poète sinon qu'il accomplisse
cette mission dionysiaque qui fait de lui un génie, au sens
étymologique du mot : l'esprit tutélaire de la nation ?
Tel il affronte son siècle, s'attire la haine des médiocres,
et s'expose à la colère des puissants. Offrant sa vie en
suprême sacrifice à l'idée qu'il sert, il meurt presque toujours, comme le Moïse de Vigny, méconnu, dans l'isolement
de sa grandeur. Cette haute conception du poète, conception romantique et pessimiste, Heine la soutiendra toute
sa vie. Il la réaffirme encore vigoureusement dans le
Romancero, œuvre de sa dernière période (1851). La flamme
qui consume le poète éclaire l'avenir ; il devient

> Stern und Fackel seiner Zeit,
> Seines Volkes Licht und Leuchte,
> Eine wunderbare grosse
> Feuersäule des Gesanges... (2)

Son art, « Heitres Wissen, holdes Können » (la gaie
science, la création gracieuse) nous communique cette
volupté douloureuse, ce frisson qui nous secoue quand
nous sentons la présence d'une puissance supérieure, la
révélation de l'énigme cosmique :

> Jener grossen Offenbarung
> Die wir nennen Poesie (3).

Dans le domaine des idées, le poète est un roi absolu,
qui ne répond qu'à Dieu de son art et de sa pensée. Le

(1) HEINE, *De l'Allemagne*, vol. I, p. 265.
(2) Jehuda ben Halevy, *Romanzero*, III. Buch (Hebräische Melodien) :
« Étoile et flambeau de son siècle, lumière et fanal de son peuple, une merveilleuse et grande colonne de feu de la poésie.
(3) *Ibid.*, « ... de cette grande révélation que nous appelons Poésie ».

peuple peut détruire l'art et tuer l'artiste : il ne saurait
juger ni l'un, ni l'autre :

> Nur dem Gotte steht er Rede,
> Nicht dem Volke — in der Kunst
> Wie im Leben, kann das Volk
> Töten uns, doch niemals richten (1).

En philosophie comme en matière d'art, le peuple n'est
jamais de son temps. Les masses voient tout à travers les
conventions bien établies. Elles prennent les effusions d'une
fausse sentimentalité pour des émotions sincères et la
rhétorique vide se présente à elles comme une forme
suprême de la poésie. La sagesse leur parvient seulement
alors qu'elle s'est transformée en platitudes. La nouvelle
manière de voir, qui est celle de tout poète un peu original,
ne se communique point à la majorité de ses contemporains.
Ce n'est qu'avec le passage des générations, qu'elle se
vulgarise peu à peu, avant de ne devenir à son tour une
manière conventionnelle de voir les choses. Conservateur
et au fond ignorant, le peuple se méfie de toute fraîcheur
dans les idées, de toute hardiesse esthétique, enfin : de
tout ce qui s'éloigne tant soit peu de la norme ou des idées
reçues.

Certains anciens partisans de Heine s'opposent avec
une fausse pudeur à l'érotisme du poète qui s'épanouit,
aux environs de 1830, dans ses vers. Ainsi Gutzkow, qui
exerce auprès de son éditeur, Julius Campe, une influence
redoutable, et dont les intrigues retardent de plus de
huit ans la publication des *Neue Gedichte*. Aux scrupules
« moraux » de Gutzkow, Heine répond avec dignité : il
publiera ces poésies avec la même bonne conscience qu'il
aurait en faisant imprimer le *Satyricon* de Pétrone et les
Élégies romaines de Gœthe s'il avait écrit ces chefs-d'œuvre.
« Comme ces derniers, les poésies qu'on me reproche ne

---

(1) *Ibid.*, « Il n'a à répondre qu'à Dieu et point au peuple. Dans l'art
— comme dans la vie — le peuple peut nous tuer, mais nous juger, jamais. »

sont pas du fourrage pour la foule brutale... Seuls les
esprits d'une certaine noblesse, trouvant un plaisir tout
spirituel au traitement artistique d'un sujet criminel ou
un peu trop naturel, comprendront ces poésies. » Il ne vise
pas à satisfaire les besoins moraux de quelque bourgeois
marié, dans un coin perdu de l'Allemagne : ce qui lui tient
à cœur, c'est l'autonomie de la poésie. « Ma devise restera :
l'art est le but de l'art, comme l'amour est le but de l'amour,
et la vie elle-même le but de la vie (1). » C'est ainsi que
Heine réaffirme le *Kunstideal* de Gœthe.

2. Mais comme après lui Baudelaire, Rimbaud, Mallarmé
et Verlaine, Heine ne s'arrête pas à une esthétique de l'art
pour l'art, telle que l'ont développée, chacun à sa manière,
Gœthe et Gautier. Son esthétique dépasse rapidement
le *Kunstideal* de Gœthe, si souvent en butte à ses attaques,
mais qui néanmoins exerce sur son esprit une attraction
à laquelle il n'échappera jamais entièrement. Avant les
symbolistes, il redécouvre la poésie comme un mystère à
la fois divin, démoniaque et profondément humain. La
révélation poétique lui semble aller droit à la vérité, déchirant les voiles de la réalité, et perçant les apparences des
choses. L'art du poète est pour lui comme une série d'actes
mystiques, une sorte de miracle sur le plan laïque, un
dépassement de la nature. C'est le paradoxe d'un abou-
tissement au vrai, par l'emploi du mensonge. Cette même
idée, Baudelaire l'exprimera un peu plus tard dans son
admirable chapitre *Du maquillage*. Dissimulant la nature
sous des rehauts exagérés et souvent ironiques, le poète
finit par représenter un idéal qui n'est autre que le vrai
absolu, l'essence même de la chose représentée. L'idéal
seul est le domaine de la poésie, et l'idéal peut choisir,
pour se manifester, n'importe quelle forme ou qualité : la

---

(1) *Briefe*, vol. II, p. 278. Lettre à Gutzkow, datée de Granville (Basse-
Normandie), le 23 août 1838.

laideur lui convient aussi bien que la beauté (1). Le
satanique comme le divin, la douleur comme la joie, la
haine comme l'amour, le mal comme le bien, la chasteté
comme la luxure, ont leur forme idéale que l'art du poète
saura dégager et mettre en relief. Du reste, en tant que
jeu, la poésie échappe à toute gravité et à tout ce qui
restreint les mœurs. La liberté qui fleurit dans le vers est
celle de l'esprit affranchi du joug social. L'esthétique seule
lui impose des limites, si limites il y a en dehors de celles
où les sens confinent l'expérience : car, si l'on s'en tient à
Baumgarten, tout ce qui nous parvient par les sens rentre
dans l'esthétique. La poésie émancipe donc l'homme
entier, lui rendant, avec la liberté absolue de l'esprit, celle
d'éprouver toutes les sensations, de les réinventer au besoin.
S'il est poète, de les couler dans ses vers; s'il ne l'est pas,
de les assimiler par la lecture. Elle initie poète et lecteur
aux mystères orphiques, en leur permettant ce parfait abandon, ce plongeon vertigineux dans l'enfer de l'inconscient
que Rimbaud appellera dans sa lettre du voyant, un dérèglement raisonné de tous les sens, et qui n'est autre qu'une
quête de l'innocence dans les régions jusqu'alors vierges et
inexplorées de l'âme humaine. C'est donc par la poésie que
l'homme peut réaliser et conquérir sa liberté intérieure.

Pour ce qui est de la liberté extérieure, l'émancipation
sociale et politique, que le prosateur s'en occupe. Ce serait
en effet prostituer la poésie que de n'en faire qu'un instrument de propagande, que de la plier aux besoins du jour.
Le poème lyrique se suffit à lui-même, car en lui-même il
constitue déjà un acte libérateur par l'évocation d'un état
d'esprit, d'une sensation de volupté, d'un sentiment
fugitif, ou simplement de la musique qui, indépendamment
du sens des mots, sourd dans le langage.

---

(1) « Aussitôt que vous surmontez votre répugnance pour le laid, et que
même vous arrivez à l'aimer, le laid se change en beauté : aucun enchantement
ne résiste à l'amour. » Leçon tirée par HEINE, du conte de « La belle et la bête »,
De l'Allemagne, vol. II, p. 71.

La conscience de la liberté d'esprit dans l'art « se manifeste tout particulièrement *par la forme*, par la manière dont le sujet est traité, nullement par le sujet lui-même... » (1). Heine soutient en effet, que

les artistes qui choisissent pour sujet la liberté elle-même ou la conquête de la liberté, sont ordinairement d'un esprit rétréci, engourdi, enfin dépourvus eux-mêmes de toute liberté spirituelle. Cette observation se confirme de nos jours surtout dans la poésie allemande, où nous voyons avec effroi que les chantres les plus effrénés et les plus hardis de la liberté, ne sont, pour la plupart, à les regarder de près, que des natures bornées, mesquines, étriquées, des philistins du passé dont la vieille queue est mal cachée sous le bonnet rouge... Les poëtes véritablement grands ont toujours traité les grands intérêts de leur temps autrement que dans des articles politiques rimés, et ils se sont peu souciés de voir la foule servile dont le manque de culture leur répugne, élever contre eux le reproche d'aristocratisme et de manque de caractère (2).

Ce point de vue esthétique, qui est celui d'un aristocrate intellectuel, Heine le pousse à l'extrême dans *Atta Troll*, satire contre les poètes de tendance [Tendenzpoeten]. Cet ouvrage qu'il considère comme peut-être la « dernière libre chanson de la muse romantique » (3) laissa entre autres son empreinte sur l'esprit de Mallarmé. Revenant à ses premières amours littéraires, Heine annonce à Laube qu'il a essayé, dans la IIᵉ Partie de ce « conte d'été », de faire valoir les droits « du vieux romantisme qu'on tâche maintenant d'assommer à coups de bâton ». Cependant, pour aboutir à ce résultat, il se détourne de la « molle tonalité de l'ancienne école », se servant « le plus hardiment possible de l'humour moderne, qui peut et doit s'assimiler tous les éléments du passé » (4). Le héros de son épopée, explique-t-il dans une autre lettre, est un ours, le seul héros contemporain qu'il ait trouvé digne de ses chants. « Le songe d'une folle

---

(1) *Lutèce*, p. 310. Article du 20 mars 1842.
(2) *Ibid.*, *loc. cit.*
(3) *Atta Troll*, XXVII, *Poëmes et légendes*, p. 78.
(4) *Briefe*, vol. II, p. 441-442. Lettre à Heinrich Laube, datée de Paris, le 20 novembre 1842.

nuit d'été (1). » L'Atta Troll de Heine devient la caricature
même des « patriotes braillards » et autres versificateurs-sau-
veurs de la patrie. A l'exemple du *Chat Murr* d'E. T. A. Hoffmann, et du *Chat botté* de Tieck, Atta Troll se met à
raisonner. Il discourt avec balourdise sur la doctrine chrétienne (considérée du point de vue de l'ours) et tonne à tort
et à travers contre l'inégalité des espèces, qui fait de
l'homme si injustement le roi absolu de la création. Devant
les ours, ses camarades, ébahis par tant d'art et de connaissances, sa danse (inepte comme la poésie tendancieuse)
mime la grande révolution nationale, par laquelle les
ours s'assujettiront l'homme. Révolution qui aboutira au
triomphe de la grossièreté stupide sur l'intelligence supérieure, de l'inélégance sur la finesse, et de l'utile sur le
beau. Alors commencera l'âge de l'égalité, où les médiocres
triompheront du génie, où le contenu débordera de la
forme, où de par son terre-à-terre nouvellement acquis,
la poésie deviendra prose, et où tous les genres littéraires
se confondront dans un pêle-mêle en dehors de l'art : ce
sera la victoire finale de la démocratie dans le domaine
aristocratique de l'esprit.

On voit où Heine veut en venir. Quelques quatrains, d'ailleurs supprimés dans toutes les éditions du poème, établissent peut-être avec trop de clarté cette distinction qu'il fait
entre le métier du poète et le rôle fort secondaire de la prose :

> Ja, in guter Prosa wollen
> Wir das Joch der Knechtschaft brechen —
> Doch in Versen, doch im Liede
> Blüht uns längst die höchste Freiheit.
>
> Hier im Reich der Poesie
> Hier bedarf es keiner Kämpfe,
> Lasst uns hier den Thyrsus schwingen
> Und das Haupt mit Rosen kränzen (2).

---

(1) *Correspondance inédite*, 2e série, p. 436. Lettre au même, datée de
Paris, le 7 novembre 1842.
(2) Variante de la fin du deuxième chapitre d'*Atta Troll*. Dans STRODTMANN,
Letzte Gedichte und Gedanken von Heinrich Heine, Hoffmann & Campe,

Cependant, ces préceptes présentent le seul inconvénient qu'ils ne correspondent pas toujours aux pratiques de Heine. Au fait, à l'époque où il écrit ces vers, le poète s'y conforme encore moins qu'à n'importe quelle autre période de son évolution. Bien sûr, ces maximes justifient le nouveau tournant que les *Neue Gedichte* font prendre au lyrisme romantique ; tournant qui n'est autre que cette révélation poétique de la grande ville, par où Heine se rapproche si curieusement de Baudelaire. Mais une telle affirmation exagérée de principes aurait empêché en Heine le libre épanouissement de ses dons de satiriste, tout comme elle aurait exprimé un reniement presque total des poésies politiques qu'il s'est mis à composer depuis un certain temps. Car, précisément au moment où le persiflage brillant de son *Atta Troll* atteindra de ses coups mortels la poésie engagée, l'accroissement du chauvinisme allemand obligera Heine à prendre parti, à affirmer dans ses vers mordants et militants sa position de cosmopolite, son rôle de médiateur entre la France et l'Allemagne. Outre qu'il s'est forgé, entre 1840 et 1842, de ses poésies de circonstance une arme redoutable, l'observance de ces préceptes ne lui aurait point permis d'écrire le *Wintermärchen*, satire de longue haleine dont la forme, belliqueuse à outrance, lui fut suggérée par l'hégélien de gauche Arnold Ruge. Heine aurait été fort embarrassé, en effet, pour expliquer l'allure politique de ces vers, dont l'ironie agressive est une arme autrement tranchante que le thyrse de Silène. Comment du reste, aurait-il pu justifier certains poèmes déjà publiés dans la *Zeitung für die elegante Welt*, dont peut-être le plus virulent, *Die Tendenz*, commence par cette invitation — en apparence si révolutionnaire — aux poètes allemands ?

Hamburg, 1869, p. 59 : « Oui, en bonne prose nous voulons briser le joug de l'esclavage ; mais dans le vers, dans le chant, la plus haute liberté fleurit depuis longtemps. / Ici, dans l'empire de la poésie, il n'est pas besoin de combats. Agitons ici le thyrse, et couronnons-nous de roses. »

Deutscher Sänger ! sing und preise
Deutsche Freiheit, dass dein Lied
Unsrer Seelen sich bemeistre
Und zu Taten uns begeistre,
In Marseillerhymnenweise (1).

L'oreille de l'initié discernera sous l'emphase de cette invocation un secret courant d'hostilité, l'intention malicieuse d'un poète qui veut prendre son adversaire au dépourvu, pour l'assommer d'autant plus sûrement. La promesse d'une tendance chauviniste qui, à l'apparence, se dégage des premiers deux vers cède brusquement le pas au cosmopolitisme révolutionnaire et à la gallophilie du poète. Celle-ci s'affirme d'une manière à la fois moqueuse et triomphale dans le dernier vers de la stance, dans cette évocation comique de la Marseillaise, pour Heine le symbole de l'émancipation sociale, mais pour les nationalistes allemands celui de leur humiliation la plus profonde.

Ici, l'ironie crée un élément de surprise, introduisant un sous-entendu dont l'artifice détruit dès le début le sens apparent des mots. Succombant d'abord à la séduction de rythmes qui semblent familiers, puisqu'on les a rencontrés dans les chants patriotiques de Körner, de Herwegh, de Dingelstedt, Hoffmann von Fallersleben et tant d'autres, le lecteur se rend soudainement compte qu'il s'est laissé dérouter par la musique du vers. Malgré lui, il a prêté l'oreille à un texte dont le sens contredit vigoureusement l'air sur lequel, pour ainsi dire, il se chante. Mais la mystification ne s'arrête point là. Le lecteur désorienté, auquel Heine a fait partager un point de vue contraire à celui qu'il lui a fait d'abord entrevoir, remarque tout à coup que le poète se moque non seulement de la bonne foi de son public, mais encore de la poésie engagée en général. Car, après avoir invité les poètes à réveiller par le fracas de leurs

___

(1) « Poète allemand, chante et loue la liberté allemande, afin que ton chant domine nos âmes et nous inspire des actions, à la manière de *La Marseillaise.* » *Zeitung für die elegante Welt*, n° 19, du 27 janvier 1842.

trompettes belliqueuses et par leurs roulements de tambour,
la patrie endormie, afin qu'elle secoue le joug des tyrans,
Heine laisse soudainement tomber le masque du sermon-
neur pour se rire de son propre sermon et pour railler la
balourdise des rimeurs patriotards. « Au milieu de votre
infernale musique turque », leur conseille-t-il, « ne vous
éloignez surtout jamais des généralités les plus banales » :

> Blase, schmettre, donnre täglich,
> Bis der letzte Dränger flieht —
> Singe nur in dieser Richtung,
> Aber halte deine Dichtung
> Nur so allgemein wie möglich (1).

Si Heine attaque la *Tendenzpoesie*, l'exaltation versifiée
d'une idée politique, il ne s'acharne donc pas seulement
sur une certaine « tendance » qui est l'opposée de la sienne.
Bien que ce but polémique soit indéniable, Heine ne
l'atteint, pour ainsi dire, qu'en passant. Son *Atta Troll* se
propose de défendre, et défend en effet, contre les mauvais
poètes de la muse nationaliste « les droits imprescriptibles
de l'esprit, l'autonomie de l'art, l'indépendance souveraine
de la poésie » (2). La meute des libéraux allemands, s'indi-
gnant contre son *Louis Boerne* (1840) accuse Heine (comme,
en 1836, Boerne lui-même l'avait fait) d'inconstance politique et de légèreté dans les mœurs. Poursuivant l'homme,
et non pas le poète, ils s'évertuent à placer leurs opinions
politiques et les questions de moralité au-dessus de celles
du talent. Heine leur répond en poète pour qui les principes
de l'art ont infiniment plus d'importance que les intérêts
toujours changeants du jour, et même les convictions les
plus sincères. « Jamais les temps n'avaient été meilleurs
[en Allemagne] pour l'ineptie vertueuse », explique-t-il

_____

(1) *Ibid.*, dernière strophe : « Souffle, écrase, tonne tous les jours, jusqu'à
ce que le dernier oppresseur disparaisse ! Ne chante que dans cette direction,
mais que ta poésie se tienne autant que possible dans les généralités. »

(2) HEINE, *Poëmes et légendes*, p. 4, « Avant-propos de l'auteur » à l'édition
française d'*Atta Troll*. Daté décembre 1846.

en rétrospective, « pour les grandes convictions qui bre-
douillent et les nobles sentiments qui ne disent rien du tout.
Le règne des justes allait commencer dans la littérature » (1).

C'est surtout l'artiste qui se révolte contre un genre qui
lui paraît dangereux puisqu'il soumet la poésie à toutes
sortes de considérations en dehors de la littérature. Il est
évident que, en plus de ces réflexions d'ordre esthétique,
des raisons fort personnelles poussent Heine à ridiculiser
la poésie tendancieuse. Se voyant attaqué par les médiocres,
il riposte à leurs provocations. Mais son point de vue est
quand même plus large. Il parle en professionnel et sa
critique défend le métier contre les incompétents, contre
les *dilettanti*. Ses propres poésies de circonstance, toujours
ironiques, mordantes, pleines d'esprit, ne dégénèrent
jamais en rhétorique vide, sentimentale et pompeuse. Ce
sont toujours des satires, composées selon les règles de
l'art, et la satire fait partie intégrante des genres légitimes
de la poésie. Elle reste toujours un jeu de l'esprit qui impose
ses lois à la matière. Dans la satire de Heine, l'ironie ne
réside pas uniquement dans les mots : elle bat également
dans le martèlement du rythme, elle se communique par
la musique du vers qui rend la parole ambiguë et même
polyvalente. La *Tendenzpoesie*, par contre, loin de respecter
les bienséances du métier, les bouleverse avec une brutalité
toute plébéienne. Dans ce genre, la « tendance » subordonne,
et même viole l'esprit. Ne voulant que rimer, les *Tendenzpoeten* n'aboutissent en fin de compte qu'à la caricature
même de tout ce qui est poésie.

Outre leur « teutomanie » écœurante, Heine leur
reproche donc l'asservissement où ils tiennent l'art, et
surtout un manque total de savoir-faire et de sensibilité
poétique. Il se moque de la lourdeur de leur vers, qu'aucun
sous-entendu n'allège, et qui, sous leur plume maladroite,
se raidit et devient prosaïque. Il les raille, puisque, à la

(1) *Ibid.*, p. 4.

finesse ambiguë qu'exige la versification ils ne savent
substituer que le pathos ronflant de leurs convictions.
Il se rit d'eux enfin, puisque nul caprice du rythme ne se
glisse dans leurs vers pour en rompre quelque peu la
monotonie. Ne voulant que prêcher, ils se méfient exagé-
rément du rythme et de la musique en général, puisque
ces éléments indispensables à la poésie introduiraient dans
leurs sermons rimés l'équivoque de la nuance. Ainsi leurs
strophes, bourrées de fadeurs, se traînent péniblement et
sans art dans les platitudes de la « vertu républicaine »
et du patriotisme. Comme *Atta Troll*, l'ours qui danse sans
savoir danser, ils ne s'appliquent qu'à exprimer en mauvais
allemand mais avec sincérité la noblesse de leurs sentiments.
Ainsi ils méritent, comme le rêve pour lui-même Atta Troll,
que le roi de Bavière leur élève un jour une statue dans le
panthéon Walhalla. Tel le roi Louis Ier de Bavière, piètre
poète mais plein de bonnes intentions et de noblesse,
Atta Troll s'exprime avec force asyndètes et constructions
participiales. Dans ce langage abusif, il formule son
épitaphe, qui, exaltant le caractère aux dépens du talent,
transpose sur le plan de la danse, les accusations ridicules
que les ennemis de Heine lancent contre celui-ci :

> Atta Troll, Tendenzbär ; sittlich
> Religiös ; als Gatte brünstig ;
> Durch Verführtsein von dem Zeitgeist,
> Waldursprünglich Sanskülotte ;
>
> Sehr schlecht tanzend, doch Gesinnung
> Tragend in der zottgen Hochbrust ;
> Manchmal auch gestunken habend ;
> Kein Talent, doch ein Charakter (1) !

Méprisant au fond l'art des vers comme « inutile »,
en tant qu'art désintéressé, et se trompant entièrement

---

(1) *Atta Troll*, Caput XXIV. « Atta Troll, ours de tendance ; esprit sérieux,
âme religieuse ; époux lubrique ; étant séduit par l'esprit du temps, dans sa
primitivité sylvestre, sans-culotte.
  « Dansant très mal, cependant ! portant dans sa poitrine velue des convictions. Quelquefois ayant pué. De talent point, mais quel caractère ! »

sur la mission de la poésie, les *Tendenzpoeten* se méprennent
également sur le rôle de celui qui la pratique, sur ce que
peut le poète. Ils ignorent la nécessité où se trouve l'artiste
de transposer sur un plan universel l'expérience vécue
(ou tout simplement imaginée), sans quoi le meilleur
sujet perdrait pour le lecteur tout intérêt. Le paradoxe
de l'art comme un jeu de l'esprit qui se propose de montrer
la vérité au moyen du mensonge, s'avère trop complexe
pour qu'ils puissent le saisir. Ils ne comprennent pas que,
sans une certaine dissimulation ironique, la représentation
même des sentiments les plus sincères manquerait de
« naturel ». Il ne leur vient pas non plus à l'esprit que la
vraie poésie peut fort bien se passer de toute « sincérité »,
dans l'acceptation vulgaire de ce mot, c'est-à-dire la
peinture des sentiments que le poète lui-même éprouve au
moment d'écrire. Ignorant les écrits de Diderot sur le
paradoxe du comédien, et sur la peinture, ils refusent au
poète jusqu'au droit de porter avec préméditation, le
masque de son choix afin qu'il puisse se faire l'interprète
de tous les états d'âme, de toutes les attitudes d'esprit.
Aussi crient-ils à l'insincérité, au truquage, quand ils surprennent le poète en train de faire son métier. Car ce métier
consiste essentiellement en l'évocation de sentiments illu-
soires que le lecteur prendra volontiers pour aussi vrais
qu'ils prétendent l'être. Dans leur ignorance de l'art, les
Tendenzpoeten négligent d'obéir même au premier comman-
dement du métier, qui exige du poète le don d'établir cet
équilibre entre la forme et le fond qu'on n'obtient qu'à
force d'entrelacer la pensée dans les sinuosités de la
musique, et en ne laissant que très vaguement entrevoir
les intentions sérieuses sous l'élégance de l'ironie.

Quels sont les motifs qui poussent Heine à écrire ses
poésies de circonstance ? Somme toute, l'époque vient où
il se sent à l'étroit dans le lyrisme dont d'ailleurs, à plusieurs reprises, il croit avoir épuisé les ressources. Toujours
à la recherche d'un renouvellement de son art, il ne se

contente plus de peindre alors les rêves d'un amour insatisfait, ni d'animer à la manière des enfants les montagnes,
la mer, les fleurs et les étoiles. Une expérience plus vaste,
un rêve embrassant même les aspirations sociales de
l'homme, doivent remplir ses vers et les charger d'un sens
plus précis. Il sait que le poète peut dominer toutes les
matières, si rigides et prosaïques qu'elles soient ou
paraissent ; à condition toutefois qu'il sache toujours
observer les règles du métier. Le vague saint-simonien qui
subsiste en Heine prête son appui à de telles opinions.
Prêtre et guide du peuple, le poète occupe selon la bonne
doctrine, un rang infiniment plus élevé que celui du tribun.
Simple instrument de la providence, celui-ci ne fait en fin
de compte, que réaliser les prophéties du poète. Pour
accomplir sa mission de prophète, Heine veut donc faire
bien plus que des œuvres d'art, tout en restant néanmoins
artiste. C'est par là qu'il échappe à la définition un peu
étroite que Sartre donne du poète (1). Car revêtant un sens
précis qui se dégage de leur équivoque, ses poésies de
circonstance dépassent le pur lyrisme. Plein de « signifi-
cations », leur langage, à la fois signe et sens, cesse de n'être
qu'une « structure du monde extérieur ». Ce langage
présente le paradoxe d'un dépassement de l'art par l'art
même : une chose détachée du poète et en même temps
l'ustensile qui lui sert à nommer les choses. Ainsi le poème
se rapproche de la prose sans pour cela devenir prosaïque.

Maniant, pour les combattre, l'arme même des *Tendenzpoeten*, Heine donne une leçon suprêmement ironique à ces
rimailleurs médiocres, qui tâchent de cacher leur ineptie
sous la prose de poètes-tribuns. D'une manière convaincante,
il leur montre que le génie seul saura arracher des chants
émouvants à n'importe quel instrument, même à leur
stérile lyre de bois. Comme une preuve à l'appui, il donne,

---

(1) J.-P. SARTRE, Qu'est-ce que la littérature ?, dans *Situations II*,
Gallimard, Paris, 1948, p. 63-70.

parmi tant d'autres témoignages éclatants de sa virtuosité, celui des *Tisserands silésiens* (« Die schlesischen Weber »), dans sa tonalité sombre et colérique un des plus beaux manifestes de la littérature révolutionnaire, et qui reste quand même de la poésie.

Cependant, ces poèmes de circonstance constituent surtout un tour de force. En pratiquant ce genre, Heine réaffirme, nous semble-t-il, son refus de l'art pour l'art et de cette *Kunstperiode* inaugurée par Gœthe, qu'il admire, mais dont il se vante aussi d'avoir le premier dépassé « la stérilité ». Qu'il s'agisse bien là d'une sorte d'engagement dans le sens sartrien du mot, cela ressort du fait que Heine produit la plupart de ces opuscules (comme d'ailleurs aussi le *Wintermärchen*) au *Vorwärts*, cet infortuné organe des hégéliens de gauche à Paris, interdit le 28 décembre 1844, l'année même de sa fondation, sur la demande du gouvernement de la Prusse.

B) HEINE ET BAUDELAIRE
LE RIRE DES HÉAUTOUSTIMOROUMÉNOI

Chapitre Premier

« LE LIVRE DE LAZARE »

1. Dans *Le livre de Lazare* (1), qui contient les dernières poésies publiées de son vivant, Heine atteint à un dépouillement du langage, des sentiments et de l'ironie, sans égal dans la poésie allemande de l'époque. Le vers, nerveux, brisé par les sinuosités du rythme, et se prolongeant ou se raccourcissant par le jeu des rejets et des contre-rejets, se plie toujours avec grâce selon le sens qu'il exprime. Une pensée vidée d'illusions et de toute vanité met à nu l'angoisse du malade en face du néant, en face de la mort. Au milieu des cris que lui arrachent les souffrances très réelles, le poète se moque de sa douleur et de ses propres inquiétudes. Le persiflage en fait ressortir d'autant plus vivement toute la profondeur. La nudité de l'émotion perce à travers l'élégance de la forme. La résignation alterne avec le désespoir, la fureur, le regret des amours ratées. D'âpres réflexions sur la futilité de la gloire soulignent la colère du poète en face de la médiocrité et du mal triomphants. Le spectacle d'un esprit sublime emprisonné dans un corps moribond, mais qui refuse de mourir, illustre

---

(1) Seule l'édition française porte ce titre que le poète lui-même avait choisi (*Poëmes et légendes*, p. 335-385). Cf. la lettre à Julius Campe, du 8 novembre 1854. *Briefe*, vol. III, p. 575.

le paradoxe de la condition humaine. Toute la gamme
des états d'une âme tourmentée vibre dans l'humour amer
de ces complaintes ironiques, de ces chants lyriques qui
dénoncent et ridiculisent le lyrisme, de ces dialogues entre
le corps et l'âme d'un agonisant à qui manque pourtant la
foi d'un Villon. L'injustice humaine et la cruauté divine
retentissent dans ces fables satiriques et dans ces satires
violentes et fabuleuses, d'un contenu toujours plus personnel que religieux ou social.

Le titre du recueil est aussi ambigu que les poésies qu'il
comprend. D'une part, le poète malade s'identifie avec le
Lazare de l'Évangile selon saint Luc (XVI, 20 sqq.) (1),
qui, couvert de plaies, partage avec les chiens les miettes
tombant de la table du riche ; allusion transparente aux
humiliations que lui fait subir le riche cousin, Karl Heine
de Hambourg, dont les intrigues menacent de lui couper
les vivres. D'autre part, les *Aveux de l'auteur* transposent
un passage de la *Chronique de Limbourg*, qui rapporte
qu'on chantonnait en 1480, dans toute l'Allemagne « des
chansons plus douces et plus charmantes que toutes celles
dont on avait eu connaissance auparavant dans les pays
germaniques, et que jeunes et vieux, surtout les femmes,
en raffolaient jusqu'au délire, de sorte que du matin au soir
on les entendait résonner » (2). Mais l'auteur de ces chansons
était un jeune clerc atteint de la lèpre, vivant à l'écart de
tout le monde, et portant à la main, comme tous les lépreux,
une énorme cliquette, appelée cliquette de saint Lazare,
avec laquelle il annonçait son approche. Heine reconnaît
son *aller ego* dans ce chansonnier lépreux du Moyen Age,
qui « se morfondait dans les tristes solitudes de sa misère,
tandis que, joyeuse et chantante, toute l'Allemagne applau-
dissait à ses poésies » (3). Comme la gloire de ce malade
médiéval, la sienne ne lui paraît qu'une moquerie cruelle

---

(1) Cf. Walzel, vol. III, p. 482, notes de Jonas Fränkel.
(2) Heine, *De l'Allemagne*, vol. II, p. 339.
(3) *Ibid.*, *loc. cit.*

de Dieu. Le destin des deux poètes est le même. Rien ne les distingue sinon le costume : la couleur romantique du Moyen Age a cédé le pas à la grisaille bourgeoise. « Le roi blasé d'Israël et de Juda disait avec raison : Il n'y a rien de nouveau sous le soleil (1). »

Ce texte, paru dans la *Revue des Deux Mondes*, du 15 septembre 1854, marqua de son empreinte l'esprit d'un autre collaborateur illustre de Buloz, Ernest Renan, à qui il suggéra un jugement quelque peu superficiel. Ce n'est point sans doute par hasard que, trente ans plus tard, Renan choisit l'exemple de Heine pour démontrer la continuité d'une lignée de « décadents » juifs, remontant à l'Ecclésiaste, et auxquels il oppose le génie justicier d'Israël, qui, se manifestant à toutes les époques de l'histoire, prend son essor avec Élie, Jérémie et Jésus. De l'Ecclésiaste à « Henri Heine, il n'y a qu'une porte à entr'ouvrir » (2). Cette porte donnerait sur une minorité de sceptiques spirituels, qui, retirés du tourbillon, cultivent mollement, en résignés, leur goût éclectique et laissent le monde aller son train. Par les deux bouts de la chaîne, on tiendrait la permanence d'une race, faite, comme toutes les races, de contradictions. Ne percevant qu'un seul aspect, quoique important, de la complexité de Heine, Renan n'aperçoit point qu'en l'esprit du poète s'opposent tous ces contraires. « Allez donc troubler le monde, faire mourir Dieu en croix, endurer tous les supplices, incendier trois ou quatre fois votre patrie, insulter tous les tyrans, renverser toutes les idoles, pour finir d'une maladie de la moelle épinière, au fond d'un hôtel bien capitonné du quartier des Champs-Élysées, en regrettant que la vie soit si courte et le plaisir si fugitif. Vanité des vanités (3). »

Si le poète malade, cloué sur son grabat, a le regret des plaisirs trop fugitifs, l'absurdité d'une vie se prolongeant

(1) *Ibid.*, p. 339-340.
(2) Ernest RENAN, *Étude sur l'Ecclésiaste*, Calmann-Lévy, Paris, 1882, p. 91.
(3) *Ibid.*, p. 94.

dans les spasmes de la paralysie lui inspire de la terreur.
Il ne lui reste plus d'autre espoir que la mort, qui cependant
se fait attendre. Assoiffé de repos, le poète implore Dieu de
mettre une fin à ses souffrances. A la Parque, il adresse
cette humble prière :

> O spute dich und zerschneide
> Den Faden, den bösen,
> Und lass mich genesen
> Von diesem schrecklichen Lebensleide (1).

La brièveté des trois premiers vers, et la césure for-
tement marquée du deuxième, soulignent le désir d'une
mort brusque et rapide. Souhaitant le plus tôt possible la
cessation d'une vie qui lui pèse, ce n'est pas pour leur
existence qu'il envie les « fils favoris de la fortune » :

> ... beneiden
> Will ich sie nur ob ihrem Tod,
> Dem schmerzlos raschen Verscheiden.
> . . . .
> Wie sehr muss ich beneiden ihr Los !
> Schon sieben Jahre mit herben
> Qualvollen Gebresten wälz' ich mich
> Am Boden, und kann nicht sterben (2) !

Cependant, en proie à une misère qui dépasse les
bornes de toute imagination, Heine s'accroche quand
même avec une obstination étonnante à cette vie douloureuse, savourant jusqu'à la lie l'amer breuvage des souffrances. Car il partage avec Baudelaire le masochisme du
pécheur-enfant terrible, sans foi en aucune rédemption
autre que l'anéantissement total de la chair et de l'esprit.
Comme le poète français, il goûte déjà avidement les

---

(1) ELSTER, vol. II, p. 97. « Zum Lazarus », X : « O, hâte-toi et coupe le
fil, le mauvais fil, et laisse-moi guérir de cette souffrance terrible de la vie. »
(2) *Matratzengruft*, XVIII, « Miserere », ELSTER, vol. II, p. 89-90 : « ... je
ne veux les envier que pour leur mort, que de leur décès sans peine et rapide...
A quel point je dois envier leur sort ! Déjà depuis sept ans, je me vautre par
terre, avec ma maladie dure et douloureuse, et ne puis mourir. »

voluptés affreuses de cette lente destruction, de cette immolation dans la souffrance, où il croit reconnaître la punition gratuite d'un dieu sans merci, et absurde comme la création.

2. Malgré tout ce qui les sépare, un parallèle entre Heine et Baudelaire s'impose, au moins pour ce qui est de cette morbidité quelque peu scabreuse. A leur manière, diverse sans doute, qui se ressent du milieu où ils grandirent, tous les deux répondent avec une même angoisse et une même bravoure au double appel du marquis de Sade, l'apôtre du bonheur dans la destruction, et d'Héautontimorouménos, l'homme qui se châtie lui-même. Mais dans ce parallèle un peu osé, il faut tenir compte de l'écart d'un quart de siècle qui sépare la naissance de Heine (1797) de celle de Baudelaire (1821). Rien de plus différent que ce climat d' « idéologie » qui détermine l'éducation de Heine, et cette renaissance du catholicisme, cet esprit de Bonald et de Maistre qui laisse une empreinte ineffaçable, dès sa jeunesse, sur la pensée de Baudelaire. Appartenant à deux générations assez éloignées, ils expriment, avec une forte différence de tonalité, l'attraction du péché et la hantise du châtiment gratuit que l'on subit et que l'on inflige. Cependant, si différent que soit le climat de leur « dolorisme », celui-ci produit en eux des émotions qui ne diffèrent que peu. La mauvaise conscience prédomine dans la poésie de Baudelaire. Mais si chez Heine le ton est plein d'effronterie, s'il mêle à ses vers douloureux une frivolité de vaudeville, c'est par l'exagération de son exubérance même qu'il trahit son inquiétude. Les émotions violentes de l'homme moderne et les agacements nerveux du « décadent » se dégagent peu à peu, et avec hésitation, de ses vers. Car Gœthe mis à part, Heine est le premier poète issu du romantisme qui, s'éloignant de la langueur doucereuse et du badinage puritain autour de l'amour, professe un érotisme franc et sans façons. Dans ses poésies, la vieille senti-

mentalité romantique jette sa robe de vertu bourgeoise.
Mais elle reste quand même toujours sentimentalité et
quelque peu romantique. La jouissance, et rien que la
jouissance, soit dans la joie, soit dans le malheur, fait
l'objet de la poésie de Heine. Comme Baudelaire, il prend
en dégoût la femme naturelle, dont la fécondité même
oppose certains obstacles au plaisir.

Cependant, Heine écrit en précurseur, pour qui le temps
du sérieux n'est pas encore venu. La découverte de son
isolement parmi les romantiques l'amuse et l'enorgueillit.
Mais la nouveauté de ses thèmes le plonge aussi dans un
étonnement qui le pousse à les déguiser en ridicules. On
devine que ces sentiments si neufs l'embarrassent peut-être
autant qu'ils l'éblouissent. D'où un certain manque de
sécurité qu'atteste ce bizarre parfum d'érotisme et de
sentimentalité qui imprègne ses vers. La sensiblerie se
joignant à l'effronterie badine, le comique au sens tragique,
il en résulte un mélange des niveaux du style qui paraît
pénible à certaines oreilles plus fines que celles du commun.
C'est que le libertinage sado-masochiste se heurte encore
à la pudicité quelque peu courtoise du romantisme. Les
mêmes idées et les mêmes émotions, au moment où Baudelaire donne son œuvre, sont devenues la propriété acquise
d'une élite intellectuelle. Baudelaire peut donc exprimer,
en toute hardiesse, le contenu profondément tragique d'une
manière de sentir dont Heine osait seulement montrer,
avec l'effronterie fortuite du timide, les aspects tragi-
comiques.

Ces réserves faites, nous ne reviendrons plus, en analysant ce climat de « dolorisme », sur la différence de
tonalité qui sépare l'œuvre de Baudelaire de celle de Heine.
Si Baudelaire mêle à la pensée libertine le remords de
quelqu'un qui fut élevé dans les doctrines du catholicisme,
s'il se complaît dans la conscience de sa culpabilité, Heine,
à son tour, dans sa dernière période, accepte avec un âpre
sourire et sans repentir sa punition par un dieu-fléau.

Plus voluptueuse que mystique, cette expérience lui ouvre
des régions de l'âme jusqu'alors inexplorées, où se tient
la terreur qu'inspire au poète l'idée d'une cessation de sa
personnalité, d'un anéantissement éternel. « L'*horror vacui*
qu'on attribue à la nature, est plutôt une qualité innée de
l'âme humaine (1). » Vivant dans les transes de la mort,
et enrichissant par le délire, par les regrets et par des peines
indicibles la gamme de ses sensations, Heine parvient à
renouveler radicalement son lyrisme, qui s'anime d'un
frisson inconnu, tel que seul l'ébranlement des nerfs trop
tendus peut le produire. L'esprit devient un instrument
de précision qui enregistre les moindres nuances de la
douleur, les traduisant aussitôt en poésie.

3. Cette sorte d'expérimentation dans le domaine du
martyre n'est pourtant que l'envers de l'épicurisme. C'est
un plongeon sans arrêt dans les enfers de la sensualité,
dans ces profondeurs insondées où la douleur, poussée à
l'extrême, se transfigure en jouissance. Ces affres de la
morbidité se révèlent, en effet, comme un paradis artificiel,
où la crainte d'une soudaine fatigue des sens, porte le
poète à s'infliger lui-même des blessures que la maladie
lui refuse dans les rares moments de répit. Car la seule
douleur rassure l'esprit de l'existence d'un corps presque
entièrement immobilisé par la paralysie :

> Geheime Wollust schwelgt im Schmerz
> . . . .
> Verwundet dich nicht fremde Hand,
> So musst du selber dich verletzen... (2)

Ces vers reflètent, dans une tonalité bien plus discrète
et beaucoup moins féroce, le même climat d'algolagnie
qu'on retrouve dans certaines *Fusées* de Baudelaire, un

_____

(1) Postface au *Romanzero*, ELSTER, vol. I, p. 489.
(2) Soif de repos, *Le livre de Lazare*, I : « Il y a dans la douleur des débauches
de volupté secrète... Si une main étrangère ne te blesse point, il faut que tu
cherches à te blesser toi-même. »

peu partout dans *Les Fleurs du Mal* et *Les Épaves*, mais
surtout dans le fameux quatrain de *L'Héautontimorouménos* :

> Je suis la plaie et le couteau !
> Je suis le soufflet et la joue !
> Je suis les membres et la roue,
> Et la victime et le bourreau (1) !

Les voluptés de l' « expiation » deviennent pour le
poète une source nouvelle de jouissances et d'inspirations.
L'expiation n'est rien d'autre que la recherche clandestine
et lubrique de souffrances de plus en plus raffinées. Bien
plus qu'une prosternation devant Dieu, le « dolorisme »
représente l'outil même qui façonne un nouveau lyrisme,
trempé dans les larmes et le sang. Le poète est prométhéen.
Mais non pas prométhéen dans un sens de révolte ouverte.
Prométhéen non plus dans la signification du mythe
antique : un titan subissant avec résignation le châtiment
que lui infligent les dieux. Il est prométhéen dans un sens
tout moderne, tout « décadent » : avec délices, il se vautre
dans la dégradation, tirant de ce déchirement, et des
blasphèmes que lui arrache celui-ci, d'étranges satisfactions, « — La conscience dans le Mal » (2). Tel le Prométhée de Gide, il aime son aigle, qui devient pour lui
comme la seule raison d'être, l'instrument qui lui sert dans
sa quête d'excitations monstrueuses : « Je suis de mon
cœur le vampire (3) », et en même temps le miroir qui en
reflète les ravages :

> Tête-à-tête sombre et limpide
> Qu'un cœur devenu son miroir (4) !

La jouissance que le poète trouve dans la douleur, se
prolongeant dans les blasphèmes, et parfois ironiquement
déguisée en martyre religieux, indique donc tout autre

(1) BAUDELAIRE, *Œuvres*, éd. cit., vol. I, p. 91.
(2) L'irrémédiable, II ; *ibid.*, p. 93.
(3) L'héautontimorouménos, *ibid.*, p. 92.
(4) L'irrémédiable, *ibid.*, p. 93.

chose qu'un retour à Dieu. Dans de telles conditions, il
n'importe même plus (comme c'était encore le cas chez
les romantiques) de savoir si sa mauvaise fortune l'accable
avec injustice ou bien si elle est méritée. Tout ce qui
importe c'est qu'elle lui procure une nouvelle gamme de
sensations et un remords, capables d'approfondir à la fois
la forme et le contenu de sa poésie. Enfin, qu'elle contribue
à la création d'une nouvelle esthétique. C'est peut-être
dans ce sens qu'il faut comprendre ces vers de *Bénédiction*,
où Fumet, Du Bos et Massin voient la preuve d'une foi
catholique, et dont Sartre met en question la sincérité
(comme si c'était là un critère valable en poésie ! Le poète
n'a pas à être sincère, mais à le paraître, à force d'art) :

> — Soyez béni, mon Dieu, qui donnez la souffrance
> Comme un divin remède à nos impuretés
> Et comme la meilleure et la plus pure essence
> Qui prépare les forts aux saintes voluptés (1) !

C'est en somme, l'expérience du gouffre en tant que
révélation grandiose de l'ironie divine. Heine et Baudelaire
la subissent, chacun à sa manière, chacun mêlant à son
incrédulité un certain effort de croire. L'ironie divine
devient pour eux la cause de tous leurs maux, mais la
cause aussi des plaisirs défendus qu'ils en tirent. La cause,
enfin, de la colère et du remords mêlés qu'ils ressentent,
un peu à la manière de gamins terribles, en s'adonnant à
ces jouissances interdites. Encore est-ce sans importance
s'il s'agit bien là d'une expérience vécue, d'un produit
de l'imagination, ou d'un simple état réflexif. Selon toute
probabilité, ces trois conditions se combinent dans cette
véritable fête de la douleur et du remords. On est, en effet,
porté à croire que l'imagination gonfle ici un état de
réflexion jusqu'au point où il prend l'envergure d'une telle
intuition de « pécheur », puisque les poèmes de Baudelaire

---

(1) Bénédiction, *ibid.*, p. 21. Cf. *Baudelaire*, par J.-P. SARTRE, série *Les
essais*, XXIV, Gallimard, Paris, [1947], p. 102.

et de Heine en communiquent avec vraisemblance toute
l'angoisse. L'art est tout, et de l'effet poétique se dégage
ici un semblant de vérité qui transcende la réalité.

On devine qu'à une distance infinie, une secrète correspondance s'établit entre l'ironie divine et cette « vorace
Ironie » qui « dévore » le poète. On soupçonne celui-ci d'être
de connivence avec son Dieu. On a même la certitude qu'il
ruse avec Dieu, qu'il s'en sert comme d'un procédé commode. A ce véritable *Deus ex machina*, « machine » utile
à son art, il fait comprendre qu'il peut le supprimer à
volonté, et, qu'en dehors de la poésie, rien ne l'oblige à
lui accorder son droit à l'existence. En somme, si l'ironie
divine est terrible, celle du poète ne l'est guère moins :
il ne tient qu'à lui de réduire Dieu à l'état où il se conçoit
lui-même, d'en faire

> — Un de ces grands abandonnés
> Au rire éternel condamnés,
> Et qui ne peuvent plus sourire (1) !

En bravant ce rire, signe d'une rage impuissante, le
poète peut se procurer, sans courir trop de risque, le frisson
du sacrilège. Pourquoi ne pas pousser alors la recherche
d'un fond nouveau pour sa poésie jusqu'au blasphème,
jusqu'à la descente dans l'enfer des souffrances, jusqu'à
l'exploration peut-être un peu trop bienveillante de ses
propres « impuretés » ?

(1) L'héautontimorouménos, *ibid.*, p. 92.

CHAPITRE II

HEINE ET LES RELIGIONS

1. Rien ne s'y oppose d'ailleurs dans l'évolution religieuse de Heine. Élevé par une mère lectrice de Rousseau, et ayant eu pour maîtres au lycée de Düsseldorf quelques abbés imbus de la philosophie du XVIIIe siècle, le petit garçon juif est venu de bonne heure à un vague déisme. Le jeune poète subit l'attrait esthétique du catholicisme, qui lui inspire quelques belles poésies, dont la plus réussie est sans doute *Die Wallfahrt nach Kevlaar* (1822). Le judaïsme, conçu comme symbole d'une survivance obstinée en dépit des persécutions, l'attire autant qu'il le repousse. En 1825, il se fait protestant. Mais uniquement pour se préparer à une carrière officielle, fermée en Prusse aux Juifs. Baptême sans conversion, qui lui servira (comme il l'expliquera plus tard) de « billet d'entrée à la littérature européenne ». Geste d'ailleurs futile, dont l'indignité lui causera pendant plus de six mois un repentir qui finira par dégénérer en nausée. A cette époque, il est vaguement hégélisant. L'idée d'être un petit dieu le séduit autant qu'elle l'amuse ; elle devient la source d'un nombre de poésies fort spirituelles. Faisant son entrée dans le journalisme français, il se présente aux lecteurs de *L'Europe littéraire* comme protestant. Le terme est ambigu. C'est l'époque où le gouvernement de la Prusse interdit le mot « protestant » en raison de son sous-entendu « révolutionnaire », et le remplace par l'inoffensif terme confessionnel d' « evangelisch-lutherisch » (évangélique-luthérien). L'intention de Heine ne ressort pas avec netteté ; son attitude

reste équivoque. Il faut supposer que, las d'être traité par
ses compatriotes de « sale Juif », il veut se ménager un
début moins épineux dans les milieux littéraires de Paris.
Du reste, en insistant sur son « protestantisme », il prétend
en même temps se solidariser avec l'élément progressiste
de son pays. C'est surtout le sous-entendu social et politique
du mot « protestant » qui lui tient à cœur, cette association
d'idées qui évoque une protestation contre le *statu quo*.
Le sens immédiat et religieux du terme ne s'applique
d'ailleurs pas du tout à son « protestantisme ». Pour ce qui
est de ses idées religieuses, Heine se rapproche alors d'un
panthéisme de nuance saint-simonienne. « Dieu est tout ce
qui est. Douter de lui, c'est douter de la vie elle-même ;
ce n'est pas moins que la mort (1). » Une telle conception
s'oppose évidemment à l'idée d'un dieu transcendant, en
dehors de la création, dogme inébranlable de toute la
doctrine chrétienne. Quoi qu'il en soit, il est évident que
le baptême de Heine constitue un acte accompli dans un
esprit d'opportunisme ; et c'est dans ce même esprit
d'opportunisme que, au moment propice, Heine saura se
servir de son affiliation religieuse. Ainsi dans une lettre
à Bertin l'aîné, fondateur du *Journal des Débats* (lettre
datée de Boulogne-sur-Mer, le 26 septembre 1835), Heine
renie avec effronterie son libéralisme politique et ses
origines juives. Document d'une bassesse gênante, où
l'auteur évite soigneusement le mot « protestantisme »
qu'il remplace par le terme « confession d'Augsbourg » :

Je vous adresse une réclamation au sujet d'un article de
Francfort, inséré dans votre numéro du 22 septembre. Cet article
me représentait comme israélite et l'un des chefs, en ce moment
en fuite du parti libéral en Allemagne ; ceux qui connaissent ce
pays sentiront tout le ridicule de cette désignation. Je n'appar-
tiens pas à la religion israélite ; je n'ai jamais mis le pied dans
une synagogue. Membre de la communauté de la confession
d'Augsbourg, je n'abdiquerai point le titre qui m'attache à cette

(1) Heine, *De l'Allemagne*, vol. I, p. 129.

respectable Église, qui, dans quelques états allemands, ne donne pas seulement des béatitudes spirituelles, mais aussi des droits temporels. Je ne me suis compromis dans ma patrie par aucun acte politique ; jamais aucune accusation n'a pesé sur moi ; je suis venu en France muni d'un passeport bien en règle, et je vis sous la protection bienveillante de mon ambassadeur. Je ne dois donc pas être rangé dans la catégorie des réfugiés, gens estimables, mais qui sont soumis en France à une *législation particulière...* (1).

Il y a à cette lâcheté une explication, qui cependant n'excuse rien : c'est le moment où sévissent contre Heine, comme « chef » de la *Jeune Allemagne*, les décrets de la Diète de Francfort.

Le dernier stade de l'évolution religieuse de Heine s'annonce dans la fameuse postface au *Romancero* (1851). C'est le « retour » à la Bible (que Heine n'avait d'ailleurs jamais abandonnée), grande consolation du malade. Ces pages fort belles indiquent surtout ce qu'il faut penser du panthéisme que Heine professe entre 1828 (environ) et 1848 : « J'ai parlé du dieu des panthéistes, mais il faut que je constate qu'il n'est, au fond, nullement un dieu, tout comme les panthéistes ne sont au juste que des athées timides, qui craignent moins la chose que l'ombre projetée par celle-ci au mur, le nom (2). » Il a ses raisons qui le déterminent à tourner le dos aux extrémistes de la libre-pensée. D'une part, l'athéisme le fascinait, sans pourtant l'attirer dans son camp, lorsqu'il était encore le partage d'une élite intellectuelle, un jeu d'esprit sans conséquences. Cependant, l'aristocrate en lui se révolte contre « ces enfants terribles de la philosophie » qui, tel Feuerbach, mettent les doctrines athées à la portée des masses fanatiques. Les hégéliens de gauche en font ainsi un instrument d'intolérance, remplaçant la beauté des mythes anciens par une déesse désolante dans sa laideur, la Nécessité.

(1) *Briefe*, vol. II, p. 98.
(2) ELSTER, vol. I, p. 486.

Leur fureur anti-religieuse tolère aussi peu que l'Inquisition l'indifférent, le tiède, l'hérétique moderne. « Nous
avons maintenant des moines de l'impiété, des Tor-
quemada de l'athéisme qui feraient brûler M. Arouet de
Voltaire, parce qu'au fond du cœur le seigneur de Ferney
n'était qu'un déiste [et par ce terme Heine comprend
parfois « théiste »] endurci (1). » D'autre part — et c'est
là le côté par lequel il se rapproche à nouveau de Baudelaire et aussi de Renan — le poète s'émeut au spectacle
d'un crépuscule des dieux. Qu'il y ait permanence dans
cette attitude, certaines pages des années de 1830 en
témoignent. Parlant du coup mortel que la philosophie
de Kant a porté au christianisme, Heine ressent « un effroi
respectueux, une mystérieuse pitié » en face de cette
« catastrophe, ce 21 janvier du déisme ». Elle lui arrache
des accents qui rappellent Nietzsche : « Notre cœur est
plein d'un frémissement de compassion... car c'est le
vieux du ciel lui-même qui se prépare à la mort... N'en-
tendez-vous pas résonner la clochette ? A genoux !... On
porte les sacrements à un Dieu qui se meurt (2). »

L'expérience de la foi se refuse à Heine. Il ne la recherche
d'ailleurs point. Lui, qui ne saura jamais démêler chez
autrui l'hypocrisie du vrai acte de foi, ressent pourtant
parfois à cet égard une vague curiosité. Cependant, cette
curiosité reste toujours curiosité. Heine ne lui permet pas
de se développer jusqu'à ce point critique où elle pourrait
devenir autre, par exemple une sorte de nostalgie mystique.
Il ne dépasse, en effet, jamais ce désir indiscret de lever
le voile d'un mystère qu'il considère toujours avec une
même défiance ; mais aussi un mystère, une énigme qui
ne cessera jamais de l'intriguer. Toutes les croyances,
sans exception, lui paraissent suspectes. Sans croire, et
sans trop vouloir croire, par moment il aimerait quand

(1) HEINE, De l'Allemagne, vol. II, p. 285.
(2) Ibid., vol. I, p. 113-114.

même se pénétrer de ce rêve doux et un peu morbide, l'émotion religieuse, d'où découle tant de poésie. Car avant de devenir, dans sa dernière période, une manière de soulagement, la religion l'intéresse seulement en tant que source de poésie. Poète, il voudrait en sentir le frisson ; intellectuel, se protéger des dangers du mysticisme et garder toute sa lucidité. Tiraillé entre ces penchants contradictoires, et suivant avec une certaine nonchalance tantôt l'un, tantôt l'autre, sans jamais aller jusqu'au bout ni dans l'un ni dans l'autre sens, Heine occupe une situation fort commune, bien sûr, mais aussi quelque peu équivoque et paradoxale.

Toute religion organisée lui répugne. D'abord par ses aspects d'intolérance dogmatique ; puis, parce que toute confession cultive la tartuferie ; et, enfin, parce que toutes les institutions religieuses pèchent contre ses principes esthétiques. Les tendances « spiritualistes » du judaïsme et de l'Église catholique contrarient cette glorification de la chair qu'exaltent ses poésies. Artiste, et apôtre d'un idéal de plasticité en matière d'art poétique, Heine ne pardonne pas aux législateurs des Juifs leur « haine contre tout ce qui est image, contre toute représentation plastique, enfin contre l'art » (1). Par ses tentatives d'enrayer le progrès des sciences et le libre épanouissement de l'esprit, l'Église catholique encourt la disgrâce de Heine et s'attire les pointes de son sarcasme. Le poète n'a d'ailleurs point oublié les attaques de Döllinger et d'autres antisémites catholiques qui, en 1828, à Munich, l'accablèrent de leurs injures, lors de sa querelle mal venue avec Platen. Mais, comparés au protestantisme, tout à fait dépourvu de poésie, les symboles du catholicisme, comme d'ailleurs ceux de la Bible, resteront toujours pour Heine une source d'inspiration. Dans un passage de *La Ville de Lucques*, omis (et pour cause) dans l'édition allemande, Heine fait

(1) *Ibid.*, vol. II, p. 305.

allusion aux raisons qui l'avaient décidé au baptême, tout
en exprimant, sous la forme d'une boutade qui cache mal
une colère et un mépris fort réels, ce qu'il pense du protestantisme : « Je te promets », confie-t-il à la ballerina Fran-
cesca (personnage fictif), « de quitter la foi protestante,
cette vilaine et froide religion que j'ai professé[e] sans
jamais l'aimer... A tes blancs et adorables pieds j'abjurerai
les erreurs de Luther, auxquelles j'étais resté attaché par
une nécessité mondaine et par les ruses prussiennes de
Satan » (1). Derrière la frivolité du style badin, on reconnaît
facilement le ressentiment d'un homme d'esprit quelque
peu honteux d'être devenu, dans un moment de faiblesse,
la dupe de sa propre « habileté ». Dans le premier volume
de son livre *De l'Allemagne*, Heine montre cependant, avec
perspicacité le rôle d'accoucheur qui incombe au protestantisme dans l'évolution de la pensée philosophique en
Allemagne. Mais après avoir donné tout son essor à la
philosophie allemande, le protestantisme a fini par faire
de celle-ci l'outil même du despotisme. Tandis que les
anciens philosophes protestants, les apôtres de l'*Aufklärung*,
renonçant à la tentation de la puissance, formulaient, dans
la pauvreté de leur mansarde, d'audacieux systèmes méta-
physiques, « nos philosophes d'aujourd'hui ont revêtu la
livrée du pouvoir, ils sont devenus des philosophes d'État,
car ils ont inventé des justifications pour tous les intérêts
de l'État » (2). Échec du protestantisme, échec aussi de la
philosophie, de cet idéalisme transcendental enfanté par
la pensée protestante, car par une curieuse ironie du
destin, les apologistes du catholicisme s'en sont emparé.
A Munich, dans la Bavière catholique, Schelling justifie
les dogmes les plus extravagants de l'Église romaine (3).
Hegel, professeur dans la ville protestante de Berlin,
semble avoir accueilli dans son système, toute la doctrine

(1) Heine, *Reisebilder*, vol. II, p. 239.
(2) Elster, vol. V, p. 299. Omis dans les éditions françaises.
(3) *Ibid., loc. cit.*

de l'Église évangélique-luthérienne. Ce qui paraît plus
grave à Heine, c'est que « Hegel lui-même [ait] été obligé
[par le gouvernement de la Prusse] de démontrer comme
rationnel le *statu quo* de la servitude ; il a fallu que Schleier-
macher protestât contre la liberté et recommandât le
dévouement chrétien au bon plaisir de l'autorité » (1).
Il est évident que la profonde ironie de Hegel échappe à
l'entendement de Heine, qui prend dans un sens trop
littéral la fameuse formule du dialecticien : « Tout ce qui
est rationnel est réel ; et tout ce qui est réel, est rationnel. »
Il ne sait pas qu'il ne s'agit là que d'un axiome. Pour
Hegel, ce qui « est » n'a pas encore revêtu l' « existence »,
qui s'acquiert et se perd dans un changement continuel.
Car pour Hegel, rien ne possède l'être que la raison *absolue*
(ou l'idée, l'esprit). Elle seule représente le réel, et les
existences ne sont que relativement ; c'est dans ce sens-là
que « ce qui est réel, est rationnel ». Mais cet axiome, une
fois posé, ne constitue qu'un point de départ pour le « devenir » ; il est donc tout autre chose qu'une défense du *statu
quo*. Car la raison absolue s'immole [entäussert sich] elle-
même dans la nature, et, ayant acquis cette altérité,
rentre à nouveau dans l'esprit. Autant dire que ce qui « est »
n'existe pas encore, ou n'existe déjà plus, et ce qui « existe »
avec ses modes individuels, est aussitôt voué au changement. La raison absolue, telle que la conçoit Hegel, ne
peut donc point se manifester autrement que par son
évolution, son progrès éternel dans un cycle toujours
renouvelé de thèse, antithèse et synthèse.

Le fond révolutionnaire de la pensée de Hegel ne tarde
pourtant pas à se révéler à Heine, dans les années 1840.
En 1853-1854, il avoue devant le grand public qu'il a
rarement compris Hegel, et seulement par des réflexions
après coup (2). Ce que Heine a compris, c'est que l'armée

(1) HEINE, *De la France*, Préface, p. 13.
(2) HEINE, *De l'Allemagne*, vol. II, p. 292 sqq.

des prolétaires allemands, ces communistes qui, à ce qu'il
prétend, surent leur nom véritable par ses propres articles
dans la *Gazette d'Augsbourg* (1), ont pris pour chefs « de
grands logiciens dont les plus forts sont sortis de l'école
de Hegel », les seuls hommes en Allemagne qui aient vie
et auxquels appartienne l'avenir (2). « Moi qui avais vu
couver les œufs d'où sortirent les nouveaux oiseaux, j'ai
pu facilement prédire quelles chansons nouvelles on fredon-
nerait et sifflerait et gazouillerait plus tard en Allemagne. »
Et de préciser : « J'avais vu Hegel assis avec sa triste mine
de poule couveuse sur les œufs funestes, et j'avais entendu
son gloussement (3). » Les articles qu'il publia dans la
Gazette d'Augsbourg de 1841 à 1843 (réunis pour la plupart
dans *Lutèce*) montrent les sentiments mêlés d'horreur,
d'effroi et d'une secrète sympathie qu'inspire au poète
l'épanouissement du mouvement ouvrier, sorti de la doctrine hégélienne, et qui, à cette époque, traversant le Rhin,
commence déjà à secouer les masses du prolétariat français :

En effet, ce n'est qu'avec horreur et effroi que je pense à
l'époque où ces sombres iconoclastes parviendront à la domi-
nation : de leurs mains calleuses ils briseront sans merci toutes
les statues de marbre de la beauté, si chères à mon cœur ; ils
fracasseront toutes ces babioles et fanfreluches fantastiques de
l'art, qu'aimait tant le poëte ; ils détruiront mes bois de lauriers
et y planteront des pommes de terre... Les rossignols, ces chan-
teurs intuiles, seront chassés, et hélas ! mon *Livre des Chants*
servira à l'épicier pour en faire des cornets où il versera du café
ou du tabac à priser pour les vieilles femmes de l'avenir. Hélas !
je prévois tout cela, et je suis saisi d'une indicible tristesse en
pensant à la ruine dont le prolétariat vainqueur menace mes vers,
qui périront avec tout l'ancien monde romantique. Et pourtant,
je l'avoue avec franchise, ce même communisme, si hostile à tous
mes intérêts et mes penchants, exerce sur mon âme un charme
dont je ne puis me défendre (4).

---

(1) HEINE, *Lutèce*, Préface, p. XI.
(2) HEINE, *De l'Allemagne*, vol. II, p. 291-292.
(3) *Ibid.*, p. 292.
(4) HEINE, *Lutèce*, Préface, p. XII.

Dans ce passage vibre plus que l'angoisse toute moderne d'un voyant lucide : ces mots, se projetant vigoureusement dans l'avenir, renferment déjà le dilemme de tant d'intellectuels européens au xxᵉ siècle, qui se trouvent tour à tour attirés et repoussés par le spectre d'une nouvelle société — sombre et violente dans son puritanisme justicier — et par une vieille civilisation que tout semble vouer à la destruction.

Quelle est en somme l'attitude de Heine en face de la religion et de la philosophie ? Les symboles du judaïsme et de l'Église catholique, les idées du protestantisme et de la philosophie idéaliste représentent pour lui autant de chimères, selon le cas amusantes ou agaçantes. Il les envisage en « honnête homme » dont l'esprit est bien nourri de la philosophie du xviiiᵉ siècle, et qui se double d'un poète romantique. Ce sont pour lui des divertissements à la fois ridicules et un peu angoissants, qu'il ne faut surtout pas trop prendre au sérieux. Les disputes des théologiens ennuient autant Heine qu'elles paraissent futiles à la Donna Blanca de son poème. Celle-ci, ayant écouté pendant douze heures les invectives interminables, échangées devant la cour d'Espagne entre un moine et un rabbin, arrive à ce jugement que partage l'auteur :

> Welcher Recht hat, weiss ich nicht —
> Doch es will mich schier bedünken,
> Dass der Rabbi und der Mönch,
> Dass sie alle beide stinken (1).

Mais aussi, la religion et la philosophie : quels stimulants pour un écrivain toujours en quête de sujets ! quelles sources inépuisables d'affabulation pour l'imagination d'un poète toujours avide de nouvelles excitations ! Rien de plus naturel que l'usage frivole que Heine fait de ces irritations

---

(1) Disputation, *Romanzero*, 3. Buch, « Hebräische Melodien » ; ELSTER, vol. I, p. 477 : « Lequel a raison ? Je ne le sais pas. Cependant, j'ai presque l'impression que le rabbin et le moine puent tous les deux. »

nerveuses et morales que, tour à tour, chacun des systèmes
religieux et philosophiques procure à son esprit si facilement
échauffé.

Que faut-il penser cependant de ce retour à la foi de
Moïse qu'il affiche dans l'émouvante postface au *Romanzero*,
et dont les critiques ont fait tant de cas ? Tout compte fait,
le poète ne retourne qu'au vague déisme de sa première
jeunesse. La raillerie n'est point absente de sa nouvelle
profession de foi. L'auteur nous donne à comprendre qu'il
tient sa maladie pour responsable de cette faiblesse qui lui
fait prendre une attitude religieuse. « Il faut cependant que
je m'accuse de faire marche arrière en matière de théo-
logie, revenant... à la vieille superstition d'un Dieu personnel (1). » La litote est sublime : c'est comme si l'auteur
nous demandait pardon d'un geste qu'il est le premier à
trouver sénile, et dont le ridicule ne lui échappe point.
Après cet avertissement fort adroit, Heine se hâte de nous
prévenir d'une conversion sans éclat, et beaucoup moins
encore, miraculeuse. Conversion, en somme, qui n'affecte
que très légèrement sa manière de penser. Aussi prend-il
soin de nous rassurer sur l'état de son esprit : sa raison,
affirme-t-il, est restée parfaitement intacte ; il ne s'incline
devant aucun dogme, ne regrettant pas non plus les faux
autels qu'il avait encensés dans le passé :

Il faut que je contredise avec fermeté le bruit selon lequel
mes rétrogressions m'auraient conduit jusqu'au seuil, ou même
jusque dans le sein d'une Église, quelle qu'elle soit. Non, mes
convictions religieuses sont restées libres de toute teinte ecclé-
siastique [Kirchlichkeit] ; nul son de cloches ne m'a séduit,
aucune chandelle d'autel ne m'a aveuglé. Je n'ai joué avec nul
symbolisme, et je n'ai pas entièrement renoncé à ma raison. Je
n'ai rien abjuré, même pas mes anciennes divinités païennes,
dont, il est vrai, je me suis détourné, mais tout en m'en séparant
dans un esprit d'amour et d'amitié (2).

_____

(1) ELSTER, vol. I, p. 487.
(2) *Ibid.*, *loc. cit.*

A plusieurs reprises, Heine revient sur ce point. Les trois versions de son testament insistent, chacune, sur un enterrement sans pompe et, surtout, sans service religieux. Le même esprit se reflète dans « Gedächtnisfeier » :

> Keine Messe wird man singen,
> Keinen Kadosch wird man sagen,
> Nichts gesagt und nichts gesungen
> Wird an meinen Sterbetagen (1).

Mais même avec tant de précautions prises, Heine n'est pas sûr d'avoir expliqué avec suffisamment de clarté ses réserves vis-à-vis de la religion. La postface du *Romanzero* écrite fébrilement par un auteur dont l'esprit est engourdi de morphine, lui semble porter par trop la marque de son assourdissement intellectuel. Dans sa forme hyperbolique, elle prête aux malentendus. « Malheureusement je n'ai ni eu le temps, ni la disposition acquise pour y exprimer ce que j'aurais précisément voulu dire », explique-t-il après coup, quelques mois plus tard, à Georg Weerth : « c'est que je meurs en poëte qui n'a besoin ni de religion ni de philosophie, et n'a rien à faire ni avec l'une ni avec l'autre ». Le poëte, ajoute-t-il, comprend fort bien l'idiome symbolique de la religion, mais jamais les maîtres de la religion, ni ceux de la philosophie, ne comprendront le poëte (2).

Ce « retour à Dieu » ne représente donc nullement un acte d'amour mystique. Le malade se résigne à contracter une sorte de mariage de convenance fort platonique, non pas avec la foi, mais avec l'idée de la foi. Jaloux de son indépendance, il se réserve tacitement le droit de commettre envers son Dieu toutes les infidélités que les caprices de son esprit lui suggéreront. Aussi sa confession de foi restera-

---

(1) *Ibid.*, p. 423. *Romanzero*, 2. Buch, « Lamentationen », 12 : « On ne chantera nulle messe ; on ne dira aucun cadoche [prière juive pour les morts]. Rien ne sera dit, rien chanté après ma mort. »

(2) *Correspondance inédite*, 3e série, p. 215-216. Lettre datée de Paris, le 5 novembre 1851.

t-elle négative : « C'est pour moi un grand soulagement
d'avoir quelqu'un dans le ciel, à qui je puisse adresser mes
gémissements et mes lamentations pendant la nuit, après
que ma femme s'est couchée... » (le mot de prière est soigneusement évité !) « On a dit que l'humanité est malade,
que le monde est un grand hôpital. » Heine revient sur un
de ses thèmes favoris — l'alliance qui s'établit entre la foi
et la maladie — et il conclut par un calembour : « Ce sera
encore plus effroyable quand on devra dire que le monde
est un grand Hôtel-Dieu sans Dieu (1). »

2. La Bible devient comme la dernière planche où
s'accroche le métaphysicien naufragé (2). Cette « patrie
portative » (3) d'une « nation égorgée », d'un « peuple
spectre » (4) peut encore offrir des consolations à un homme
affligé de misères physiques et morales, et auquel manque
par-dessus le marché, sinon toute sécurité financière, du
moins le sentiment d'une telle sécurité. Cependant, les
consolations que Heine cherche dans la Bible sont d'une
nature curieusement morbide. L'Écriture lui semble surtout
fournir les preuves d'une continuité dans cette ironie divine
qui, avant de l'atteindre lui-même si cruellement, avait
rabattu l'orgueil de tant d'esprits altiers. C'est dans la
Bible qu'il puise la force de subir sa dégradation et d'en
découvrir même les jouissances secrètes. « Hélas ! la moquerie
de Dieu pèse sur moi », s'écrie, dans les *Aveux de l'auteur*,
le malade :

Le grand auteur de l'univers, l'Aristophane du ciel, a voulu
faire sentir vivement au petit auteur terrestre, au soi-disant
Aristophane allemand, à quel point ses sarcasmes les plus spirituels n'ont été au fond que de pitoyables piqûres d'épingle, en
comparaison des coups de foudre de la satire, que l'*humour* divin
sait lancer sur les chétifs mortels. —

---

(1) HEINE, *De l'Allemagne*, vol. II, p. 298.
(2) *Ibid.*, vol. II, p. 310-311.
(3) *Ibid.*, *loc. cit.*
(4) *Ibid.*, vol. I, p. 51.

Oui, l'amer flot de railleries, que le grand maître déverse sur moi, est terrible, et ses épigrammes sont cruelles à faire frémir. Je reconnais humblement sa supériorité (1).

Si une sorte de résignation « faute de mieux » se dégage de ces paroles, leur sous-entendu indique pourtant un étrange manque d'humilité qui contredit d'une manière paradoxale leur sens évident. Car supposé que l'ironie (et Heine le suggère) soit une qualité divine, l'homme en se l'arrogeant se mesure avec Dieu, ou, ce qui revient au même, se livre sciemment au sacrilège.

Cependant, si le blasphème a pour Baudelaire la beauté luxurieuse du péché, s'il l'adonne aux afflictions d'un remords d'où il distille le venin de ses vers, pour Heine, au contraire, la parole sacrilège devient un soulagement, un baume allégeant ses peines. « Dieu merci ! j'ai maintenant à nouveau un Dieu », écrit-il à Laube, le 7 février 1850. Et comme s'il rougissait de sa faiblesse, il se hâte d'ajouter comme une sorte d'excuse : « Dans la démesure de mes souffrances, maintenant je peux au moins me permettre des jurons et des blasphèmes, un délassement refusé à l'athée (2). » Ce concept, qui fait du blasphème une partie intégrante de la foi, paraît sans doute curieusement médiéval ; c'est pourtant tout autre chose. Car la religion, ou la simple croyance en Dieu, se réduit pour Heine à une sorte de soupape par où s'échappent librement les cris de colère que l'injustice du sort et des douleurs presque insupportables arrachent au malade :

> Woran liegt die Schuld ? Ist etwa
> Unser Herr nicht ganz allmächtig ?
> Oder treibt er selbst den Unfug ?
> Ach, das wäre niederträchtig (3).

---

(1) *Ibid.*, vol. II, p. 337-338.
(2) *Briefe*, vol. III, p. 198.
(3) *Le livre de Lazare*, Reminiscences, 1 « : A quoi en imputer la faute ? Notre Seigneur ne serait-il pas tout-puissant, ou bien fait-il le mal exprès ? Ah ! vraiment ce serait lâche. »

Dans cette transaction un peu louche, Dieu devient beaucoup plus un objet de raillerie que d'adoration :

> Nicht zum Lieben, nein, zum Hassen
> Sollt ihr uns den Herrgott lassen,
> Weil man sonst nicht fluchen könnt' —
> Himmel-Herrgott-Sakrament (1) !

(1) *Zeitgedichte*, « Stosseufzer », ELSTER, vol. II, p. 167 : « Non pas pour l'amour, non ! mais pour la haine, il faut nous laisser le bon Dieu, puisque autrement on ne pourrait pas jurer ! 'cré nom de Dieu ! »

CHAPITRE III

LA FEMME

Toute la poésie érotique de Heine, ses poèmes de la dernière autant que ceux de sa première période, témoignent d'un certain goût qu'il prend au blasphème. Le geste sacrilège lui sert, comme ce sera un peu plus tard le cas pour Baudelaire, à scandaliser les bien-pensants. Mais au delà de cela, il procure à cet homme aux nerfs délicats des frissons d'un rare raffinement. Souvent dans ses chants, l'amour sacré se mêle à l'amour profane. Jamais d'une façon naïve, comme chez certains poètes baroques du XVIIe siècle allemand (tel Laurentius von Schniffis), mais parfois discrètement, comme dans ce quatrain de l'*Intermezzo*, où le poète compare à l'objet de ses désirs érotiques une madone qu'il a admirée, dans le temps, à la cathédrale de Cologne :

> Es schweben Blumen und Englein
> Um Unsre liebe Frau ;
> Die Augen, die Lippen, die Wänglein,
> Die gleichen der Liebsten genau (1).

A ces vers d'une naïveté feinte et d'un goût quelque peu douteux correspond un passage des *Nuits florentines*, évocation de ce même incident, qui, à ce que nous affirme le poète, fit de lui à une certaine époque de sa vie « un visiteur d'église fort assidu », et enfonça son âme dans le mysticisme de la foi catholique (2). La même émotion colore

---

(1) *Lyrisches Intermezzo*, XI, dans la traduction de DE NERVAL : « Des fleurs et des anges flottent au-dessus de Notre-Dame ; les yeux, les lèvres, les joues ressemblent à ceux de ma bien-aimée. » *Poëmes et légendes*, p. 92.

(2) HEINE, *Reisebilder*, vol. II, p. 299-300.

une réflexion bien plus audacieuse, par le sous-entendu
érotique qui se glisse dans ces paroles pseudo-religieuses.
En Italie, « les madones dans leurs niches ont pour nous des
regards si miséricordieux ; leur cœur de femme vous pardonne même quand on a mêlé leurs traits divins à des
rêveries pécheresses » (1). Il y a des vers où le poète ne se
cache point d'un culte d'amour courtois qui, comme une
sorte de fausse religion faisant concurrence à la « vraie
foi », va jusqu'à l'idolâtrie de la femme :

> Andre beten zur Madonne,
> Andre auch zu Paul und Peter ;
> Ich jedoch, ich will nur beten,
> Nur zu dir, du schöne Sonne (2).

L'objet de cette idolâtrie bouffonne n'est pourtant
point la femme à l'état de nature, instrument de la propagation. Comme telle, elle répugne à Heine et paraît « abo-
minable » à Baudelaire. Seule la femme stérile, source de
jouissances, froide comme l'œuvre d'art, parée, et chargée
du fard que lui prête l'imagination, attire le poète. Rien
ne fait mieux ressortir que *das Hohelied* ce point de vue
profondément esthétique et sensuel. Religion, érotisme,
culte de la femme et art poétique se confondent étrangement dans ces vers que Heine contribue au *Deutschen
Musenalmanach* de 1854, c'est-à-dire à l'époque même de
sa curieuse « conversion ». Le corps féminin y figure *Le
Cantique des Cantiques*, écrit par la main de Dieu dans
l'album de la nature. Heine invertit frivolement (mais sans
intention polémique) les procédés de saint Bernard de
Clairvaux, car son poème représente une sorte de *figura* à
l'envers. Chaque partie du corps féminin lui sert comme

---

(1) Heine, *Reisebilder*, vol. II, p. 47. — Même fond de pensée, seulement
dans une tonalité plus douloureuse, et surtout sans intention de raillerie, chez
Baudelaire. Cf. A une madone, Spleen et Idéal, LXVII, *Les fleurs du mal.*
(2) *Die Heimkehr*, LII : « D'autres adressent leurs prières à la madone ;
d'autres encore à Paul et Pierre. Mais moi, je ne veux adresser les miennes
qu'à toi, mon beau soleil. »

un argument allégorique (puisque charnel) à l'appui de
cette plasticité sensuelle qu'il propose comme le principe
même d'un nouvel art poétique, d'une théorie de la poésie capable de remplacer le vague spiritualisme romantique. Chaque image constitue un blasphème de bon aloi.
Le vocabulaire théologique se surimpose à des métaphores
qui insinuent certaines situations lubriques. La pseudo-
religion de l'Amour, dans le poème intitulé *Im Dome*,
éclipse totalement le culte du Dieu chrétien. Heine s'y
présente en touriste auquel la fille du sacristain montre
les reliques de la cathédrale. Mais ses yeux s'égarent, il
s'émeut au spectacle de cette jeune fille fraîche, au corps
bien formé, et dont les seins se dessinent sous le fichu.
La fin du poème suggère qu'il y a eu entre le poète et son
guide féminin, au milieu des saintes monstrances de
l'Église, une communion tout autre que spirituelle, où
l'exaltation de la chair, et les plaisirs pris à deux, se subs-
tituent aux sentiments qu'on éprouve normalement dans
un lieu consacré au culte de Dieu (1).

Comme Baudelaire, Heine aime les métaphores sacre-
mentelles. Il a une prédilection pour les rapprochements
sacrilèges où les mystères du christianisme se mêlent aux
choses de la chair. La frivolité du sceptique, « honnête
homme », se double ici du frisson d'un esprit aventureux
qui se donne (d'ailleurs à bon marché) la sensation de braver
une puissance suprême. A cela s'ajoute l'émotion d'un
secret enthousiasme pour la beauté des symboles du christianisme, et le flair du poète qui exploite à ses fins la magie
du merveilleux chrétien. L'auteur érotique subit d'une
manière fort étrange l'attrait de l'eucharistie. Le mystère
de l'incarnation divine lui sert de symbole pour certains
aspects, discrètement lascifs du culte de la femme, d'où
se dégage une bizarre atmosphère sadique. Lorsqu'il fait
le portrait de la belle Johanna, fille pâle et élancée, mortel-

(1) ELSTER, vol. II, p. 24.

lement malade et toujours rêveuse, il s'arrête pour décrire
ses mains : « C'étaient de blanches, de douces mains, et
pures comme une hostie (1). » Dans le *Salon de 1831*, lu
avec grand intérêt par Baudelaire critique d'art, Heine
décrit la *Judith* d'Horace Vernet, représentée lorsqu'elle
va tuer Holopherne. « La voilà, cette ravissante créature,
hier encore vierge, pure devant Dieu, souillée devant le
monde, hostie profanée (2). » L'allure de cette phrase, il
est vrai, serait plutôt voltairienne, si on ne tenait pas
compte de la série d'appositions par laquelle se termine le
portrait de l'héroïne biblique. Leur sens sacré, appliqué à
un personnage que Heine nous montre sous un jour bien
équivoque, les rapproche curieusement de certaines pratiques, sinon du style, de Baudelaire.

On pourrait multiplier les exemples. L'idée de la religion s'associe automatiquement dans l'esprit de Heine,
comme souvent chez Baudelaire et Verlaine, à celles de la
poésie et des amours lubriques. Rien d'étonnant si le poète,
même « revenu à Dieu », regrette le bon vieux temps de la
littérature provençale, où ces catégories se confondaient
dans une harmonie frivole et fervente :

> Schöne Nachtigallenwelt !
> Wo man statt des wahren Gottes
> Nur den falschen Gott der Liebe
> Und der Musen angebetet (3).

Religion, maladie, rêve, amour et souffrances s'associent
étroitement dans l'imagination de Baudelaire et de Heine.

Leur attitude envers la femme est déterminée en partie
par la situation qu'ils choisissent envers leur Dieu, ou, du
moins, par la place qu'ils accordent à Dieu dans leur œuvre
littéraire. Des rapports fort subtils semblent, en effet,

---

(1) HEINE, *Reisebilder*, vol. I, p. 164.
(2) HEINE, *De la France*, p. 336.
(3) Jehuda ben Halevy, *Romanzero* : « Beau monde de rossignols ! où l'on
n'adorait que le faux dieu d'Amour et des Muses, au lieu d'adorer le vrai Dieu.»

s'établir entre ce sado-masochisme qu'il leur faut en amour, ou plutôt dans la peinture de l'amour, et cette sorte d'orgueil humilié qu'ils professent en matière de religion. Dieu et la femme représentent les deux pôles de leur système manichéen : un idéal de vérité, flamboyant, intangible et toujours en flux, symbole de l'esprit et de la nature, s'opposant à un idéal de mensonge, froid, accessible aux sens et impassible dans sa cruauté, symbole de l'esprit devenu matière, marmoréen, statuesque, incarnation de l'art. D'un côté, le principe de la vie qui renouvelle par un processus continu de destruction et de métamorphoses, le cycle de la création. De l'autre, le principe de la stérilité, de la morbidité, d'une plasticité rigide et tout près de la mort, de l'artifice en décomposition qui contamine tous ceux qui le touchent. Dieu représente pour eux l'idéal d'une faculté absolue d'ironie, puissance illimitée et irresponsable, gouvernant l'univers par le seul caprice : une cour sans appel, mais aussi sans justice, dont les jugements sont arrêtés d'avance. Sur ce point, Heine et Baudelaire semblent être d'accord, à cette seule différence que Baudelaire reconnaît le péché originel, sans admettre pour cela ni rédempteur, ni possibilité de rédemption. Entre les mains d'un Dieu inexorable, la femme devient l'instrument du Mal, « le bourreau et la victime » : c'est par son intermédiaire que se réalisent les extravagances de l'ironie divine.

Ces rapports intimes, qui s'établissent entre leurs concepts religieux et leurs émotions érotiques, les poussent à poursuivre un beau idéal curieusement morbide. « Jamais... », déclare Heine, « je n'ai connu une femme sans avoir été entraîné d'abord par l'enthousiasme pour sa beauté, la révélation corporelle de Dieu » (1). L'ambiguïté de cette phrase est évidente. Heine s'y sert d'un de ses procédés favoris : l'emploi, dans un sens tout mondain,

---

(1) HEINE, *Satires et portraits*, Louis Boerne, p. 119.

d'un vocabulaire à sous-entendus théologiques. A cet
« enthousiasme » presque mystique et à cette bizarre
« révélation divine », qui, tous deux, se rapportent au culte
de la femme, correspond la note douloureuse d'une passion
qui cherche dans l'amour l'immolation de l'individu. Car
la passion est pour Heine « d'essence divine, parce qu'elle
nous affranchit de tous les petits sentiments égoïstes, et
nous fait sacrifier les biens chimériques de la vie, oui, la
vie elle-même » (1). Une même ambiguïté se dégage du
mot « passion », qui, dans ce contexte, cache derrière son
apparence innocente un sens sacrilège : le sacrifice de la
vie, offert aux autels de l'Amour charnel, évoque le sacrifice
suprême d'un Dieu mourant pour la rédemption de l'humanité. La passion de l'amant s'apparente ainsi à la passion
de Jésus-Christ.

Heine est moniste : en Dieu se confondent Dieu et le
diable. Même si, sur le plan de la mythologie, Heine voit
dans les anciens « esprits élémentaires » de la légende germanique des divinités transformées en démons par le christianisme (2) : sur le plan moral, Dieu représente pour lui
l'unique force créatrice du Mal comme du Bien. Baudelaire,
au contraire, reste dans la tradition dualiste du christianisme. Pour Heine, les mêmes émotions servent tour à
tour un but profane et une fin sacrée, et souvent même ces
deux fins se confondent :

> Gottes Nützlichkeitssystem,
> Sein Ökonomieproblem
> Ist, dass wechselnd die Maschinen
> Jeglichem Bedürfnis dienen,
> Den profanen wie den heil'gen... (3).

---

(1) *Ibid., loc. cit.*
(2) Cf. HEINE, *De l'Allemagne*, vol. II, VIIᵉ Partie : Traditions populaires,
passim.
(3) *Matratzengruft*, XVII, Zur Teleologie : « Le système d'utilité de Dieu,
son problème d'économie, c'est qu'alternativement les machines satisfont tous
les besoins : les besoins profanes comme les besoins sacrés... »

Pour Baudelaire, dont la pensée n'est point (comme celle de Heine) vaguement contaminée par la dialectique hégélienne, il ne s'agit pas là de deux aspects opposés d'une même chose, qui peuvent s'unir dans une nouvelle synthèse. Il y voit deux élans contraires, engendrés par deux puissances adverses, qui surgissent avec une égale spontanéité de cette contradiction intime où la souillure ineffaçable du péché originel plonge l'âme humaine : « Il y a dans tout homme, à toute heure, deux postulations simultanées, l'une vers Dieu, l'autre vers Satan (1). » Pour Heine, la tâche de l'homme moderne serait de rétablir l'équilibre de l'âme et de la chair, de rapprocher l'animal dans l'homme de son côté divin, d'affirmer à nouveau l'unité du corps et de l'esprit, divisés depuis dix-neuf siècles de christianisme. Pour Baudelaire, par contre, l'homme moderne devrait constater à tout instant cette dualité hypocrite, empreinte du péché originel, qui le fait céder à son animalité au moment même où il veut s'élever vers Dieu. « L'invocation à Dieu, ou la spiritualité, est un désir de monter en grade ; celle de Satan, ou l'animalité, est une joie de descendre. C'est à cette dernière que doivent être rapporté[e]s les amours pour les femmes... (2). » Pour Heine, l'amour sacré et l'amour profane, Dieu et le diable, font un. Pour Baudelaire, les « joies qui dérivent de ces deux amours sont adaptées à la nature de ces deux amours » (3).

Pour Baudelaire, « l'éternelle Vénus (caprice, hystérie, fantaisie) est une des formes séduisantes du Diable » (4). Dans son ballet de *Faust*, Heine donne au savant docteur comme guide érotique et compagne de ses débauches, Méphistophéla, une « femme-satan » ; elle finit par se transformer en « un serpent horrible, l'enlace et l'étouffe

---

(1) BAUDELAIRE, Mon cœur mis à nu, XIX, *Œuvres*, éd. cit., vol. II, p. 647.
(2) *Ibid.*, *loc. cit.*
(3) *Ibid.*, *loc. cit.*
(4) *Ibid.*, XLIX, p. 656.

dans ses féroces étreintes » (1). Toute l'ambiance qui domine
à la fin de ce poème-ballet fait penser à celle des *Méla-
morphoses du Vampire*. L'image triviale du serpent, depuis
cinq ou six mille ans le symbole conventionnel de la
femme, revient à plusieurs reprises tant sous la plume de
Heine que sous celle de Baudelaire. La femme « ne sait pas
séparer l'âme du corps... Un satirique dirait que c'est
parce qu'elle n'a que le corps » (2). La même suggestion
chez Heine : « Der Mann und das Weib, die Seel' und der
Leib... (3). » Mais pour Baudelaire, la « femme-satan » est
quelque chose d'immonde, à combattre et à détruire avec
une férocité sadique. Heine, au contraire, médiateur entre
la chair et l'esprit, se livre aux séductions charnelles avec
la bonne conscience du libertin qui ne se fait pas les
moindres scrupules. Cependant, les voluptés qu'il cherche
sont (comme celles que pratique Baudelaire) plutôt les
plaisirs sensuels du masochiste, qui s'attarde avec délices
à savourer l'arrière-goût de la douleur.

Malgré toutes les divergences de vues et de style,
Heine et Baudelaire sont curieusement proches l'un de
l'autre par leur conception de l'amour. Car tous les deux
considèrent et l'amour profane et l'amour sacré comme une
sorte de prostitution. Aussi accordent-ils, tant à leur
femme « idéale » qu'à Dieu, la qualité de prostitués. Heine
tacitement, par la manière dont il se sert de Dieu et de la
femme, on dirait comme de machines utiles à son soulagement spirituel et physique. Baudelaire, postulant que
« adorer c'est se sacrifier et se prostituer », et que tout
amour est de la prostitution (4), déclare ensuite catégo-
riquement : « L'être le plus prostitué, c'est l'être par excellence, c'est Dieu, puisqu'il est l'ami suprême pour chaque
individu, puisqu'il est le réservoir commun, inépuisable, de

(1) Heine, *De l'Allemagne*, vol. II, p. 144.
(2) Baudelaire, *op. cit.*, L, p. 656.
(3) Elster, vol. II, p. 41, Liebeslieder, 70 : « L'homme et la femme, l'âme
et le corps... »
(4) Baudelaire, *op. cit.*, XLV, p. 655.

l'amour (1). » Heine lui-même n'aurait pas pu exprimer avec plus de clarté, une idée qui explique à merveille sa propre attitude religieuse. Même la nuance érotique, se dégageant de l'emploi équivoque du mot « amour » n'y manque point.

Foncièrement impertinent, Heine n'éprouve rien qu'un plaisir malicieux à utiliser les éléments du style sacré pour les thèmes scabreux ou simplement mondains. Le jeu des rapprochements osés l'amuse, bien sûr ; mais dépassant les bornes d'un simple amusement, ce jeu constitue la vengeance du libertin qui se plaît à provoquer les hommes de bien, faces de carême, rabat-joie et trouble-fête. Le blasphème devient pour lui un défi lancé aux bien-pensants. C'est par là, qu'il veut prouver son mépris de la religion comme force moralisatrice, mais aussi la spontanéité d'un érotisme qui ne lui inspire aucun remords. Baudelaire, au contraire, toujours en quête de l'affreux pour scandaliser le lecteur, s'afflige et de sa sensualité et du goût naturel qu'il prend à la destruction. Si son érotisme s'exprime souvent par des métaphores sacrées, le poète n'en condamne pas moins de tels procédés.

La femme, complice du poète dans les « crimes » de l'amour, doit, comme Dieu, toute sa grandeur à la souillure de la prostitution, l'amour qui ne connaît point de réserves. Elle peut être douce et soumise, comme Justine, victime de ses malheurs, mais s'insinuant comme une noire obsession dans l'esprit du poète. Baudelaire en abuse, à la manière de Sade, l'injuriant et la maltraitant, possédé d'un désir féroce de mêler le meurtre à ses étreintes amoureuses, mais hanté aussi d'un remords chrétien inconnu à Sade (2). Heine se contente d'évoquer avec la raillerie de l'homme du monde, mais aussi avec une certaine satisfaction lubrique, l'image de la beauté profanée :

... Héloïsa, la douce créature, qui ne semblait être née que pour marcher sur des tapis de Perse aux fleurs moelleuses, et

(1) *Ibid.*, XLVI, p. 655.
(2) Cf. *Les fleurs du mal*, XXXI, Le Vampire, et *passim*.

pour être rafraîchie avec des plumes de paon, elle s'est abîmée
dans des orgies de marins, dans la fumée du punch, du tabac,
dans le tourbillon de la danse et de la mauvaise musique des
lieux mauvais (1).

Comme Baudelaire, Heine cherche ses amours (et nullement faute de mieux) dans les milieux les plus crapuleux.
Comme le poète français, il espère trouver dans la dégradation érotique, l'horreur et l'ivresse de l'anéantissement,
et il finira par découvrir en Mathilde un objet d'amours
stériles, aussi stupide et aussi bas que le sera la maîtresse
de Baudelaire. Rien ne semble mieux décrire Mathilde
Heine que ces vers de Baudelaire, qui font sans doute le
portrait moral de Jeanne Duval :

> La femme, esclave vile, orgueilleuse et stupide,
> Sans rire s'adorant et s'aimant sans dégoût (2)...

Dans son carnet intime, Baudelaire note cette question : « Pourquoi l'homme d'esprit aime les filles plus que
les femmes du monde, malgré qu'elles soient également
bêtes ? — A trouver (3). » Qu'y a-t-il de plus baudelairien
que cet aveu de Heine, qui, se croyant (à tort) courtisé par
la princesse Belgiojoso, dont il n'est guère amoureux,
s'exclame, en mettant le doigt sur la plaie : « Je suis
condamné à n'aimer que ce qu'il y a de plus bas et de plus
imbécile... » (Ce joli compliment s'adresse indirectement
à Mathilde). « Comprenez-vous combien cela doit tour-
menter un homme fier, et de beaucoup d'esprit (4) ? »

Que cette attitude ait existé chez lui, de longue date,
la correspondance de Heine l'atteste. Déjà en 1824, l'étudiant en droit avoue qu'il est amoureux de la Vénus des
Médicis, à la Bibliothèque de Gœttingue, et de la belle

---

(1) HEINE, *Reisebilder*, vol. I, p. 310, Schnabelewopski, IV.
(2) BAUDELAIRE, *op. cit.*, CXXVI, Le voyage, *Œuvres*, éd. cit., vol. I, p. 147.
(3) BAUDELAIRE, Mon cœur mis à nu, XXXIV, *Œuvres*, éd. cit., vol. II,
p. 652.
(4) *Correspondance inédite*, 2ᵉ série, p. 175. A Laube. Lettre datée de
Boulogne-sur-Mer, le 27 septembre 1835.

cuisinière du conseiller aulique Bauer. L'une, ajoute-t-il,
est en plâtre, l'autre vénérienne (1). Celle-ci, selon les conjectures des biographes, lui aurait communiqué l'horrible
maladie, qui, insuffisamment traitée, l'affligea de paralysie
à la fin de ses jours. Ce genre de liaison, bien sûr, n'a rien
d'extraordinaire ; presque tout jeune homme de bonne
famille passe par une ou plusieurs expériences de la sorte.
Mais chez Heine, une étrange conscience du mal se mêle à
cette manière de jouissance ; un désir pervers le pousse à
chercher le plaisir dans la dégradation, et dans le trouble
moral où le jette la conscience de sa dégradation. « Ma
bestialité est sans pareille », s'accuse-t-il, en réfléchissant
sur les malheurs dont l'accablent ses amours ancillaires :
« Ou est-ce de l'ironie que je me vautre dans la boue (2) ? »
Misogyne comme tout jouisseur, il tâche parfois de dissimuler son anti-féminisme sous l'allure courtoise de ses
chants. Mais souvent aussi, son mépris de la femme perce
avec une rare brutalité :

> Selten habt Ihr mich verstanden,
> Selten auch verstand ich Euch,
> Nur wenn wir im Kot uns fanden,
> So verstanden wir uns gleich (3).

Mêmes réflexions tournant autour de l'ironie du destin,
dans quelques mauvais vers de circonstance, envoyés par
Heine, en 1827, à Rudolf Christiani :

> Heut Nacht, im Traum, unglücklicherweis,
> Thät ich an der schmutzigsten Magd mich laben,
> Und ich konnte doch für denselben Preis
> Die allerschönste Prinzessinn [*sic*] haben (4).

---

(1) *Ibid.*, 1ʳᵉ série, p. 148-149. A Moser. Lettre datée de Gœttingue, le
25 février 1824.

(2) *Briefe*, vol. I, p. 135. Au même. Lettre datée de Lunebourg, le
9 janvier 1824.

(3) *Die Heimkehr*, LXXVIII (1823) : « Rarement vous m'avez compris,
rarement aussi, vous ai-je comprises. Seulement quand nous nous trouvâmes
dans la boue, nous nous sommes tout de suite entendus. »

(4) *Briefe*, vol. I, p. 324. Lettre du 19 septembre 1827 : « Cette nuit, dans
mon rêve, malheureusement, je fis l'amour avec la plus crasseuse des boniches ;
et pourtant, au même prix, j'aurais pu posséder la plus belle des princesses. »

Étrange destinée, au fait, que celle de ce poète, qui se
veut trouvère, chantre de l'amour courtois, mais qui n'est
au fond que le chantre courtois de l'érotisme. Exaltant
dans ses vers et sa prose le frisson de l'idéal, il ne cherche
cependant, même dans ses rêves, l'assouvissement de ses
désirs que chez les prostituées les moins appétissantes et
les boniches les plus crasseuses. Ni Heine ni Baudelaire
ne font pourtant cette distinction entre l'amour et l'érotisme qui se dégagera plus tard de l'œuvre de Gide. Ils
ont la nostalgie de l'idéal, de l'azur impassible, mais ils
sentent tout le poids de leurs passions qui les cloue à la
terre. Si Heine gémit avec une certaine complaisance sous
ce poids écrasant, Baudelaire, ressentant au contraire
toute l'humiliation de sa situation, fait de vains efforts
pour secouer ce même fardeau. Sa rage impuissante
s'acharne contre l'indigne compagne, qui, le retenant dans
sa couche, l'empêche de s'élever jusqu'à cet idéal de beauté
pure où il aspire :

> Toi qui, forte comme un troupeau
> De démons, vins, folle et parée,
>
> De mon esprit humilié
> Faire ton lit et ton domaine ;
> — Infâme à qui je suis lié —
> Comme le forçat à la chaîne... (1).

Un gouffre semble s'ouvrir, en effet, entre les objets de
leurs caresses furtives, les obsessions érotiques qui hantent
leur esprit, et cet idéal froid et stérile de beauté, l'objet
de leur exaltation poétique, qui se confond avec Satan et
la femme idéale : « Statue aux yeux de jais, grand ange au
front d'airain (2) ! » Tout sépare, en apparence, la femme-
séductrice de ce beau idéal, rêve de pierre où chacun se
meurtrit, mais qui est fait « ... pour inspirer au poëte un

(1) BAUDELAIRE, Le Vampire, *Les fleurs du mal*, XXXI, *Œuvres*, éd. cit.,
vol. I, p. 45-46.
(2) *Ibid.*, XXXIX, p. 54.

amour / Éternel et muet ainsi que la matière ». L'antonyme même de l'enfer des passions, la Beauté de Baudelaire se tient à une distance infinie de la femme :

> Je trône dans l'azur comme un sphinx incompris ;
> J'unis un cœur de neige à la blancheur des cygnes ;
> Je hais le mouvement qui déplace les lignes,
> Et jamais je ne pleure et jamais je ne ris (1).

Et pourtant, une étrange sensualité se dégage de cet idéal sculpté en marbre : une atmosphère féline, meurtrière et voluptueuse baigne cette image d'une impassibilité pétrifiée, glaciale et indifférente. Si Baudelaire essaie, sans trop y réussir, de séparer ses émotions érotiques et l'amour de l'idéal, Heine, au contraire, s'efforce de montrer le secret courant de volupté qui relie les unes avec l'autre. Dans les *Nuits florentines*, il révèle son « étonnante passion pour les statues de marbre » (2), passion toute charnelle qui le hante depuis l'enfance. Maria moribonde, « entièrement vêtue de mousseline blanche... étendue sur un sofa de soie verte » (3), rappelle au héros (autobiographique) « la belle statue de marbre renversée sur le gazon » (4), qui lui fit éprouver, à l'âge de 12 ans, sa première « concupiscence d'enfant » (5). Cet épisode, une sorte de poème en prose, baigné dans le clair-obscur démoniaque des contes d'Hoffmann, ne manque pas d'un certain attrait poétique. Attiré par la beauté « immobile » de la déesse bouleversée, le garçon descend nuitamment dans le jardin éclairé par un clair de lune romantique, et, après quelques hésitations, se décide à embrasser la statue :

> ... mon cœur battait comme si j'allais commettre un meurtre ; à la fin j'embrassai la belle déesse avec une ferveur, une tendresse, un délire tel que je n'en ai jamais ressenti de ma vie en

(1) *Ibid.*, XVII, « La Beauté », p. 33.
(2) Heine, *Reisebilder*, vol. II, p. 298.
(3) *Ibid.*, p. 292.
(4) *Ibid.*, p. 293.
(5) *Ibid.*, p. 297.

donnant un baiser. Je ne saurais non plus oublier le frisson doux
et glacial qui courut dans mon âme quand le froid enivrant de
ces lèvres de marbre toucha ma bouche (1).

De l'amour des statues à la nécrophilie, il n'y a qu'un
pas. Le thème de l'amour pour une morte, toujours *mar-
morblass*, « pâle comme du marbre », domine les *Traumbilder* ; il revient souvent dans les recueils du poète mûr,
qui dispose de moyens artistiques plus riches. A une ferveur
de délire se mêle toujours l'atmosphère glaciale de la
mort (2), et un vague parfum de décomposition, tel qu'il
émane des « Métamorphoses du vampire ». Mais la froideur
au milieu des voluptés est une qualité satanique. Heine
l'explique à plusieurs reprises ; ainsi dans sa lettre à Lumley,
commentaire érudit au ballet de *Faust* : « Cette infirmité
désespérante des démons, c'est le froid glacial de leurs
étreintes amoureuses (3). » C'est également l'infirmité
des vampires. Peu à peu, le lien qui unit « l'idéal de Beauté »
à l'objet des émotions érotiques se précise. Le beau idéal,
« où chacun s'est meurtri tour à tour », se rapproche curieusement de la femme charnelle, ange déchu, « d'une beauté
majestueuse... portant au front le signe de la divinité
déchue, et dans les yeux une volupté qui dévore le monde ;
splendidement vicieuse, elle est altérée de sang » (4). Pour
compléter le portrait de cette « beauté meurtrière » (5),
ajoutons que « son œil surtout étincelle de divine cruauté
et de la joie de la vengeance » (6), qu'elle trouve « le bonheur
dans le mensonge » (7), et que ses cheveux noirs s'entor-
tillent comme des serpents voluptueux (8).

---

(1) *Ibid.*, p. 297-298.
(2) *Traumbilder*, IX ; *Lyrisches Intermezzo*, V, XXXII, *Die Heimkehr*,
XII, etc.
(3) HEINE, *De l'Allemagne*, vol. II, p. 174. Cf. *ibid.*, p. 109, « Traditions
populaires ».
(4) Portrait de Tamora, dans *Titus Andronicus* (Shakespeare) ; HEINE, *De
l'Angleterre*, p. 85.
(5) La *Judith* d'Horace Vernet, au Salon de 1831. HEINE, *De la France*, p. 336.
(6) *Ibid.*, *loc. cit.*
(7) HEINE, *Reisebilder*, vol. II, p. 303.
(8) HEINE, *Reisebilder*, vol. I, p. 304. Cf. « Fresko-Sonette an C. Sethe », V.

La femme-idole, la femme-œuvre d'art, la femme malade
et près de la mort, la femme-sphinx, monstre glacial, naïf
et « toujours en rut » : voilà les ingrédients et les matériaux dont Heine et Baudelaire façonnent un étrange idéal
où la beauté, le diable, le marbre, la chatte et le vampir
se confondent dans une forme féminine. S'ils transportent
dans leurs poésies le mépris de la femme « naturelle » qui
sert à la propagation ou apaise des appétits fort terrestres,
ils exaltent par ailleurs, une « femme idéale » peu goûtée
par le commun de leurs contemporains. Élément passif
dans l'acte de la procréation, elle l'est également, au moins
pour Baudelaire et le jeune Mallarmé, dans celui de l'anéantissement. Beauté stérile dans sa froideur inhumaine, un
idéal marmoréen, pétri d'impuretés, de bêtise et de
majesté : elle trône, cruelle et indifférente, au milieu des
voluptés, comme une sorte de sphinx, « hermaphrodite
faite de terreurs et de lubricité » (« Ein Zwitter von Schrecken
und Lüsten ») (1).

Die Gestalt der wahren Sphinx
Weicht nicht ab von der des Weibes
. . . .
Todesdunkel ist das Rätsel
Dieser wahren Sphinx

. . . .
Doch zum Glücke kennt sein eignes
Rätsel nicht das Frauenzimmer ;
Spräch es aus das Lösungswort,
Fiele diese Welt in Trümmer (2).

Où l'ange inviolé se mêle au sphinx antique,
. . . .
Resplendit à jamais, comme un astre inutile,
La froide majesté de la femme stérile (3).

---

(1) *Buch der Lieder*, « Vorrede zur 3. Auflage », ELSTER, vol. I, p. 8.
(2) *Zum Lazarus*, 9, WALZEL, III, 230 : « L'apparence du vrai sphinx ne
diffère en rien de celle de la femme... / Les ténèbres de la mort sont l'énigme
de ce vrai sphinx... / Mais heureusement la femme ignore sa propre énigme. /
Si elle en prononçait la solution, l'univers s'écroulerait. »
(3) BAUDELAIRE, *Les fleurs du mal*, Spleen et idéal, XXVII, *Œuvres*, éd. cit.,
vol. I, p. 42.

Étrange idéal, où la naïveté s'allie au vice : « Et la candeur unie à la lubricité (1). »

> ... das Antlitz, wo sich mischen
> Wollustblicke eines Weibes
> Und das Lächeln eines Kindes (2).

La pudeur n'est qu'un léger voile cachant les enfers de la volupté. Celle-ci se déchaînera avec d'autant plus de fureur que la chasteté a d'abord été farouche. Dans une vision vertigineuse de la « chasse sauvage » (« wilde Jagd » ou « wütendes Heer »), Heine nous montre la déesse Diane caracolant lubriquement en chasseresse-bacchante à la tête d'une cavalcade furibonde et lascive. A ses côtés, se tiennent la belle Hériodiade et la fée Habonde. L'inspiration vient de Jacob Grimm (3). Mais ce n'est que sous la forme poétique dont Heine revêt ce thème dans *Atta Troll*, qu'il attire l'attention de Mallarmé, de Wilde et de Jean Lorrain. A Mallarmé, il fournit le sujet d'*Hérodiade*, à Wilde, celui de *Salomé*, et à Jean Lorrain, certains médaillons de *La forêt bleue* (4).

La Diane de Heine a le visage blanc et froid, comme du marbre, mais au fond de son œil noir brille un feu terrible, doux et perfide, qui aveugle et dévore :

> Wie verändert ist Diana,
> Die, im Übermut der Keuschheit,
> Einst den Aktäon verhirschte
> Und den Hunden preisgegeben !
>
> Büsst sie jetzt für diese Sünde
> In galantester Gesellschaft ?
> Wie ein spukend armes Weltkind
> Fährt sie nächtlich durch die Lüfte.

---

(1) BAUDELAIRE, *Les épaves*, VI, Les Bijoux, *ibid.*, p. 165.

(2) ELSTER, vol. II, p. 19. Liebeslieder, 34 : « ... cette figure où se mêlent les regards voluptueux d'une femme au sourire de l'enfant ».

(3) *Deutsche Mythologie*, 2. Ausg., Dietrichsche Buchhandlung, Gœttingen, 1844, p. 885 sqq.

(4) Mario PRAZ, *op. cit.*, p. 299 sqq.

> Spät zwar, aber desto stärker
> Ist erwacht in ihr die Wollust,
> Und es brennt in ihren Augen
> Wie ein wahrer Höllenbrand (1).

Cette métamorphose de la chaste déesse en bacchante, terrible vengeance des sens opprimés (thème repris dans le ballet *Die Göttin Diana* [1846]) trouve un écho discret dans les vers de *Sisina*. Une fraîcheur de « fête galante » se dégage de ces vers ; mais Baudelaire se garde de pousser l'image jusqu'à cet extrême où Heine s'aventure dans sa peinture fébrile et ironique. Il évite aussi l'humour un peu facile qui se glisse dans les quatrains de Heine. Mais le sous-entendu est là, et le même « galant équipage », dont Heine fait accompagner la déesse, s'insinue dans les vers de Baudelaire :

> Imaginez Diane en galant équipage,
> Parcourant les forêts ou battant les halliers,
> Cheveux et gorge au vent, s'enivrant de tapage,
> Superbe et défiant les meilleurs cavaliers (2) !

Cet idéal d'une femme chaste et froide, mais cachant sous la chasteté et la froideur des feux inassouvis, leur sert à satisfaire leur soif de blasphèmes et leur désir de châtiments. Son ignoble splendeur exalte leur mépris tout en les plongeant dans les dernières humiliations des plaisirs masochistes. L'objet de leurs injures et de leur adoration, « fangeuse grandeur » et « sublime ignominie » (3), la femme devient l'ange de la perdition et l'instrument des tourments qu'ils recherchent, une « Machine aveugle et sourde,

---

(1) *Atta Troll*, Kaput XIX : « Combien elle ressemble peu à présent à cette Diane qui, dans l'orgueil de sa chasteté, changea Actéon en cerf et le fit déchirer par ses chiens ! / Est-ce ce péché-là qu'elle expie dans cette très-galante compagnie ? Chaque nuit, elle chevauche ainsi dans les airs comme un pauvre revenant mondain. / La volupté s'est éveillée tard dans ses veines, mais avec d'autant plus de véhémence, et dans ses yeux brûle une véritable flamme d'enfer. »

(2) *Les fleurs du mal*, LIX, Sisina, *Œuvres*, éd. cit., vol. I, p. 74.

(3) *Ibid.*, p. 40 ; *Les fleurs du mal*, XXV.

en cruautés féconde » (1) ! « Madame, lorsqu'on veut se
faire aimer de moi », écrit Heine à l'intention de Friederike
Robert, « il faut me traiter comme un chien » (2). Cette
femme avait attiré le jeune poète puisqu'il voyait en elle
le caractère de Jocaste s'alliant à celui de Juliette (3).

Outil de la mort, la femme ne fait qu'obéir aveuglement
aux instincts, à l'appel sourd d'une sensualité insatiable,
qui épuise les forces de l'homme :

> Je suis, mon cher savant, si docte aux voluptés,
> Lorsque j'étouffe un homme en mes bras redoutés... (4).

> Sie küsste mich lahm, sie küsste mich krank,
> Sie küsste mir blind die Augen ;
> Das Mark aus meinem Rückgrat trank
> Ihr Mund mit wildem Saugen... (5).

> J'ai cherché dans l'amour un sommeil oublieux ;
> Mais l'amour n'est pour moi qu'un matelas d'aiguilles
> Fait pour donner à boire à ces cruelles filles (6) !

> Sie trank mir fast den Odem aus —
> Und endlich, wollustheischend,
> Umschlang sie mich, meinen armen Leib
> Mit den Löwentatzen zerfleischend (7).

> O weh ! mein rotes Blut sie trank... (8).

---

(1) *Ibid., loc. cit.*

(2) Heine, *Reisebilder*, vol. I, p. 163, *Le tambour Legrand.*

(3) *Correspondance inédite*, 1ʳᵉ série, p. 128. Lettre à Moser, datée de Lunebourg, le 28 novembre 1823. [La Juliette de Shakespeare, bien sûr ! et non pas celle de Sade.]

(4) Baudelaire, Les métamorphoses du Vampire, *Les épaves*, VII, *Œuvres*, éd. cit., vol. I, p. 166.

(5) *Le livre de Lazare*, VIII, Reminiscences, II [La femme noire] : « Elle m'embrassa et je fus paralysé ; elle m'embrassa, et je devins malade ; elle me baisa les yeux, et je devins aveugle ; elle suça de ses lèvres sauvages, elle suça la moelle de mes reins. »

(6) Baudelaire, *Les fleurs du mal*, CXIII, La fontaine de sang, *Œuvres*, éd. cit., vol. I, p. 130.

(7) *Buch der Lieder*, « Vorrede zur 3. Auflage » : « Elle me meurtrit buvant mon haleine, et enfin assoiffée de voluptés, elle m'étreignit, déchirant de ses griffes de lionne, la chair de mon pauvre corps. »

(8) *Traumbilder*, V : « O Dieu ! elle but mon sang rouge », Elster, vol. I, p. 18.

> Car ce que ta bouche cruelle
>   Éparpille en l'air,
> Monstre assassin, c'est ma cervelle,
>   Mon sang et ma chair (1) !

Mais cette sorte de vampirisme, qui fait de la femme
un monstre étouffant sa victime dans les étreintes amoureuses, ne constitue de sa part qu'un acte inconscient. Les
prêtresses de l'amour se distinguent par « une certaine
manie de destruction dont elles sont possédées » (allusion,
pleine de sous-entendus, à une force démoniaque qui
dépasse la volonté) « non-seulement au préjudice d'un
galant, mais aussi... au détriment de leur propre personne »(2).
On est loin, ici, de cette chasteté d'une Hérodiade, qui
fleurit « déserte » pour elle-même, et prend en horreur sa
virginité de Narcisse (3). Chez Baudelaire et Heine, tous
les sentiers de la passion semblent aboutir à l'*Héautontimorouménos* ! « Cette manie de destruction est intimement
liée à un désir effréné ou plutôt une fureur de jouissance,
de la jouissance la plus immédiate, qui ne laisse pas un jour
de répit, ne songe jamais au lendemain et se moque de
toute espèce de réflexions ou de scrupules » (4).

> Entzückende Marter und wonniges Weh !
> Der Schmerz wie die Lust unermesslich !
> Derweilen des Mundes Kuss mich beglückt,
> Verwunden die Tatzen mich grässlich (5).

---

(1) BAUDELAIRE, *Les fleurs du mal*, CXVII, L'amour et le crâne, *Œuvres*,
éd. cit., vol. I, p. 134.

(2) HEINE, *Lutèce*, p. 44.

(3)   *J'aime l'horreur d'être vierge et je veux*
        Vivre parmi l'effroi que me font mes cheveux
        Pour, le soir, retirée en ma couche, reptile
        Inviolé sentir en la chair inutile
        Le froid scintillement de ta pâle clarté
        Toi qui te meurs, toi qui brûles de chasteté,
        Nuit blanche de glaçons et de neige cruelle !

MALLARMÉ, *Œuvres complètes*, éd. cit., p. 47. *Hérodiade*, II. Scène.

(4) HEINE, *Lutèce*, p. 44.

(5) *Buch der Lieder*, Vorrede zur 3. Aufl. : « Douce torture et joies de la
douleur ! Peines et voluptés immesurables ! Tandis que le baiser de sa bouche
me rend heureux, ses griffes me déchirent affreusement. »

> Quelquefois, pour apaiser
> Ta rage mystérieuse,
> Tu prodigues, sérieuse,
> La morsure et le baiser ;
>
> Tu me déchires, ma brune,
> Avec un rire moqueur,
> Et puis tu mets sur mon cœur
> Ton œil doux comme la lune (1).

Les ébats de l'amour, cette « douce torture », où, transporté jusqu'au comble de la jouissance, l'on sent l'écoulement irrémédiable de la vie, figurant pour le poète cette
monstrueuse ironie divine qui ne semble créer que pour
détruire. Jouant sur le même ressort, l'amour profane et
l'amour sacré conduisent, l'un et l'autre, inévitablement à
l'expérience du gouffre. Au bout de l'acte d'amour, l'ennui :
au bout de la vie, l'anéantissement total, la mort. Entre les
deux bouts de la chaîne, des misères, et des plaisirs qui ne
sont que des excitations, des extases nerveuses, en somme,
des degrés de souffrance, contenus dans l'étroit cercle des
vices. Heine sans repentir, et Baudelaire jouissant de sa
mauvaise conscience, restent épicuriens, poursuivant le
plaisir jusqu'à l'immolation de l'individu, mais se déses-
pérant de ne trouver partout que le néant, l'ennui, et la
fuite irréparable du temps. Il y a des moments où la
hantise de la folie se mêle à cette course effrénée aux sensations. Baudelaire a le pressentiment de sa maladie :
« J'ai cultivé mon hystérie », note-t-il dans son carnet
intime, « avec jouissance et terreur. Maintenant, j'ai toujours le vertige, et aujourd'hui, 23 janvier 1862, j'ai subi
un singulier avertissement, j'ai senti passer sur moi le
vent de l'aile de l'imbécillité » (2). La crainte de sombrer

---

(1) BAUDELAIRE, *Les fleurs du mal*, LVIII, Chanson d'après-midi, *Œuvres*,
éd. cit., vol. I, p. 73-74.
(2) BAUDELAIRE, Mon cœur mis à nu, LXXXVII, *Œuvres*, éd. cit., vol. II,
p. 668.

dans l'aliénation mentale poursuit Heine paralysé et anime
ses vers d'un frisson tragique, qui dépasse de loin l'horreur
de la mort :

> In meinem Hirne rumort es und knackt,
> Ich glaube, da wird ein Koffer gepackt,
> Und mein Verstand reist ab — o wehe ! —
> Noch früher als ich selber gehe (1).

La métaphore du voyage, couchée dans ce langage
sobre et moqueur, le brusque changement de rythme
dans les deux derniers vers, et le détachement du poète,
qui s'observe comme un étranger, ajoutent au sens de ces
mots un sous-entendu inquiétant. Le malade ressent toute
l'absurdité de son destin. Lui, qui avait toute sa vie reven-
diqué l'émancipation de la chair, lui, qui avait exalté les
splendeurs de la sensualité, lui enfin dont toute l'œuvre
raille le « spiritualisme » des romantiques, se trouve réduit,
à la fin de ses jours, à l'état d'un pur esprit emprisonné dans
un corps immobilisé, affreusement atrophié, et mort à la
luxure des sens :

> Mein Leib liegt tot im Grab, jedoch —
> Mein Geist der ist lebendig noch... (2).

> Mein Leib ist jetzt ein Leichnam, worin
> Der Geist ist eingekerkert —
> Manchmal wird ihm unwirsch zu Sinn,
> Er tobt und rast und berserkert (3).

---

(1) *Le livre de Lazare*, V, Soucis babyloniens : « J'entends au fond de mon
cerveau un grand remue-ménage. Il me semble que quelqu'un y fait sa malle
et que mon esprit — ô mon Dieu ! — que mon esprit va déguerpir avant que
je m'en aille moi-même. »

(2) *Matratzengruft*, Für die Mouche, XXIV : « Mon corps est couché mort
dans la tombe ; cependant, mon esprit est encore en vie. »

(3) *Le livre de Lazare*, VI, Réminiscences, 2 : « Mon corps maintenant est
un cadavre où l'esprit est emprisonné. Maintes fois, il se sent étouffé, il se
démène, il est fou de fureur, il crie, il blasphème. » HEINE, *Poëmes et légendes*,
p. 353.

*
* *

Le même démon de la destruction que Baudelaire sent
s'agiter sans cesse à ses côtés (1), exerce son empire sur
l'esprit de Heine. Ses formes sont multiples comme les
« métamorphoses du vampire », mais le plus souvent, il
porte le jupon. On devine ses traits véritables : derrière
la diablesse Méphistophéla, sortie de l'imagination de
Heine, et derrière la noire beauté de Lucifer, se dissimule
l'ombre de Sade, l'éternel revenant, qui hante autant la
littérature du xixᵉ siècle que celle du xxᵉ. Si dans l'œuvre
de Baudelaire, il laisse par moment tomber son masque,
il ne se révèle jamais avec une pareille franchise dans les
ouvrages de Heine. Celui-ci est peut-être moins familier
avec les écrits du divin marquis ; peut-être aussi ne les
connaît-il guère que par ce qui survit de leur esprit dans
les romans de l'époque, par exemple, les *Mémoires du
Diable* de Frédéric Soulié et *L'âne mort*, de Jules Janin ;
ouvrages, parmi tant d'autres, qu'il a dû parcourir, même
s'il ne les a pas lus avec un intérêt excessif. Quoi qu'il en
soit, l'esprit de *Juliette* et celui de l'*Héautontimorouménos*,
l'homme qui se punit lui-même, planent avec fidélité sur
son œuvre comme sur celle de Baudelaire. Les deux poètes
— Heine avec plus de discrétion que Baudelaire — cher-
chent en amour et en religion le tourment de blessures,
dont ils frappent bien moins autrui qu'ils n'aiment s'en
voir affligés eux-mêmes. Cependant, si Baudelaire souffre
de s'égarer « loin du regard de Dieu », pour Heine, les
principes du Bien et du Mal se réunissent en Dieu lui-même,
ce « grand tourmenteur des espèces animales *(Tier-
quäler)* » (2), et se reflètent dans la femme, « à la fois pomme

---

(1) BAUDELAIRE, La destruction, *Les fleurs du mal*, CIX, *Œuvres*, éd. cit.,
vol. I, p. 125.
(2) *Briefe*, vol. III, p. 232. Lettre à H. Laube, datée de Paris,
le 12 octobre 1850.

et serpent » (1), source et tentation de la connaissance,
délices et bourreau du poète. Les invectives à l'adresse de
la femme autant que les étreintes d'un amour qui ne cherche
point la propagation se revêtent d'un caractère sacrilège,
se prolongeant en blasphèmes. Car les injures aussi bien
que les caresses stériles représentent une profanation de
l'être élu pour incarner à la fois le péché et le châtiment.
Pour Heine et pour Baudelaire, l'homme succombe à la
suprême tentation, en cherchant dans l'excitation aiguë
des sens une connaissance dangereuse, qui le transporte
par l'extase amoureuse en dehors de sa personnalité. Tous
deux s'y adonnent, avec la ferveur d'une vengeance qui
oppose à un dieu tentateur le blasphème, suprême tentation
du poète. Baudelaire par désespoir, Heine dans l'espérance
que Dieu — s'il existe — pardonnera à un homme d'esprit.

(1) Heine, *Lutèce*, p. 345. Remarque glissée dans une description d'une toile
d'Horace Vernet, *Juda et Thamar*, exposée au Salon de 1843.

TROISIÈME PARTIE

« ROMANTIQUE DÉFROQUÉ »
ET ANNONCIATEUR
DU SYMBOLISME FRANÇAIS

CHAPITRE PREMIER

DE LA « NATURPOESIE »
A L'EXPLICATION ORPHIQUE
DE LA TERRE

> « Le monde m'est un miroir. »
> André GIDE, *Journal* (1891).

1. Le concept de *Naturpoesie* se présente dans l'œuvre de Heine avec une ambiguïté qui témoigne de lectures étendues dans les ouvrages critiques de l'époque. Une étrange confusion brouille les aperçus qu'il consacre à ce sujet. Car par *Naturpoesie*, Heine comprend tantôt une inspiration tirée du spectacle de la nature, une sorte de synesthésie sentimentale et extatique, tantôt les anciens mythes nationaux. D'une part, il semble adhérer à la théorie de Schiller, pour qui la « poésie naturelle » ne signifie guère autre chose que le don du poète de percevoir avec naïveté les « vrais accents de la nature », et de les faire rentrer dans son lyrisme (1). D'autre part, il partage avec les romantiques allemands, ses maîtres, une conception presque mystique de la poésie nationale, théorie dont les origines remontent jusqu'à la distinction faite par Herder, entre *Naturpoesie* ou *Volksdichtung*, poésie du peuple, et *Kunstpoesie*, la poésie d'art. Si Heine ridiculise les écoles historiques de Görres et de Friedrich Schlegel, s'il se moque de leur amour du Moyen Age catholique et de leur « teuto-

---

(1) ELSTER, vol. III, p. 356. Omis dans les éditions françaises.

manie » : il chante néanmoins l'éloge presque dithyram-
bique des frères Grimm, dont le patriotisme n'est pourtant guère moins virulent que celui des théoriciens du
romantisme allemand. « Les services qu'ils ont rendus
à la langue et aux antiquités allemandes sont inappré-
ciables. Ces hommes ont plus fait que toute votre Académie
française, depuis Richelieu. Jacques Grimm est sans égal
dans son genre. Son érudition est colossale comme une
montagne et son esprit est frais comme la source qui en
jaillit (1). » Heine s'était lié d'amitié avec les Grimm
en 1827. De Munich, il écrivit alors à Varnhagen : « Je suis
resté huit jours à Cassel. Jacob Grimm à qui je semble
plaire *(mirabile !)* travaille à l'histoire du droit allemand ! »
Heine lui-même, lorsqu'il étudiait à Berlin, avait commencé
d'écrire une histoire du droit d'État germanique. « Louis
Grimm a dessiné mon portrait : long visage allemand, les
yeux languissamment tournés vers le ciel (2). »

L'admiration de Heine pour l'œuvre des Grimm se
montre durable. Aussi est-ce Jacob Grimm qui, parmi tant
de théoriciens de la poésie populaire, a sans doute exercé
le plus d'influence sur lui. La *Deutsche Mythologie* fournira
au poète des mythes dont les traces se retrouvent dans *Les
Dieux en exil*, *La Déesse Diane*, *Atta Troll*, les *Esprits élémentaires*, son ballet *Faust*, dans un grand nombre de
lieder, et le poème *Tannhäuser* (dont le thème et, en partie,
les vers furent pourtant puisés dans le *Mons Veneris* de
Kornmann [1614]). Il n'est d'ailleurs pas invraisemblable
que la *Silva de romances viejos* (1815), une anthologie de
romances espagnoles publiée par Jacob Grimm, en espagnol,
ait lancé Heine dans l'imitation d'un genre qui sied si
admirablement à son tempérament. Encore est-il sans
importance qu'il ait ou non parcouru ce volume, ou qu'il
n'en ait connu, au contraire, que le titre et quelques expli-

---

(1) Heine, *De l'Allemagne*, vol. II, p. 43.
(2) *Correspondance inédite*, 1ʳᵉ série, p. 363. Lettre du 28 novembre 1827.
La version française donne « miserabile » [*sic*] au lieu de « mirabile ».

cations critiques. Ce furent souvent les impressions les plus fugitives qui laissèrent dans l'esprit de Heine une empreinte des plus ineffaçables. D'autre part, il y a toute probabilité que Heine ait lu les *Spanische Romanzen*, traduites par Beauregard Pandin, et qui furent publiées en partie dans le *Gesellschafter* (1822), avant de paraître sous forme de volume en 1823. Gœthe en donne un compte rendu, où il explique en même temps ses idées sur la poésie d'art. Karl Vossler, pour qui le « *Romanzero* de Heine représente sans doute les romances hispanisantes les plus spirituelles » (1), nous donne la recette de ces poèmes, où la monotonie des répétitions devient extase, où l'ironie et le sérieux, le rêve et la réalité, l'enchantement musical et la sécheresse du récit forment de si étranges contrastes. Dans son analyse, qui s'applique au genre entier, fort pratiqué en Allemagne à l'époque où écrit Heine, l'on reconnaît facilement certaines techniques savamment développées par celui-ci :

Chaque romance a une assonance. Celle-ci fait l'effet d'un écho. Avec cela, un certain parallélisme et une certaine répétition graduée des motifs, des expressions, des mots, comme si le narrateur était obsédé de certaines idées. A cette hantise et à cette ivresse musicales et lyriques s'opposent une objectivité de chroniqueur, un sens exact des faits, une sobriété du réel ; et de tout cela résulte un contraste véritablement espagnol entre le rêve et la réalité, entre la vision et ce qui est « palpable », comme on le retrouve dans les tableaux de Murillo ou de Goya ; ou comme un contraste entre le rire et le sérieux, comme il domine tout le drame espagnol, tout le Don Quijote (2).

Avec tous les romantiques allemands, Heine partage le goût de la poésie populaire, du *folklore* de toutes les nations. Mais dans son esthétique s'effacent les limites entre *Natur-* et *Kunstpoesie*, si rigidement tracées notam-

---

(1) Karl Vossler, *Die Dichtungsformen der Romanen*, hrsg. von A. Bauer, K. F. Koehler Verlag, Stuttgart, 1951, p. 227.

(2) *Ibid.*, p. 226-227.

ment par Jacob Grimm. Comme Herder, Gœthe, Arnim,
Brentano, Uhland, Eichendorff, et même Wilhelm Grimm,
Heine reconnaît que la poésie se rajeunit en se retrempant
à ses sources. Heine ne suivra jamais entièrement Jacob
Grimm dans ce raisonnement radical qui refuse à la poésie
d'art le droit de se nourrir des traditions populaires, et
qui soutient que la poésie de nature a seulement pu naître
spontanément dans l'inconscient de l'âme du peuple, et
encore, dans un passé très reculé ; qu'elle représente la
totalité des mythes nationaux ; que ce qui en subsiste
dans les épopées ne présente que des aspects fragmentaires
et corrompus ; que la *Kunstpoesie* n'est qu'une « prépa-
ration [eine Zubereitung], la *Naturpoesie*, par contre, une
création « qui se fait spontanément elle-même » [ein
Sichvonselbstmachen] (1). Contre Arnim, Jacob Grimm
défend ses propres vues en ces termes inflexibles : « La
poésie est ce qui de l'esprit rentre avec pureté dans la
parole... La poésie populaire sort de la totalité [du peuple] ;
ce que je veux dire par poésie d'art sort de l'esprit de
l'individu... C'est pourquoi la poésie moderne donne les
noms de ses poètes : la poésie ancienne ne peut pas nommer
les siens : elle n'est nullement ni le produit d'un seul, ni
celui de deux, ni de trois [auteurs], mais la somme [des
mythes populaires dans leur] totalité... Il me paraît
inconcevable », ajoute Grimm, « qu'il y ait jamais eu un
Homère ou un auteur des *Nibelungen*. L'histoire prouve
cette distinction, par exemple, par le fait que, malgré
tous... ses efforts, aucune nation civilisée n'est capable de
produire une épopée, ou n'en a jamais produit une » (2).
Pour Jacob Grimm, l'ancienne poésie épique, « qui est
identique à l'histoire mythique et légendaire », représente
quelque chose de « plus pur et de meilleur que notre poésie

---

(1) *Achim von Arnim und Jacob und Wilhelm Grimm*, hrsg. Reinhold Steig,
Stuttgart, 1904, p. 117-118. Cité d'après le manuscrit inédit de M. René
WELLEK : *History of Modern Criticism*.
(2) *Ibid.*, p. 116. Cité d'après le manuscrit de M. WELLEK.

spirituelle, c'est-à-dire consciente [*wissende*, savante], raffinée et complexe » (1). La *Naturpoesie* appartient définitivement au passé, tout comme l'enfance de l'humanité ; elle ne pourrait jamais sortir de « l'atelier ou des réflexions de poètes individuels » (2).

Il est évident que Heine, dans l'intérêt de son art même, recule devant une position aussi extrême. Et pourtant, dans ses ouvrages critiques, on en retrouve de vagues échos. Prenant comme exemple une « chanson populaire » du *Cor enchanté*, « Zu Strassburg auf der Schanz' » (qui est précisément un faux !) (3), Heine explique que « les poëtes artistes s'efforcent d'imiter ces productions de nature, à peu près comme on fait des minéraux factices ; mais, quand ils ont composé les parties intégrantes au moyen de procédés chimiques, la chose principale leur échappe encore, ils ne peuvent remplacer l'énergie sympathique de cette œuvre. Dans ces chansons », conclut Heine, « on sent les battements de cœur du peuple allemand » (4). Mais si l'on sent battre, dans la chanson populaire, le pouls du peuple, on y entend vibrer sous les rythmes antiques de la nation une vie qui, se renouvelant toujours, est essentiellement celle du présent. Car pour Heine, l'art populaire n'appartient pas exclusivement aux âges primitifs de la race : c'est dans la naïveté du bas-peuple que, pour lui, se perpétue l'enfance de l'humanité ; l'art créateur sort de l'individu, et non pas de l' « âme collective ». Si Heine parle dans sa lettre à Lumley de la légende de Faust, « telle qu'elle était sortie des profondeurs de la conscience populaire » (5), tout en restant près de certains concepts romantiques, il s'éloigne des théories de Jacob Grimm. Car pour Heine, le mythe surgit du *Volksbewusstsein*,

---

(1) *Ibid.*, p. 117-118. Cité d'après le manuscrit de M. WELLEK.
(2) *Ibid.*, p. 139. Cité d'après le manuscrit de M. WELLEK.
(3) Selon Bode, « le plus célèbre des faux ». Cf. Karl BODE, *Die Bearbeitung der Vorlagen in des Knaben Wunderhorn*, Berlin, 1909, p. 318.
(4) HEINE, *De l'Allemagne*, vol. I, p. 317-318.
(5) *Ibid.*, vol. II, p. 146.

de la *conscience* du peuple ; ce n'est donc pas une création *inconsciente* et collective qui remonte à l'ère puérile
de la nation. Qu'il n'ait d'ailleurs jamais sérieusement
cru à la naissance spontanée de mythes (qui auraient
pour ainsi dire émané de l' « âme collective »), un passage
de son livre *De l'Allemagne* l'indique clairement. Pour lui,
« l'auteur des *Nibelungen* », et les poètes des chansons
populaires sont anonymes — non pas parce que, comme
poètes individuels, ils n'auraient jamais existé — mais
parce que la nation ingrate a oublié leurs noms. « On sait
aussi peu le nom de l'auteur des *Nibelungen* que le nom
de l'auteur des chants populaires... Les hommes n'oublient
que trop facilement les noms de leurs bienfaiteurs... leur
épaisse mémoire ne conserve que les noms de leurs oppres-
seurs, de leurs cruels héros de guerres (1). »

Qui sont donc les auteurs de ces ouvrages anonymes ?
Les chants populaires, explique Heine, sont d'ordinaire des
improvisations composées par « un peuple errant, des
vagabonds, des soldats, des écoliers ambulants ou des
compagnons ouvriers ». Transmis verbalement, ils subissent
d'innombrables transformations, avant de passer de la
tradition orale à une forme figée et littéraire. Ce procédé
de la création populaire passe de génération à génération ;
il est aussi vivant de notre temps qu'il l'était dans les
époques les plus reculées (2). Une telle conception de la
poésie populaire se rapproche de la critique d'Arnim ; elle
est aussi éloignée des vues de Grimm que la position bien
plus équivoque de Gœthe. Celui-ci, malgré son compte
rendu enthousiaste du *Cor enchanté*, et en dépit de ses
propres essais dans le genre populaire *(Heidenröslein)*,
affiche néanmoins une certaine condescendance pour les
modestes productions de la muse populaire. Cosmopolite
comme Gœthe, Heine ne partage cependant point les
réserves du grand courtisan de Weimar, créateur du *Bil-*

(1) HEINE, *De l'Allemagne*, vol. I, p. 325.
(2) *Ibid.*, p. 322.

dungsideal. « On parle si souvent de chants populaires
[*Volkslieder*] », écrit en effet Gœthe, non sans mêler au ton
de sa critique une nuance de supériorité, « et on ne sait
jamais très clairement ce qu'on doit comprendre par là.
En général, on se représente alors un poème qui aurait
surgi d'une masse sinon grossière, au moins inculte. Car,
le talent faisant partie intégrante de la nature humaine,
il peut se manifester partout, même sur le plan le plus bas
de la culture » (1). Pour écarter tout malentendu, Gœthe
suggère qu'on substitue au terme équivoque de *Volkslieder*
(chants populaires), celui de *Lieder des Volkes* (chants du
peuple). « C'est-à-dire les chants qui, étant particuliers à
chaque nation quelle qu'elle soit, la caractérisent, représentant avec justesse, sinon dans sa totalité le caractère
de la nation, au moins quelques-uns de ses traits principaux et saillants (2). »

Envisagé avec une pareille sobriété, le concept de la
poésie populaire perd évidemment en profondeur mystique.
Mais il gagne en clarté et en ampleur par la dimension de la
psychologie nationale que Gœthe, sans la découvrir, met
avec tant de netteté en relief. La poésie populaire se présente ainsi comme la physionomie permanente de la
nation (3). Elle devient une sorte d'arrière-plan sur lequel
se projette la poésie d'art et tout le développement de la
langue. Aussi Heine n'hésite-t-il point à s'approprier ce
concept, qui permet au poète de puiser librement au fonds
précieux du passé. Pour lui, ce n'est qu'en étudiant les
rythmes des chants populaires que le poète moderne trouvera les mètres qui s'adaptent le mieux à la musique intérieure de la langue allemande. Les recueils des vieux contes

(1) *Gœthes Sämmtliche Werke*, hrsg. Goedeke, J. G. Cottasche Buchhandlung,
Stuttgart, 1872, vol. XIII, p. 748. Compte rendu des *Spanische Romanzen*,
trad. Beauregard PANDIN, 1823.

(2) *Ibid., loc. cit.*

(3) Dans son sens primitif, comme dans le sens que lui prêtent GOETHE
et HEINE, la « poésie populaire » correspond ainsi à une expression artistique
de ce que C. G. JUNG, de nos jours, appellera le « subconscient collectif ».

et poèmes populaires sont les sources quelque peu polluées
où l'on peut puiser ce qui survit des anciens mythes sous
une forme plus ou moins corrompue. Incapable de créer
de la poésie « naturelle », qui, par définition serait l'œuvre
inconsciente d'une collectivité nationale, le poète peut
néanmoins pasticher les traditions populaires. Car le droit
au pastiche est celui du créateur qui élargit, transforme
et enrichit le genre, en lui prêtant une nouvelle fraîcheur.
Ainsi les rythmes, les mélodies, et même souvent les thèmes,
se présenteront au lecteur avec un air de familiarité, mais
le fond sera une révélation de la nature et des anciens
mythes, telle que seule la sensibilité du génie individuel
pourra, avec originalité, la projeter au dehors. De cette
manière, la tradition orale s'intègre dans la littérature
écrite, et la poésie d'art peut donner naissance au *lied*
romantique. Ce qui se présente à première vue comme une
confusion de termes, se révèle cependant comme une
synthèse ingénieuse et utile, un paradoxe qui, tout en
conservant les termes de *Volks-* et *Kunstpoesie*, efface les
limites les séparant. Désormais, un poète comme Heine
se sentira libre de mêler dans ses chants les deux genres.
Des anciens chants populaires, il tirera ses formes nouvelles,
mais sans imiter pour cela « les rudesses et les lourdeurs
de l'ancienne langue » [1]. Il félicitera Uhland, Eichendorff,
Kerner, Schwab [2] et Rückert [3] d'avoir admirablement
réussi dans l'imitation des rythmes populaires. Dans le
cas de Müller (qu'il prétend considérer à cette époque
comme son maître) les louanges de Heine iront bien plus
loin : il salue en lui un poète moderne qui sait créer de vrais
chants populaires : « Combien vos *lieder* sont clairs, purs !
et tous sont des chants populaires [4] ! »

---

(1) *Correspondance inédite*, 1re série, p. 297. Lettre à Wilhelm Müller,
datée de Hambourg, le 7 juin 1826.
(2) HEINE, *De l'Allemagne*, vol. I, p. 372 sqq.
(3) *Correspondance inédite*, 1re série, p. 297. Même lettre à Müller.
(4) *Ibid.*, p. 296. Même lettre à Müller.

Cependant, malgré son cosmopolitisme et ses vues éclectiques, et en dépit de tout ce qui le sépare de Jacob Grimm, Heine partage la manie de celui-ci qui consiste à ramener fortuitement les grands mythes à des sources teutoniques. Les anciennes fables populaires, qui traitent de l'empereur Octavien, de sainte Geneviève, et de Fortunatus, sont pour lui de « vieilles légendes... que le peuple allemand conserve toujours précieusement », et que Heine lui-même préfère « dans leur vieille forme simple et naïve » à toutes les splendeurs du raffinement dont les revêtent les poètes romantiques, tel Louis Tieck (1).

Amateur très superficiel des antiquités littéraires, des *curiosa* et des vieux livres populaires (qui, étant à la mode, paraissent au début du xixe siècle en maintes éditions à bon marché), il arrive parfois à Heine de faire une découverte importante. C'est ainsi qu'il est probablement le premier à constater l'influence de la *Sacuntala* de Kâlidâsa sur Gœthe. Il entrevoit en effet clairement les rapports entre le *Vorspiel auf dem Theater*, le *Prolog im Himmel* du *Faust* et ce drame hindou, qui parut en 1791 dans la traduction allemande de Forster (2). Mais les recherches de Heine restent sporadiques, et ne sont pas toujours couronnées d'un même succès. Beaucoup moins des recherches proprement dites que des spéculations hardies et primesautières, elles jettent Heine le plus souvent dans l'erreur. Son tempérament de journaliste et son manque de patience ne lui permettent point de pousser trop loin l'érudition. La plupart du temps, il se contente de répéter, en les amplifiant, des bribes de lectures, et les opinions d'autrui. C'est ainsi que, dans une analyse (par ailleurs très fine) du *Faust* de Gœthe, il confond le savant docteur avec Johann Fust, l'associé de Gutenberg, et l'un des inventeurs de l'imprimerie (3). Cette confusion de Fust avec Faust est

---

(1) Heine, *De l'Allemagne*, vol. I, p. 281.
(2) *Ibid.*, vol. II, p. 122.
(3) *Ibid.*, vol. I, p. 244.

assez courante à l'époque. Près de vingt ans plus tard,
Heine la corrigera discrètement (sans faire allusion à son
erreur d'antan), dans les notes et éclaircissements qu'il
enverra à Lumley, avec le manuscrit de son propre poème-
ballet *Faust* (1).

Cependant, quand Heine présente comme des faits
les hypothèses où il aboutit par des intuitions pures et
simples, il ne prétend ni à l'exactitude des détails, ni
à l'objectivité. Amuser le lecteur, l'entraîner sur sa propre
pente ironique et fantaisiste, voilà ce que se propose, comme
son but immédiat, Heine prosateur. Les principes qu'il
énonce à propos de l'histoire universelle, s'appliquent
également à sa conception de l'histoire et de la critique
littéraires. Pour lui, le poète qui se fie à son intuition,
approche davantage de la vérité historique que le savant
qui ignore si souvent jusqu'à quel point il est l'esclave
des préjugés contemporains. Sous ce rapport, Shakespeare,
par exemple :

ressemble aux historiens primitifs, qui ne faisaient aucune différence entre la poésie et l'histoire, et qui, au lieu de donner une
simple nomenclature de faits, un herbier poudreux des événements, glorifiaient la vérité par leurs chants, et dans ces chants
ne faisaient entendre que la voix de la vérité. Ce dont on parle
tant aujourd'hui sous le nom d'objectivité n'est rien qu'un sec
mensonge. Il n'est pas possible de peindre le passé sans lui prêter
la teinte de nos propres sentiments. Le prétendu historien objec-
tif, s'adressant toujours à ses contemporains, écrit involontairement dans l'esprit de son propre temps, et cet esprit du temps
se reconnaît dans ses œuvres... Cette soi-disant objectivité qui,
se faisant gloire de son manque de vie, trône sur le calvaire des
faits, doit être par cela seul rejetée comme fausse ; car la vérité
historique exige non-seulement la relation exacte du fait, mais
encore certains aperçus touchant l'impression que ce fait a produite sur les contemporains. Or, c'est là le point le plus difficile,
attendu qu'il faut pour cela plus qu'une simple connaissance
des faits ; il faut cette puissance d'intuition du poëte à qui,

(1) *Ibid.*, vol. II, p. 149-150.

comme dit Shakespeare, « la nature et le corps des temps éva-
nouis » sont devenus visibles (1).

Shakespeare, ajoute Heine, a toujours su élever la
vérité jusqu'à la poésie. Dans le *Voyage de Munich à Gênes*,
Heine affirme que les poètes faussent toujours l'histoire ;
mais ils en déchiffrent avec fidélité le sens caché, même
s'ils inventent pour l'illustrer des personnages et des circonstances. « Il y a des peuples dont l'histoire ne s'est
transmise que de cette manière poétique, comme par
exemple les Hindous. Et cependant, les chants de la
Mahabharata donnent avec beaucoup plus de justesse le
sens de l'histoire des Indes que ne le fait, avec toutes les
dates qu'il indique, n'importe quel compilateur de com-
pendium. Sous ce même rapport, j'ose maintenir que les
romans de Walter Scott, bien plus [que les ouvrages historiques de Hume] restent fidèles à l'esprit de l'histoire de
l'Angleterre (2). »

Ces textes font vaguement écho à Friedrich Schlegel
(*Über die Sprache und Weisheit der Inder*, 1808), et à certaines idées de Jacob Grimm, pour qui l'histoire légendaire
et mythique d'une nation, telle que la constitue l'ensemble
des grandes épopées populaires, représente quelque chose
de plus « pur et meilleur » que l'histoire « raccommodée »,
reconstituée à l'aide de fragments épars, par nos fins
savants (3). Il y a, toutefois, cette différence importante :
pour Heine, ce ne sont plus exclusivement les grands
mythes anonymes qui rendent compte du passé national ;
le poète et l'écrivain modernes sauront évoquer, grâce à
leurs intuitions, le climat exact des époques les plus
reculées. Au mythe populaire se joint ainsi l'œuvre du génie,
tout comme l'intuition du poète individuel se substitue à
la révélation divine. Le mystère des « correspondances »

---

(1) HEINE, *De l'Angleterre*, Introduction, p. 21-22.
(2) ELSTER, vol. III, p. 228. Omis dans le texte français.
(3) *Achim von Arnim und Jacob und Wilhelm Grimm*, éd. cit., p. 117-118.
Cité d'après le manuscrit de M. René WELLEK.

entre la réalité historique et l'esprit humain passe ainsi
du plan de l'intuition collective à celui de l'intuition individuelle. « Microcosme » et miroir du « macrocosme », le
poète saisira sans intermédiaire ces correspondances. De
son for intérieur, il tirera une vérité historique que recherchent en vain les savants positivistes, incapables d'entrevoir
comme lui derrière les choses visibles (ou les apparences),
l'essence des réalités éternelles. Provenant des frères
Schlegel, et quelque peu transformées sous la plume de
Heine, ces idées jettent un pont entre le romantisme allemand et le climat de la poésie symboliste en France.

2. Ce principe qui fait de l'intuition la source même de
la connaissance et de la vérité — d'une vérité qui, perçant
les apparences, révèle la réalité, le rationnel dans le sens
hégélien du mot — ce principe donc s'applique non seulement aux connaissances historiques, mais encore devient
le centre de l'esthétique de Heine. Dans un texte cité tour
à tour par Sainte-Beuve et Baudelaire (1), texte qui reste
d'ailleurs entièrement dans la tradition du néo-classicisme
allemand, Heine se déclare *surnaturaliste* en matière d'art.
Par là il veut dire que, loin d'imiter la nature, le poète
et l'artiste puisent en eux-mêmes les types essentiels, qui
n'existent que dans leur esprit. Formes innées, ces types
n'en correspondent pas moins à une réalité universelle
qui dépasse la nature visible :

En fait d'art, je suis surnaturaliste. Je crois que l'artiste
ne peut trouver dans la nature tous ses types, mais que les plus
remarquables lui sont révélés dans son âme, comme la symbolique innée d'idées innées, et au même instant. [Grave faute de
traduction : le texte allemand donne *gleichsam* = « comme si »,
adverbe que le traducteur confond avec *gleichzeitig* = « simultanément ».] Un moderne professeur d'esthétique, qui a écrit

_____

(1) Sainte-Beuve, *Premiers lundis*, p. 252-253. Baudelaire, *Salon de 1846*,
article sur Delacroix. Baudelaire cite tout le passage. La citation de Sainte-
Beuve s'arrête après « au même instant ».

des *Recherches sur l'Italie* (1), a voulu remettre en honneur le vieux principe de l'imitation de la nature et soutenir que l'artiste plastique devait trouver dans la nature tous ses types. Ce professeur, en étalant ainsi son principe suprême des arts plastiques, avait seulement oublié un de ces arts, l'un des plus primitifs, je veux dire l'architecture, dont on a essayé de retrouver après coup les types dans les feuillages des forêts, dans les grottes des rochers. Ces types n'étaient point dans la nature extérieure, mais bien dans l'âme humaine (2).

Ailleurs, en parlant de Shakespeare, Heine pose la question encore avec plus de netteté : le poète tend-il un miroir à la nature ? Non, répond Heine dans un raisonnement qui se ressent de l'influence de l'idéalisme allemand, mais qui montre à la fois l'affinité de la pensée romantique allemande avec celle des symbolistes français : la vision du poète, bien qu'elle ressemble aux images de la nature telle que les réfléchirait un miroir fidèle, ne constitue nullement un reflet de la nature. Elle est entièrement faite d'images innées. Du coup, on se sent transporté dans l'esthétique d'un Remy de Gourmont qui, s'en rapportant à l'autorité de Schopenhauer, proclame dans la préface du *Premier Livre des Masques* : « Autant d'hommes pensants, autant de mondes divers et peut-être différents. La seule excuse qu'un homme ait d'écrire, c'est de s'écrire lui-même, de dévoiler aux autres la sorte de monde qui se mire en son miroir individuel (3). » Car pour Heine, qui ignore évidemment l'œuvre de Schopenhauer, le poète « apporte, pour ainsi dire, le monde avec lui en venant au monde... » (4). Lorsque, sortant des rêves de l'enfance, il arrive à l'âge de raison, il saisit aussitôt dans leur ensemble, et selon sa vision

---

(1) HEINE pense sans doute à VON RUMOHR, *Italienische Forschungen*, 1827, p. 31.

(2) HEINE, *De la France*, p. 349. Dans l'*Introduction*, nous avons déjà signalé la ressemblance de cette réflexion avec certaines idées exprimées sur l'architecture dans l'*Essai sur la peinture* de DIDEROT.

(3) Cité d'après Charles CHASSÉ, *Le mouvement symboliste dans l'art du XIXe siècle*, Floury, Paris, 1947, p. 46.

(4) HEINE, *De l'Angleterre*, p. 24.

personnelle, toutes les parties du monde extérieur. L'image
exacte (si particulière qu'elle soit) qu'il en porte dans son
esprit, lui fait connaître « les raisons dernières de tous
les phénomènes qui paraissent énigmatiques à un esprit
ordinaire, et qui échappent ou ne se découvrent qu'avec
peine lorsqu'on emploie les moyens ordinaires d'investiga-
tion » (1). Réaffirmant ainsi la supériorité de l'intuition
poétique sur la méthodologie du savant, Heine s'avoue le
disciple de Gœthe, en poursuivant son argument par une
métaphore géométrique, qui anticipe certaines sinuosités
de la pensée de Valéry : « De même que le mathématicien,
quand on lui donne un fragment de cercle, peut immédiatement rétablir le cercle entier et en trouver le centre,
de même, quand le moindre fragment du monde phénoménal est présenté du dehors à l'intuition du poëte, tout
l'enchaînement universel de ce fragment se révèle aussitôt à
lui ; il connaît, pour ainsi dire, la circonférence et le centre de
toutes choses, il les conçoit dans leur plus grande compréhension et leur centre le plus profond (2). » Cette perception
d'un fragment du monde, qui a lieu par les sens, est « l'événement extérieur d'où dépendent les révélations internes
auxquelles nous devons les œuvres du poëte » (3). En
reconstituant, par un travail d'alchimiste, d'après un
fragment furtivement entrevu, l'unité de l'univers, le
poëte entreprend cette « explication orphique de la Terre »,
qui est selon Mallarmé, son seul devoir et « le jeu littéraire
par excellence » (4). Pour Heine comme pour Novalis, pour
les symbolistes français comme pour les romantiques allemands, l'âme est le miroir de l'univers, et l'univers attend,
pour s'animer, la parole du poëte. Seulement par les secrètes
correspondances qui lient l'esprit créateur du poëte au
mystère de la nature, caché sous les apparences, se révèlent

(1) *Ibid.*, p. 24-25.
(2) *Ibid.*, p. 25.
(3) *Ibid.*, *loc. cit.*
(4) Mallarmé, Autobiographie (1885), *Œuvres complètes*, éd. cit., p. 663.

les rapports existant dans le monde. On est près de ces réflexions sur Poë, qui conduisent Valéry « à donner pour royaume au poète l'analogie. Il précise l'écho mystérieux des choses et leur secrète harmonie, aussi réelle, aussi certaine qu'un rapport mathématique à tous esprits artistiques, c'est-à-dire, et comme il sied, idéalistes violents » (1).

Insensiblement, la poésie se confond avec la musique. D'où, pour Valéry, « la conception suprême d'une haute symphonie », œuvre du poète, « unissant le monde qui nous entoure, au monde qui nous hante, construite selon une rigoureuse architectonique... » (2). Déjà en 1841, Heine prévoit une telle évolution. Il est vrai qu'il répète, peut-être à son insu, certaines idées de Schelling, quand il explique d'une manière ingénieuse (mais aussi simpliste) le développement des arts, se plaçant au point de vue d'une spiritualisation progressive. Dans les premiers âges, l'architecture, déclare-t-il, fut seule dominante, n'exprimant que la grandeur matérielle. Les monuments laissés par les Égyptiens lui en semblent fournir un éloquent témoignage. Plus tard, fleurit chez les Grecs la sculpture, ce qui indique déjà une subjugation extérieure de la matière : « L'esprit cisela dans la pierre une immatérialité à demi conçue dans ses pressentiments. Mais l'esprit vint à trouver la pierre bien trop dure pour ses besoins toujours croissants de révélation morale, et il choisit la couleur, l'ombre colorée, pour représenter un monde d'amour et de souffrance, à la fois illuminé et crépusculaire (3). » C'est ainsi que Heine s'explique — suivant dans leurs spéculations Schelling et les Schlegel, mais non pas sans transformer insensiblement la tonalité de la critique romantique — la grande époque de la peinture, qui se déploya à la fin du Moyen Age. Avec le progrès de l'esprit vers la conscience de lui-même,

---

(1) Lettre à Mallarmé, du 18 avril 1891. Cité par MONDOR, *Vie de Mallarmé*, p. 607-608.

(2) *Ibid.*, *loc. cit.*

(3) HEINE, *Lutèce*, p. 186.

tel que le conçoit Heine, le talent plastique, lui semble-t-il,
disparaît chez les hommes. Même le sens de la couleur, qui
est encore lié par des contours déterminés, s'efface à la fin.
Alors, « la spiritualité perfectionnée, la pensée abstraite,
imagine des sons et des accords pour exprimer ou plutôt
pour bégayer une sublimité de sentiments, qui n'est peut-
être rien autre que la dissolution de tout le monde corporel :
la musique pourrait bien être le dernier mot de l'art, comme
la mort est le dernier mot de la vie » (1).

Mais la musique est aussi, pour Heine, le dernier mot de
la poésie, qui se dissout en chant. Dans ses *lieder*, les visions,
les sentiments et la mélodie se confondent dans un enchantement indécis. Le poète lyrique, résolvant en musique ses
conflits intérieurs (et le plus souvent imaginaires), réalise
les aspirations du jeune Mallarmé, qui voudrait se « donner
ce spectacle de la matière, ayant conscience d'être, et
cependant, s'élançant forcément dans le rêve qu'elle
sait n'être pas, chantant l'âme et toutes les divines impressions pareilles qui se sont massées en nous depuis les
premiers âges, et proclamant, devant le Rien qui est la
vérité, ces glorieux mensonges ! » (2).

Un miracle, une « révélation » chiffrée, un système de
correspondances à mi-chemin entre la pensée et le phénomène, la musique est pour Heine « comme une médiatrice
crépusculaire, [planant] entre l'esprit et la matière, appa-
rentée à tous deux, et pourtant différente de tous deux ;
elle est esprit, mais esprit qui a besoin de la mesure

(1) *Ibid., loc. cit.* Cf. un développement analogue dans une lettre de Gustave
FLAUBERT à Louise COLET, datée du 16 janvier 1852. — Qu'un seul exemple
suffise pour démontrer combien cette hiérarchie « chronologique » des arts fort
arbitraire influença la pensée « critique » de Heine : l'analogie architecturale
lui sert à expliquer la langue des *Nibelungen* : « C'est une langue de pierre, et
les vers sont des blocs rimés. Çà et là, entre les interstices, s'élèvent de belles
fleurs, rouges comme des gouttes de sang, ou s'échappe le lierre rampant, semblable à de longues lames vertes, etc. » HEINE, *De l'Allemagne*, vol. I, p. 324.
(2) MALLARMÉ, *Propos sur la poésie*, recueillis et présentés par Henri
MONDOR, Éd. du Rocher, Monaco, 1946, p. 59. Lettre datée de Tournon,
mars 1866, à Henri Cazalis.

du temps ; elle est matière, mais matière qui peut se passer
de l'espace » (1). En elle-même, elle plonge le poète dans
un songe de voyant tout près de la synesthésie : « Je suis
un enfant du dimanche », écrit Heine à Lewald, « et... je
vois les spectres que d'autres gens ne font qu'entendre,
puisque, comme vous le savez, à chaque son que la main
tire du clavier la figure correspondante s'élève aussi dans
mon esprit, bref, puisque la musique est visible à mon œil
intérieur » (2). Il ne voit cependant pas des arabesques
abstraites, mais des scènes fantasques, pittoresques et
anecdotiques, qui se déroulent devant sa vue intérieure
dans une succession vertigineuse. « En ce qui me touche »,
dit le héros (autobiographique) des *Nuits florentines*, « vous
connaissez déjà ma seconde vue musicale, ma faculté
d'apercevoir, à chaque son que j'entends, la figure corré-
lative. Il arriva donc que Paganini fit passer devant mes
yeux, avec chaque coup d'archet, des figures visibles et
des situations, qu'il me raconta en images sonores toutes
sortes de curieuses histoires, où lui-même, avec sa musique
jouait le principal personnage » (3). Les pages qui évoquent
ces « images sonores », écrites dans la manière d'Hoffmann,
comptent parmi les documents les plus curieux de la littérature fantastique. Paganini, que Heine, en 1830, avait
entendu jouer à Hambourg, y subit nombre de métamorphoses rapides, démoniaques et angéliques, pour appa-
raître dans une apothéose finale comme le symbole du
poète, qui fait résonner, dans le mouvement des planètes,
l'harmonie, le chant des sphères : « C'était l'homme-planète
autour duquel tournait l'univers avec une solennité mesurée
et des rhythmes célestes (4). »

Mais, si la musique exalte Heine, si elle stimule son
imagination vive de nerveux, il est également vrai qu'il

(1) HEINE, *De tout un peu*, p. 265-266.
(2) *Ibid.*, p. 302.
(3) HEINE, *Reisebilder*, vol. II, p. 321.
(4) *Ibid.*, p. 329.

n'y comprend pas grand-chose. Il partage le goût musical
du commun de son temps ; Rossini est pour lui le génie
incomparable, Bach le dernier des mauvais compositeurs.
Pour Heine, comme pour les symbolistes français, la vraie
musique ne se révèle que dans le silence et dans le langage.
Elle sourd autant dans les rythmes brisés de la prose poétique que dans l'harmonie subtile du vers, évoquant les
correspondances secrètes qui lient l'homme moderne à
l'enfance de l'humanité, et l'univers humain à la réalité
éternelle que cache l'univers visible.

3. « Dans la littérature comme dans les forêts des
sauvages de l'Amérique septentrionale, les fils assomment
leurs pères, dès qu'ils sont devenus vieux et débiles (1). »
Au lecteur français de 1833, Heine explique en ces termes
sa défection du romantisme, les railleries dont il accable
ses anciens maîtres, et, à leur tête, August Wilhelm Schlegel.
Il oublie que les morts prennent leur vengeance. Comme les
bois enchantés et la forêt vierge, la littérature a ses revenants, qui souvent, par une belle ironie du destin, hantent
l'œuvre du vainqueur. L'esprit que l'on croit vaincu une
fois pour toutes, peut à son tour triompher ; et le novateur,
si radical qu'il se prétend, succombe parfois malgré lui,
et insensiblement, à la tentation du passé. Le mal qu'on
attaque avec le plus de violence est le mal dont on se sent
irrémédiablement atteint. C'est ce qui arrive à Heine. A la
fin de ses jours, le poète doit avouer qu'il a passé sa vie à
combattre vainement un adversaire qu'il porte en lui-
même : « Un Français spirituel... me nomma un jour un
romantique défroqué... cette dénomination... est juste.
Malgré mes campagnes exterminatrices contre le romantisme, je restai moi-même toujours un poëte romantique,
et je l'étais à un plus haut degré que je ne m'en doutais
moi-même (2). »

---

(1) HEINE, *De l'Allemagne*, vol. I, p. 254.
(2) *Ibid.*, vol. II, p. 243.

La poésie et la critique de Heine sont, en effet, profondément marquées par le romantisme allemand, et ce n'est pas là leur moindre mérite. Si son esprit mordant s'acharne sur Schelling, Novalis, Görres, Tieck et les Schlegel, son œuvre continue néanmoins, tout en la renovant, la tradition par eux créée. Sans trop s'en douter, Heine réussit à transformer la tonalité (sinon le fond) de la pensée romantique allemande. Ses feuilletons littéraires, s'ils déforment cette pensée, ont néanmoins une importance primordiale. Dès les années 30, ils présentent au lecteur français des idées qui exerceront une grande influence sur la poésie française de la fin du siècle. C'est ainsi que Heine joue le rôle inestimable d'intermédiaire entre le romantisme allemand et le symbolisme français. En couchant dans un langage amusant, spirituel, et dépourvu de lourdeur, la critique des romantiques allemands, Heine sans doute la déflore par les excès de sa frivolité. Mais il lui prête en même temps la seule forme capable d'attirer la curiosité du public français ; public gâté, plus friand d'esprit et de clarté que d'une profondeur souvent prétentieuse et diffuse.

CHAPITRE II

L'ENFANCE, LA POÉSIE
ET LA VIE MODERNE

> Fantôme qu'à ce lieu son pur éclat
> [assigne.
> Il s'immobilise au songe froid de
> [mépris
> Que vêt parmi l'exil inutile le Cygne,
> MALLARMÉ.

1. Dante fait dire à son Diable : « Tu non pensavi ch'io loïco fossi ! » (*Inferno*, XXVII, 123.) Vers que Heine aime citer, tout en pensant sans doute à sa propre lucidité de logicien, ce côté « diabolique » en lui, qui menace à tout instant de défaire son œuvre poétique. Cependant, par un ingénieux repli sur elle-même, cette lucidité trouve toujours l'échappatoire d'une ironie pleine de pétulance, dont les caprices s'enlacent curieusement avec les arabesques que brode l'imagination du poète. Aussi ne porte-t-elle point atteinte à sa poésie, y ajoutant, au contraire, le piquant d'un persiflage, qui flagelle la sentimentalité de ses chants. Cette perspicacité narquoise veille à l'arrière-plan de sa pensée, comme un spectateur amusé, une sorte de sosie qui raille le côté trivial du poète.

Irrespectueuse, et ne s'arrêtant devant rien, elle ouvre une voie sur le passé, sur cette période naïve, où l'enfant mimait les animaux, les plantes et même les objets inanimés, leur prêtant une âme et ses propres sentiments. Car l'ironie et l'enfance ont ceci en commun, qu'elles sont mimétisme, et qu'elles n'admettent ni les valeurs figées, ni les responsabilités qu'impose tout point de vue un peu pratique. Se jouant de la réalité, elles la transforment en rêve, en fantaisie, en jeu. Aussi Heine, âgé de 27 ans, se considère-t-il « simple et sociable comme un enfant, et seulement de temps en temps fort sérieux, se riant toujours des fous de ce monde, et désireux de vider tous les jours une bouteille de champagne à la santé de ses ennemis » (1).

La boutade cache un sens plus sérieux. Pour Heine, l'enfant, vivant tout près de la nature, entend encore le secret langage de celle-ci. L'adulte prend l'habitude de ne voir en toute chose que ce qui la classe, ce qui lui est typique. Pour l'enfant, dont les sens ne sont pas encore émoussés par les conventions sociales, tous les objets ont une même apparence de mystère. Devinant partout la présence de l'énigme, il interroge et parfait à tout instant un monde qui lui paraît plein du merveilleux, et la fraîcheur de son imagination lui fait percevoir l'unicité de toute chose. Dans sa coexistence intime avec le monde extérieur, les liens d'une familiarité singulière semblent s'établir entre lui et tout ce qui l'entoure. Les enfants, nous fait observer Heine, « peuvent encore se souvenir du temps où eux-mêmes étaient arbres ou oiseaux ; ils sont donc encore en état de les comprendre » (2).

A cet entendement naïf et universel, l'enfant parvient par le jeu, pour lui la seule occupation sérieuse, qui lui permet de subir n'importe quelle métamorphose de son choix. Car, le jeu de l'enfant, profond comme son imagination, est la poésie à l'état pur. Aux objets les plus humbles, aux êtres et à la parole, le jeu confère une dimension nouvelle, celle du mystère, riche en sous-entendus. L'homme « pratique » s'en tient à une conception superficielle du monde ; les phénomènes représentent pour lui la réalité. Il ferme son intelligence à tout ce qui dépasse l'apparence matérielle des choses et le sens inhérent aux

(1) *Briefe*, vol. I, p. 157. Inscrit dans l'album de CHRISTIANI. Daté de Gœttingue, le 28 mars 1824.
(2) HEINE, *Reisebilder*, vol. I, p. 23.

mots : l'enfant et le poète subissent au contraire le charme
d'un sens caché et multiple qui s'en dégage. Panthéistes,
ils devinent le souffle universel qui, traversant la nature,
anime même les objets inanimés. Toute chose se pénètre
pour eux d'une ambiguïté tendant vers l'infini. D'innombrables questions sur les rapports subtils entre les êtres
envahissent leur esprit. Le mystère universel se reflète
pour eux dans la parole, formule incantatoire dont la
puissance évoque, au delà du sens pur, un monde invisible,
vibrant de musique. « Pour le vrai poète, [la parole] est
un événement (1). » Elle devient l'intermédiaire entre l'art
et l'indicible. La magie du verbe évocateur, et le monde
fantasque qu'elle évoque — loin de se dissoudre dans le
néant — participent alors à l'existence de l'individu, et
semblent révéler le foisonnement d'une vie intérieure à la
nature et aux œuvres de l'homme. Mais il faut que le poète,
pour percer le mystère, redevienne enfant; qu'il s'adonne
à ce même instinct du jeu, qui pousse l'enfant à l'imitation,
et, au delà de l'imitation, à l'identification de ses propres
états d'âme avec le caractère des objets qui lui sont familiers. « C'est une ruse de ma part », écrit Heine à Immermann
(et ce sont les paroles d'un homme âgé de 26 ans), « de me
conserver enfant aussi longtemps que possible, précisément
parce que, dans l'enfant, tout se réfléchit comme dans un
miroir : la virilité, la vieillesse, la divinité, et même la
scélératesse et la convenance » (2).

Pour faire survivre l'enfant en lui, Heine cultive ce
Spieltrieb, cette impulsion du jeu où Schiller voit le ressort
même de tout art : une force médiatrice entre « l'instinct
de la matière » [*Stofftrieb*] qui fait que l'artiste choisit
intuitivement et avec justesse le fond de sa création, et
« l'instinct de la forme » [*Formtrieb*], cette faculté « ration-

---

(1) *Die Bäder von Lucca*, chap. XI; ELSTER, vol. III, p. 352. Omis dans les
éditions françaises des *Reisebilder*.
(2) *Correspondance inédite*, 1re série, p. 32. Lettre datée de Berlin, le
21 janvier 1823.

nelle » qui lui fait trouver la forme appropriée au sujet.
Seule l'action conjuguée de ces trois « instincts » aboutirait,
selon Schiller, au beau idéal (1). Ces idées, développées
en 1795, dans les *Horen*, se confondent dans l'esthétique
de Heine avec certains concepts de Friedrich Schlegel,
formulés vers la même époque, mais autrement révolutionnaires. Prenant comme point de départ ce même
principe du jeu, Schlegel revendique pour l'art la nécessité
d'un « libre jeu » des « apparences », dont le pittoresque
forme pour lui le fond de toute création artistique. Mais
Friedrich Schlegel fait un énorme pas en avant : dépassant
le beau idéal de Schiller, il jette les bases d'une esthétique
de la laideur, qui ouvre à la poésie de nouvelles perspectives, donnant sur l'avenir : « Le beau est si peu le principe
de la poésie moderne, qu'un grand nombre de ses meilleurs
ouvrages sont très nettement des représentations de la
laideur. » Et de préciser : « Il faut enfin reconnaître, bien
qu'on le fasse à contre-cœur, qu'il y a une représentation
de la confusion au milieu de la suprême abondance, du
désespoir au milieu de la suprême abondance de toutes
les forces, qui exige une puissance créatrice et une sagesse
d'artiste, égales, et même supérieures, à celles dont il est
besoin pour représenter la richesse et la force à l'état d'une
parfaite harmonie (2). » Il y a, chez les romantiques allemands, une anticipation très juste de cette esthétique de
la laideur que formulera, en 1853, Karl Rosenkranz
(*Aesthetik des Hässlichen*, Königsberg, 1853).

2. L'enfance, le jeu et une intuition des âges primitifs
— monumentale, informe et inquiétante — s'associent
dans l'esprit de Heine très étroitement avec l'idée de la
poésie. L'homme primitif et l'enfant possèdent pour lui à

---

(1) SCHILLER, *Sämmtliche Werke*, Stuttgart-Tübingen, Cotta, 1847, vol. XII,
p. 59 sqq. « Ueber die aesthetische Erziehung des Menschen, Brief 14. »
(2) Friedrich SCHLEGEL, Ueber die Grenzen des Schönen, *Historische und
kritische Versuche über das klassische Alterthum*, Neustrelitz, 1797, p. 7.

un haut degré ce don du voyant que le poète, selon Rimbaud, n'atteint que « par un long, immense et raisonné *dérèglement de tous les sens* » (1). On devient poète, lorsqu'on sait rétablir ces rapports d'une secrète sympathie avec le monde extérieur, qui permettent au sauvage et à l'enfant d'entrevoir derrière toute chose le signe la dépassant. Par le plongeon dans ses propres profondeurs inconscientes, le poète s'efforcera de recouvrer un fragment de cette innocence sensuelle, qui est comme le souvenir d'un âge d'or, où la nature et les objets inanimés parlaient encore directement au cœur de l'homme, lui tendant, comme un miroir où se reflète l'Absolu, l'esprit de l'univers, le mystère sexuel de la création. « Notre vie a, dans l'enfance, une importance si infinie », observe Heine, non sans regretter sa jeunesse perdue. « A cette époque, tout nous est significatif : nous entendons tout... ; toutes nos sensations sont de proportions égales (2). » Cette acuité primitive des sens, sur laquelle on ne saura pas revenir, le poète tâchera en vain de la retrouver entièrement, fût-ce par un ébranlement systématique et réfléchi des nerfs, pour entendre ce subtil langage de signes qui se dégage de toutes choses, et que les enfants comprennent encore, précisément puisqu'ils sont des enfants. Car on demande au poète qu'il ait la révélation de « ces profonds accents de la nature [*Naturlaute*], tels qu'on les trouve dans la chanson populaire et chez les enfants » (3).

Dans une société où les mœurs policées, les contraintes et les règles menacent d'étouffer les « profonds accents de la nature », Diderot entrevoit les rapports qui s'établissent entre la poésie et les forces titaniques : « La poésie veut quelque chose d'énorme, de barbare et de sauvage (4). »

---

(1) Rimbaud, *Œuvres complètes*, Pléiade, p. 254. Lettre à Paul Demeny, datée de Charleville, le 15 mai 1871.
(2) Heine, *Reisebilder*, vol. I, p. 32.
(3) Elster, vol. III, p. 352. Omis dans les éditions françaises.
(4) Diderot, *De la poésie dramatique*, XVIII, Des Mœurs, éd. Assézat & Tourneux, vol. VII, p. 371-372.

Mais cette intuition si juste s'arrête à la surface, car Diderot ne descend point dans les profondeurs de l'inconscient humain, où sourdent les voix des « aïeuls ».

Pour Heine, l'enfant est l'héritier de la barbarie originelle. Le jeu de l'enfant est comme la danse de cette jeune fille née dans la tombe, qui, se penchant sur la terre, entend la voix ancestrale que son corps frêle traduit en des rythmes frénétiques. L'expérience mystérieuse de la danseuse se reflète dans ses mots : « Oui, quand je dansais, j'étais soudainement saisie d'un étrange souvenir. Je m'oubliais moi-même, je m'imaginais être une tout autre personne, et comme elle tourmentée par les peines et par les secrets de cette même personne (1). » Quoique frivole et très superficiel, ce mythe inventé par Heine se rapproche vaguement de l'atmosphère d'*Igitur* (2). Mais contrairement à Igitur, le personnage de Heine n'hésite point à accomplir le devoir que lui impose la voix des ancêtres. Pour Heine, l'enfant, cet inventeur de mondes, le seul être capable de commettre avec innocence tous les crimes, et, par les effets de son imagination, le héros et le grand criminel innocent par excellence, accueille dans son âme toutes les angoisses de l'humanité primitive, tous les monstres et tous les tueurs de monstres de la fable antique et du conte populaire. Une même impulsion pousse le poète à chercher les symboles de son humour noir dans l'ambiance cruelle et riante des anciennes légendes sur les nixes, les sorcières et les Olympiens transformés en démons par le christianisme triomphant. L'adolescent qui se propose de réinventer l'amour, et le poète qui veut éprouver toutes les ivresses de l'érotisme, tous les frissons de la sensation surexcitée, parviennent tous les deux, par le jeu, à l'inconnu, à la grande maladie, à la connaissance d'une luxure qui est identique au désir inassouvi d'infliger et

---

(1) HEINE, *Reisebilder*, vol. II, p. 370.
(2) Cf. MALLARMÉ, Igitur, *Œuvres complètes*, Pléiade, p. 423 sqq.

de subir des souffrances. Mais leur puissance ne réside que
dans l'imagination : il leur manque la vitalité de ce faune
qui veut et qui peut perpétuer les nymphes. Ainsi leur
savante recherche d'excitations à la fois vierges et vicieuses
n'aboutit qu'à la hantise d'un pâle reflet, leur faisant
découvrir une poésie du malheur, qui est celle de la nature
animée par un rêve sensuel et idéal, dont les visions participent cependant du cauchemar de la stérilité. De cet
idéal cruel et aveuglant, Heine se détourne, d'ordinaire,
en se réfugiant dans la boutade, dont la brutalité prosaïque
dissipe l'enchantement. Mais sa raillerie, si souvent vulgaire, cache au fond le même désespoir aristocratique qui
saisit le jeune Mallarmé, dans ses tentatives paradoxales
de fuir l'appel de l'azur, de l'idéal inaccessible que pourtant
toute sa nature lui commande d'atteindre, et contre l'empire duquel il invoque « les brouillards » des instincts.
L'intelligence supérieure de Mallarmé entrevoit le péril
d'une partie qui, jouée jusqu'au bout, finirait par immoler
l'individu à la somme de ses ancêtres, à l'atavisme de « la
race ». Le poing fermé du personnage de Mallarmé ne
s'ouvrira jamais pour jeter ce coup de dés que le poète
seul pourra réussir, et d'où sortira le nombre parfait, la
« constellation » idéale du « sept », le règne de l'Absolu
abolissant le hasard. Le poète hésite, et son hésitation
représente un échec voulu, le naufrage perpétuant l'incertain. C'est ainsi qu'il espère reculer la réalisation d'un
« amour universel », dont l'éruption violente ne pourra
aboutir qu'à ces orgies de sang, comme les connaîtront
au xxe siècle la Russie, l'Allemagne, l'Italie et l'Espagne :
le seul amour dont, sur un plan universel, les hommes
soient capables, et qui, voulant tout embrasser, détruit
tout ce qui s'oppose à ses étreintes titaniques. Cette véritable avalanche de l'amour absolu, une fois lâchée, mena-
cera d'étouffer le hasard. Mais le hasard est cher à Mallarmé,
puisque ses possibilités innombrables constituent le réservoir même de la liberté : d'une liberté tout aristocratique,

celle de l'esprit, celle d'une élite intellectuelle. Contre l'avenir terrible, le poème de Mallarmé projette un geste d'abnégation et d'isolement. Geste silencieux, d'une élégance froide et distante, et d'une stérilité volontaire, qui, perpétuant l'essence du moment présent, exprime discrètement l'exil du poète parmi le bétail des philistins. Le poing fermé, figurant la boîte de Pandore, et le refus du poète de l'ouvrir — ce geste unique d'une suspension entre « l'azur » et « les brouillards » se prolonge comme un pur accord, hésitant dans l'air, avant de sombrer dans ces « somptuosités du Néant » qui l'avaient engendré.

3. De cette poésie ésotérique qui éternise le sens universel d'un geste, d'un souffle presque imperceptible, d'une nuance se perdant dans le vague, rien ne semble plus éloigné que la plasticité des images, le bruit tapageur des passions et des plaintes, et les couleurs éclatantes qui dominent l'œuvre de Heine. Et pourtant, une même appréhension de l'atavisme, un semblable désir de l'exil, une pareille hésitation sur le seuil de l'amour, une même prédilection pour l'atmosphère crépusculaire, une même fuite futile devant l'idéal, et une même préoccupation d'élégance imprègnent les vers et la prose de Heine. Ses pressentiments très justes des circonstances qui accompagneront une victoire des communistes (1), et les pages qu'il consacre à la révolution allemande qu'annoncent pour lui l'idéalisme fichtéen et la *Naturphilosophie* de Schelling (2), témoignent d'une remarquable lucidité prophétique. Mais il manque à Heine la conviction d'un Mallarmé, et même la confiance d'un Hugo qui, prophète, croit en ses propres prophéties. L'enfant en Heine ne saura guère résister à la tentation du coup de dés, car il ne la prend pas au sérieux. C'est là le reproche qu'il faut faire à l'homme. Subissant l'attrait

---

(1) HEINE, *Lutèce*, p. xi sqq., p. 3, p. 155-156, p. 209, p. 222-223, p. 258, p. 259 sqq., p. 271 sqq., p. 281, p. 366 sqq.
(2) HEINE, *De l'Allemagne*, vol. I, p. 180-184.

du danger, Heine éprouve le frisson d'évoquer cette
mystique sociale et ces mythes nationaux d'où pourront
sortir la barbarie et le fanatisme futurs. Mais comme il
s'en joue, il sent en même temps que son geste ne sera pas
irréparable. Sa main, à peine entrouverte (espère-t-il)
saura brouiller le jeu, laissant ainsi intacts le hasard, la
liberté. Même si Heine croit à l'avènement inévitable
d'un cataclysme universel, l'artiste en lui affirme sa liberté
par l'acte gratuit du caprice, dont les arabesques défient
avec effronterie une nécessité historique que le vague hégélien n'ose pourtant pas renier. Car son sens de la justice,
fort développé, ne lui fait jamais oublier les intérêts de la
poésie. Conscient du péril dont la fureur iconoclaste des
révolutionnaires, et leur haine de l'inutile, menacent toute
libre création de l'esprit humain, Heine se maintient à la
périphérie du maelstrom politique. Attiré par le mouvement
révolutionnaire, il s'en écarte cependant, cherchant cet
isolement volontaire, indispensable à la naissance de l'œuvre
d'art. Plus d'un présage l'avertit que la révolution, visant
l'Absolu, finira par abolir le hasard, cette liberté du génie
créateur, qui sait tirer de son imagination les innombrables
formes de la beauté « inutile ». Si Heine évoque les spectres
des traditions populaires, s'il voit dans les dieux dégradés
par l'exil un symbole attendrissant de son propre isolement,
toujours, par un repli inattendu, il se moque aussitôt de
son émotion, et de tout ce monde mythologique qui, pour
un instant trompeur, semblait faire l'objet de sa vénération.
Son amour et son admiration se terminent brusquement
par un geste de mépris et de raillerie, par un coup de pied
irrévérencieux.

4. Le désir d'annuler le coup de dés maléfique, jeté
dans un moment d'irréflexion, se manifeste dans la forme
même des *lieder* de Heine. La plupart de ses poésies de
jeunesse, en apparence si proches du chant populaire,
débordent dans un genre bien plus complexe. « Dans mes

poésies... » avoue Heine à Wilhelm Müller, « c'est la forme
seule qui est populaire ; le contenu appartient au monde
de convention » (1). Mais cette déclaration simplifie par
trop la question. Si ses rythmes relèvent souvent du
Volkslied allemand, les autres éléments de sa manière lui
viennent surtout des littératures romanes. A son lyrisme
et à l'euphonie mélodieuse, Heine mêle toujours la « pointe
assassine », la satire, l'épigramme et la raillerie. L'ensemble
de ces ingrédients, à en croire Vossler, constitue cette
« duplicité du lyrisme s'alliant à la polémique », qui caractérise la poésie des nations romanes, et, en particulier, le
sonnet, la ballade, le huitain, la *canzone* et le madrigal (2).
« Faire des chansons », nous rappelle Vossler, dans les
pays de langues romanes, signifie presque toujours « chan-
sonner quelqu'un », ou plus clairement, « faire des chansons
contre quelqu'un » (3). Cette définition s'applique certainement aux *Zeitgedichte*, à l'*Atta Troll*, au *Wintermärchen*,
au *Romanzero* et au *Livre de Lazare*. Mais il en est de même
pour la poésie érotique de Heine. Sa sensiblerie de névrosé
aboutit toujours à la satire, au tour épigrammatique, à
la pointe cinglante, à une sorte de coup de fouet, qui met
à nu la perfidie, la bêtise, la cruauté et la bestialité de la
femme insouciante. Ainsi ses chants d'amour, comme le
remarque déjà Émile Faguet (4), sont au fond des chants
de haine et de mépris. Débutant sur un ton courtois, ils se
terminent le plus souvent, comme ne le remarque point
Émile Faguet, dans une frénésie misogyne. Cette allure
antithétique, élément de surprise tenant vaguement du
concetto, prête à l'*Intermezzo* et au *Retour*, une saveur
antiféministe, qui rapproche ces recueils de *lieder* curieusement d'une poésie sociale et polémique, dont l'ori-

---

(1) *Correspondance inédite*, 1ʳᵉ série, p. 296. Lettre datée de Hambourg,
le 7 juin 1826.
(2) K. Vossler, *op. cit.*, p. 193.
(3) *Ibid.*, p. 194.
(4) Émile Faguet, *Propos littéraires*, 1ʳᵉ série, Paris, s. d., p. 163.

gine remonte, selon Vossler, à des sources romanes (1).

Le contenu même des poésies de Heine exprime l'ennui et les sensations complexes du dandy, pour qui la nature n'est qu'un réservoir de symboles, de métaphores et d'analogies. En effet, de tous les romantiques allemands, Heine est celui qui, malgré les apparences (et quoi qu'il en dise lui-même) possède peut-être le moins le sentiment de la nature. Dans ses poèmes, la flore évoque une ambiance de serre, d'intérieur, ou de jardin public dans le goût anglais. Les mêmes fleurs reviennent toujours, dans un sens tout symbolique. Quelques coquelicots représentent l'existence fragile et passagère de la beauté ; au clair de lune, le blanc nénuphar se berce sur les flots noirs dans l'atmosphère d'un érotisme stérile ; les roses d'une blancheur cadavéreuse, couvertes de crêpes noirs, figurent la mort prématurée de toute beauté dans un monde où, comme l'exprime Mallarmé « ... tout est présage et mauvais rêve » (2) ; la rose jaune symbolise une rage impuissante aux prises avec l'amour. Une dizaine de fois, le thème persan du rossignol amoureux de la rose (revenant chez Oscar Wilde dans un climat tout proche de celui qui domine les chants de Heine) figure l'amour irréalisable ; et la passiflore le martyre d'un amour où le sang et le goût de la cendre se mêlent aux délices de la destruction. Les images sont banales ; mais un sens multiple et tragique se dégage de leur enchâssement dans un contexte mélodieux, brisé, comme chez Byron, par les éclats soudains d'un rire de désespoir.

Comme Baudelaire et Mallarmé, Heine sent l'attrait irrésistible de la mer, invitation à une fuite jamais réalisée, et au vertige infini de tous les sens. Comme Baudelaire et Mallarmé, Heine admire le soir saignant dans la rougeur dorée des couchers de soleil. Mais aussi, les sensations qu'il

---

(1) K. Vossler, *loc. cit.*
(2) Mallarmé, Hérodiade, Ouverture..., *Œuvres complètes*, éd. cit., p. 43.

éprouve devant ces spectacles grandioses sont, comme
celles de Baudelaire et du jeune Mallarmé, les sensations
d'un citadin, qui, mal à l'aise dans la nature, se réfugie
dans l'ironie, dans le climat social du tour d'esprit. C'est
ainsi qu'un Mallarmé, âgé à peine de 20 ans, imitant (mais
avec infiniment plus de grâce) la manière de Banville,
raille « Phébus à la perruque rousse ». Montrant d'abord
un soleil puissant et vigoureux dans sa splendeur estivale,
« bretteur aux fières tournures », il se moque ensuite irré-
vérencieusement du dieu dégradé, transformé dans le froid
ciel d'hiver en un « Guritan chauve »

> Qui, dans son ciel froid verrouillé,
> Le long de sa culotte mauve
> Laisse battre un rayon rouillé.
>
> Son aiguillette, sans bouffette,
> Triste, pend aux sapins givrés,
> Et la neige qui tombe est faite
> De tous ses cartels déchirés (1).

Au ton enthousiaste, à l'exaltation, succède brusquement le persiflage qui, précipitant le style dans la vulgarité,
montre par un revirement inattendu de la pensée, le côté
ridicule de la grandeur. Ce procédé d'un humour tragique,
qui mêle le trivial au grandiose, se trouvait déjà dans le
premier lyrisme de Heine, et, plus particulièrement au
cycle de *La mer du Nord*. Ce même mélange de tendresse,
d'admiration, de mépris et d'un irrespect pétulent devant
les spectacles de la nature imprègne tous les poèmes de ce
recueil. Ainsi, dans une caricature mythologique (qui rappelle Daumier), Heine nous fait assister à une scène de
ménage entre le soleil (littéralement) couchant et Poseidon :
cocotte et allumeuse de l'univers, le soleil [*die Sonne*,
féminin en allemand] se montre frigide envers le vieux dieu

---

(1) MALLARMÉ, Soleil d'hiver, *Œuvres complètes*, éd. cit., p. 21.

de la mer, auquel le lie un mariage de convenance, et qui
le gronde en ces termes :

> Runde Metze des Weltalls !
> Strahlenbuhlende !
> Den ganzen Tag glühst du für andre,
> Und nachts, für mich, bist du frostig und müde (1).

Le portrait de Poseidon, par lequel se termine le poème
de Heine, montrant le dieu sénile en bonnet de nuit, souligne la misère burlesque de la grandeur dégradée ; on ne
saura guère se méprendre sur l'affinité qui existe entre le
ton de cette poésie et « Soleil d'hiver » :

> Er trug eine Jacke von gelbem Flanell,
> Und eine lilienweisse Schlafmütz',
> Und ein abgewelktes Gesicht (2).

Déjà chez Bürger, on trouve de ces dieux embourgeoisés ;
mais qui, en France, lisait Bürger, dont on connaissait à
peine *Lenore* ?

Une nature peuplée de dieux en exil, de dieux en pan-
toufles, de dieux se vautrant dans les ridicules d'une
existence bourgeoise ; une nature fourmillant d'existences
clandestines mais toutes mondaines ; une nature où même
le faune, perdu dans l'enchantement d'un rêve, n'arrive
pas toujours à s'acquitter honorablement de son métier
de satyre : voilà la nature telle que la voient Heine, et
parfois, le jeune Mallarmé, profondément impressionné
par Banville, Cazalis et des Essarts. Chez Heine, ces transpositions du « spleen » et d'une sensibilité citadine se manifestent presque toujours avec une grossièreté qui se passe
de tout déguisement. Chez Mallarmé, au contraire, elles

---

(1) *Untergang der Sonne*, Elster, vol. I, p. 184 : « Ronde putain de l'univers !
Radieuse et en rut ! Toute la journée tu brûles pour autrui, et la nuit, pour
moi, tu es glaciale et fatiguée. »
(2) *Ibid.* : « Il porta une jaquette de flanelle jaune, et un bonnet de nuit
blanc comme les lis, et une figure fanée. »

se volatilisent, devenant de pures évocations éphémères, jusqu'à ce qu'il n'en reste qu'une pose figée, qu'un émail, qu'une miniature délicatement peinte sur une tasse de Sèvres ; ou bien le reflet, sur une vitre, d'un vieux dieu mendiant, « grelottant sous [ses] toiles d'emballage » (1). Chez les deux poètes, c'est en somme une nature trempée dans un climat métropolitain, dans la satire sociale, dans l'esprit des salons, dans la misère angoissante des quartiers pauvres, et, enfin, dans une sensualité d'alcôve. Wolff reconnaît en Heine « le romantique de la grande ville » (2). S'il ne pousse pas plus loin son analyse, il devine quand même que l'imagination de Heine s'alimente au tourbillon de la grande ville, qu'il lui faut un décor toujours changeant, l'éclat des salons et des théâtres, une société aux mœurs raffinées et précieuses. C'est, en effet, Heine qui introduit dans la poésie ce lyrisme de la métropole ; climat poétique qui deviendra, après lui, celui de Banville, et surtout de Baudelaire et de Mallarmé. Quand Heine quitte la ville, il transporte avec lui, tout comme Mallarmé, le bagage spirituel du citadin.

Une atmosphère de boudoir, de bohème galante et de mondanité se mêle plus ouvertement que chez les romantiques à la fraîcheur des images que Heine aussi bien que Mallarmé empruntent à la nature. On a l'impression qu'ils fréquentent les forêts, les champs, les rivières et la mer, un peu comme on hante les mauvais lieux, les cabarets, les vaudevilles et les salles de spectacle. Une étrange inquiétude se dégage du lyrisme de Heine ; car Heine est loin de puiser dans la nature ce calme idyllique dont le charme se répand dans les vers d'un Eichendorff, d'un Mörike ou d'un Lenau. Partout où il y a dans l'œuvre de Heine contemplation de la nature, on entend siffler le fouet du satiriste ; l'esprit moqueur et le sourire du dandy versent comme un étrange

---

(1) MALLARMÉ, éd. cit., p. 40, *Aumône* ; cf. *Placet futile, ibid.*, p. 30, et *Las de l'amer repos...*, *ibid.*, p. 35-36.
(2) Max J. WOLFF, *Heinrich Heine*, Beck, München, 1922, p. 312.

trouble sur l'enchantement naïf. Une lumière artificielle
envahit la scène ; les plantes, les ruisseaux, la mer et la
montagne, trop fardés, se révèlent soudainement comme
les décors d'un théâtre où l'on joue la tragi-comédie complexe et bouffonne de l'homme moderne. Tout devient
accessoire et symbole dans un rêve pour ainsi dire public,
qui, représentant un drame intime, transplante les éléments
de la nature dans l'intérieur d'un théâtre, où, derrière les
coulisses, ils se mêlent aux meubles familiers du salon, et
même aux services de porcelaine. Bien que les couleurs et
les émotions soient chez Heine encore criardes, cette transplantation de la nature dans une atmosphère d'intimité
annonce déjà vaguement les teintes pâles d'une nature se
réduisant chez Mallarmé à un langage furtif et silencieux
de signes. Ce qui chez Heine se joue encore grossièrement
sur la scène, se reflète chez Mallarmé avec subtilité dans la
surface des accessoires ; dans le bric-à-brac d'un salon
fin-de-siècle, dans ce coup d'aile d'un éventail qui révèle
furtivement un sourire féminin pour l'enfouir aussitôt
derrière les plis de ses pastels rococo.

5. Les éléments de la nature peuvent devenir l'artifice
d'un décor de théâtre, ou même se figer en reflets sur
d'humbles accessoires. Le théâtre, cependant, même « natu-
raliste », ne devra jamais aboutir à l'imitation grossière de
la nature. Ni Heine, ni Mallarmé ne condamnent un théâtre
à tendances sociales, puisque, loin de copier la nature ou la
société, les pièces de ce genre transposent la réalité en
gestes, en poses, en rites, en un langage musical de signes
et de rythmes : laissant intacte cette atmosphère de cérémonie qui plane sur la salle de spectacle. Mais Heine et
Mallarmé condamnent le spectateur vulgaire, pour qui le
théâtre n'est qu'un prolongement de la vie quotidienne,
et qui, ne le fréquentant que pour se délasser, échappe par
la tournure prosaïque de son esprit aux somptuosités
solennelles de la scène, de ce « foyer évident des plaisirs

pris en commun » (1). Mallarmé se sent gêné par « ... les
Messieurs et les Dames issus à leur façon pour assister,
en l'absence de tout fonctionnement de majesté et d'extase
selon leur unanime désir précis, à une pièce de théâtre :
il leur fallait s'amuser nonobstant... » (2). Son ironie les
flagelle, eux qui sont « conscients d'être là pour regarder,
sinon le prodige de Soi ou la Fête ! du moins eux-mêmes
ainsi qu'ils se connaissent dans la rue ou à la maison... » (3).
Pour Mallarmé, un esprit presque byzantin de fête se
dégage d'une salle de spectacle ; la scène est pour lui « notre
seule magnificence... à qui le concours d'arts divers scellés
par la poésie attribue selon [lui] quelque caractère religieux
ou officiel », un « assemblage miraculeux de tout ce qu'il
faut pour façonner la divinité... » (4). Pour Heine aussi,
« le théâtre est un autre monde, qui est séparé du nôtre
comme la scène l'est du parterre » (5). Sur la scène soumise
à un art « emblématique » par excellence (la danse de Loïe
Fuller), Mallarmé se prononce en ces termes : « Le décor
gît, latent dans l'orchestre, trésor des imaginations ; pour
en sortir, par éclat, selon la vue que dispense la repré-
sentante çà et là de l'idée à la rampe (6). »

Moins subtil, aussi moins profond que Mallarmé, Heine
perçoit pourtant finement que le théâtre est une féerie à
laquelle contribuent les éléments de plusieurs arts. Contrairement à ce que fera le symboliste français, Heine se déclare
l'ennemi de Wagner (qui a d'ailleurs puisé dans l'œuvre de
Heine le sujet du *Vaisseau fantôme*). Que Heine se doute
cependant qu'un art « total » pourrait surgir du théâtre, un
texte comme le suivant semble l'indiquer : « Entre le théâtre
et la réalité, sont interposés l'orchestre, la musique et la ligne
de feu de la rampe. La réalité, après avoir traversé l'empire

---

(1) MALLARMÉ, éd. cit., *Crayonné au théâtre*, p. 314.
(2) *Ibid.*, *loc. cit.*
(3) *Ibid.*, p. 315.
(4) *Ibid.*, p. 313-314.
(5) HEINE, *De la France*, p. 294.
(6) MALLARMÉ, *op. cit.*, p. 308.

des sons et les lumières de la rampe, se montre à nous, sur
le théâtre, épurée et harmonieuse. Les sons des instruments
vibrent encore en elle comme un écho mourant, et les reflets
des rampes l'illuminent d'un jour féerique (1). » L'ensemble
des effets produit à lui seul une atmosphère poétique qui se
confond avec la poésie du dialogue, et avec cette musique
du silence qui brise, par ses pauses, les tirades des acteurs.
Dans le débit de l'acteur, tantôt saccadé, tantôt d'un
souffle prolongé par les enjambements, résonne le rythme
solennel d'une « déclamation autre que le ton de la conver-
sation » (2). Mallarmé exige du spectacle qu'il nous transporte au delà de la réalité et de ses préoccupations gros-
sières, dans un rêve où tout ce qui est matière se résout
spontanément pour devenir musique et geste pur : en un
mot, pour se transposer en poésie. Le théâtre, et surtout
la tragédie, selon lui, devraient nous rendre sensibles aux
possibilités qui existent pour l'esprit en fête de revêtir
une forme corporelle. La tragédie, représentant l'attitude
suprême de l'homme, celle de « ne parler jamais qu'après
décision », nous donne la conscience que nous pouvons
saisir en nous-mêmes « l'impersonnabilité des grandes
occasions » (3). Ou comme le dit Heine, qui s'emporte avec
vivacité contre un public trop terre-à-terre, et, pour cela,
incapable de laisser derrière lui, sur le seuil du théâtre, ses
petites angoisses bourgeoises, ou même de dégager du
spectacle autre chose que certains motifs sentimentaux :
« Ce sont des accords magiques » (il parle de la musique et
des lumières se mêlant harmonieusement aux rythmes du
dialogue et des gestes), « ce sont des accords magiques, des
lumières magiques, qui semblent contre nature à des spec-
tateurs prosaïques et qui sont pourtant bien plus naturels
que la nature ordinaire ; car c'est la nature élevée par l'art
au degré le plus sublime de sa divinité » (4).

---

(1) HEINE, *De la France*, p. 294.
(2) *Ibid.*, p. 293.
(3) MALLARMÉ, *op. cit.*, p. 320.
(4) HEINE, *De la France*, p. 294.

6. Si, pour la première génération des romantiques français, le théâtre fut un champ de bataille, pour Heine comme pour Mallarmé, c'est un temple où, dans le recueillement, l'âme évoque le sortilège social et se confond avec cette évocation solennelle. Cette haute conception du théâtre comme une *ecclesia laica* où, au milieu de magnificences presque byzantines, le public se livre aux rites d'une cérémonie de communion en même temps religieuse et mondaine, accuse tant chez Heine que chez Mallarmé une grande dépendance à l'égard de l'atmosphère sociable de la métropole. Il leur faut le stimulant d'une préciosité telle qu'on la trouve dans les salons littéraires. Il leur faut également le tourment d'un rêve mélancolique, d'un cauchemar babylonien : ce *spleen* dont le désenchantement féroce envahit l'esprit du poète qui savoure, avec morbidité, les souffrances que lui inflige son isolement au milieu de la foule. Il leur faut ce présage de l'échec et ce sentiment de la futilité qui se mêlent à tous leurs efforts. A Heine comme à Baudelaire, et au jeune Mallarmé « baudelairisant », il faut enfin ce satanisme, revers vulgaire d'une frivolité élégante, engendré dans les enfers de l'amour, dans les bouges de prostitution, et dont le climat voluptueux révèle les somptuosités d'une laideur telles qu'elles ne peuvent éclore que dans le tourbillon de la capitale. Pour Heine comme pour Mallarmé, le culte du théâtre n'est, en effet, qu'un aspect de fête d'un système plus vaste d'excitations nerveuses, auxquelles s'ouvre leur sensibilité délicate : c'est le culte de la ville, culte aux innombrables angoisses, qui, peu à peu, refoule dans la littérature ce culte de la nature où s'attachaient les romantiques, et tous leurs précurseurs depuis Rousseau jusqu'à Mme de Staël et Chateaubriand. Citadins eux-mêmes, les écrivains romantiques cédaient volontiers aux séductions de la grande ville, dont l'atmosphère politique et sociale inspirait aux plus grands d'entre eux, à Hugo, à Balzac et à Stendhal, quelques-unes de leurs plus belles pages. Cependant, une

secrète nostalgie de l'idylle, et une aspiration panthéiste,
poussaient presque toujours le poète romantique à chercher
dans une ambiance champêtre les éléments de son lyrisme.
On respire, dans les poèmes du romantisme, le grand air des
champs et des bois. Les lacs auxquels le poète romantique
confie ses lamentations amoureuses ne sont pas ceux des
parcs de Paris. Les vagues plaintes d'un amour par trop
innocent retentissent sous un ciel ensoleillé ou dans le
calme d'un clair-de-lune, et se répandent en des paysages
qui ne rappellent ni le Champ-de-Mars, ni les allées bien
ordonnées des Tuileries ou du Luxembourg où, même dans
les arbres et dans les buissons taillés, on entend battre le
pouls inquiet de la capitale. Aucune hantise métaphysique
du vice, aucun cauchemar de paradis artificiels ne trouble
les méditations pathétiques du noble héros en proie au mal
du siècle. L'ennui d'un Werther et d'un René, la tristesse
d'un Olympio n'ont rien de commun avec cette « sympathie
avec la Nuit, la complaisance au malheur, l'amère communion entre les ténèbres et cette infortune d'être un homme »,
qui obsèdent, par exemple, ce Hamlet moderne dont
Mallarmé a incarné le dilemme dans le personnage
d'*Igitur* (1). Que ce climat d'une pureté fortuite est encore
loin du *spleen* de Paris et de cette vaine quête d'une
pureté inaccessible, qui entrent avec Baudelaire dans la
littérature française ! Le Paris de Victor Hugo fait encore
tout à fait l'effet d'un décor de théâtre aux couleurs sur-
chargées. Que ce soient les quartiers pauvres ou la colonne
Vendôme : c'est toujours un arrière-plan à deux dimensions,
devant lequel le poète-orateur récite les tirades que lui
arrachent l'indignation, la pitié sociale ou la colère politique.
Toute cette poésie, grandiose, fort belle et fort touchante,
mais aussi si déclamatoire, découle de la sentimentalité
d'un poète qui, malgré ses protestations, n'ose jamais trop
descendre dans les régions occultes du vice. Ses émotions

---

(1) Paul CLAUDEL, *La catastrophe d'Igitur*, N. R. F. du 1ᵉʳ novembre 1926.

de citadin, toujours poétiques mais souvent triviales, et même grotesques, s'accrochent, un peu au hasard, à la surface de Paris. On devine qu'elles ne montent point vers lui des profondeurs mêmes de la ville. De la métropole il ne voit (et encore sous une perspective exagérée) que ces vifs contrastes mélodramatiques de plein jour et d'ombre, qui frappent la vue de tout observateur sentimental. S'il dénonce courageusement les injustices sociales, il se garde bien d'ouvrir son âme aux obsessions sensuelles de la ville. L'amour dans ses vers ne dépasse presque jamais le cadre paisible de la famille ; et c'est en bourgeois aux idées larges qu'il s'apitoie sur la « femme qui tombe ». Sa poésie ne renferme point les secrètes voluptés du citadin : ce désespoir d'un Baudelaire aux prises avec une sensualité insatiable, qui cherche en vain à élargir, par le dérèglement progressif des sens, ce cercle étroit des sensations, auquel cependant sa conscience religieuse lui commande de se soustraire. L'ironie des fausses situations, la saveur d'un malheur librement consenti, et cette complaisance dans le mal ; tous ces paradoxes de la vie métropolitaine, déjà entrevus par Balzac, ne hantent pourtant point, avec l'expansion d'un vertige malsain, l'esprit bourgeois de Victor Hugo. C'est ainsi que le poète romantique par excellence, toujours conscient de son rôle de justicier, d'ange-vengeur et de visionnaire (tel que l'admirent d'ailleurs Baudelaire, Rimbaud et Mallarmé) se dresse sans tache, et un peu irréel, au-dessus du tourbillon de la capitale. Son éloquence magnanime, et profondément poétique, plane sur les splendeurs corrompues et sur les misères de la métropole, dont la souillure ne saura point atteindre, dans sa pose si noble, le poète immaculé. Mais aussi, devant le défilé de ses grands sentiments se volatilise presque tout le lyrisme morbide de la grande ville.

7. Le mouvement de cette lente transformation presque organique, qui s'opère au xixᵉ siècle dans la littérature

française, va de l'extérieur à l'intérieur. A l'ivresse créatrice
des grands romantiques fait suite la désillusion d'une génération plus sobre, hantée par le spectre de l'impuissance,
mais aussi douée d'un sens critique bien supérieur. Avec
Baudelaire commence la crise de conscience de l'écrivain
moderne : le poète, pour ne pas tomber dans la grandiloquence, déchaîne contre lui-même toutes les furies de sa
propre ironie. Mais s'il perce à jour la nullité des grandes
attitudes, il regrette en même temps cette perte d'innocence qui lui défend de succomber à leur tentation. Au
rêve romantique, évocation nostalgique d'un meilleur
passé, succède un cauchemar plein d'amertume et de
remords où le poète essaie en vain d'arrêter l'écoulement
irréparable d'un présent qui, à peine surgi, sombre aussitôt
dans le néant. Baudelaire sent, comme un gouffre qui
s'ouvre en lui, sa propre déchirure irrémédiable. Il est
constamment ballotté entre l'incrédulité et un désir fervent
de croire ; entre l'ennui, le libertinage et la nausée des
jouissances ; entre l'amour des pauvres, la pitié sociale
(qu'on lise à cet égard son éloge de Pierre Dupont), et le
mépris de la bêtise humaine, la haine d'une humanité
s'aimant sans honte et se vautrant dans la bassesse. Il
souffre de sa duplicité : d'un côté, les faiblesses d'une
nature « humaine, trop humaine », avide de voluptés, et
qui penche vers la paresse ; de l'autre, un rêve créateur par
trop ambitieux, une aspiration irréalisable à la « sainteté »,
la disproportion écrasante entre la quête de l'idéal et les
moyens trop limités dont dispose, pour la réaliser, le poète.
D'où cette double hantise satanique et divine, qui mêle à
la charité même, une rage démoniaque de destruction.
Dégoûté de sa propre souillure et de l'« imperfection »
de son art, le poète s'acharne autant contre lui-même que
contre la société. C'est l'effet d'un narcissisme à rebours,
sans joies et sans récompenses ; par la contemplation de sa
misère intérieure, Baudelaire prend conscience d'un dilemme
moral sans issue : c'est le paradoxe de l'homme incapable

de se dépasser, qui secoue en vain les barreaux de sa prison. Ce piège de la condition humaine (où l'individu exceptionnel, se débattant sans en pouvoir sortir, épuise dans une lutte futile ses forces) est l'enfer même d'où Baudelaire tire son œuvre. Le sadisme de Baudelaire et de ses disciples, fort prononcé surtout chez Villiers de l'Isle-Adam, n'est au fond que l'aspect féroce d'une rage d'impuissance. Le poète demande à son art l'impossible, tout comme, sur le plan humain, il exige trop de lui-même. Voulant briser la cage de l'existence humaine, il met en branle tous les sens, aboutissant ainsi à l'expérience de la synesthésie. Sa poésie, tendant à libérer l'harmonie secrète du langage, sépare la musique du sens des mots. Mallarmé réussira dans cette tentative de créer une poésie pure, où le lyrisme, dégagé de tout contenu trop personnel, redeviendra musique. Son œuvre reflète cette même obsession de la stérilité. Épurée cependant, par une filtration complexe à travers d'innombrables miroirs, cette hantise de l'impuissance se dénue, dans la poésie de Mallarmé, de toute matérialité brutale. Se réduisant à un geste précieux, elle se cache sous un sourire énigmatique et infiniment subtil.

Cependant, la nouvelle sensibilité ouvertement érotique et égotiste, qui domine depuis Baudelaire la poésie et le roman français, n'est pas seulement issue du romantisme (cela va sans dire) mais encore, elle est comme le prolongement de certaines de ses tendances. Il a fallu, pour qu'elle s'élaborât, le concours d'influences aussi complexes que variées. Influences directes, et influences par réaction, qui vont de Joseph de Maistre et Bonald à Pétrus Borel et Poë ; de Delacroix à Constantin Guys et à Méryon ; de Sade et Laclos à E. T. A. Hoffmann ; et (pour la génération de Mallarmé) de Wagner à la découverte de Schopenhauer. Le symbolisme, avant d'éclore, eut besoin d'un langage et d'une versification suffisamment riches et souples pour pouvoir exprimer les nuances d'une ironie souvent féroce,

une angoisse métaphysique qui à tout instant frise l'impuissance, et, enfin, cet érotisme à la fois sadique, subtil et
raffiné, qui forme dans la poésie symboliste une étrange
synthèse avec le culte d'un idéal vierge et inaccessible.

8. Ce langage nuancé et cette versification souple sont
l'héritage direct du romantisme. Les romanciers, surtout
les auteurs du roman-feuilleton, et parmi eux au premier
plan, Balzac, avaient fait rentrer dans la littérature tout
ce vocabulaire technique et populaire, honni depuis le
XVIIe siècle par les écrivains « honnêtes gens ». A son tour,
la poésie romantique avait bouleversé les règles étroites
de la versification classique. D'abord timidement, en
brisant la rigidité de l'alexandrin ; puis avec plus de hardiesse, par la recherche de mètres courts et plus variés,
dont la flexibilité se prêtait mieux à renfermer un lyrisme
plus personnel, plus subjectif et souvent plus intime. C'est
ainsi que les poètes du romantisme frayaient la voie au vers
libre. Le roman noir, et une poésie d'amour et de cimetière,
rapprochant l'érotisme de la mort, avaient introduit dans
la littérature les paradoxes d'un faux baroque, le fantasque,
le satanisme, le monstrueux et le grotesque, le climat des
bas-fonds de la société, le vampirisme (souvent présent chez
Gœthe, comme par exemple, dans la *Fiancée de Corinthe* ;
parfois aussi chez Chateaubriand, dans un sens plutôt
métaphorique (1)), et, en général, une certaine complaisance macabre dans la peinture d'horreurs sanguinaires.
Mais hormis Balzac, Stendhal et Nerval, la plupart des
romanciers et des poètes qui pratiquaient l'un ou l'autre
de ces genres, se souciaient bien davantage du pittoresque
que de l'analyse psychologique. Il fallait, pour percer en
profondeur, épurer de ses excès tout ce fantastique creux.
Il fallait aussi « tordre le cou à l'éloquence », pour faire

(I) « Le génie fatal de René poursuivit encore Céluta, comme ces fantômes
nocturnes qui vivent du sang des mortels. » *Les Natchez*, éd. Garnier, vol. III,
p. 506.

vibrer dans le vers un nouveau frisson plus cruel et plus voluptueux, tel qu'il se dégage de la découverte de l'inconscient. La tentative d'éliminer de la poésie, pour l'ouvrir à un rêve plus intense, tout vestige de la rhétorique classique, aboutit à l'invention d'une nouvelle forme : le poème en prose. De ce genre fort controversé, on attend qu'il dépasse, tout en l'élargissant, le poème lyrique composé selon les règles. Le poème en prose fut longuement préparé par la prose poétique de Sénancour, Chateaubriand *(Les Natchez)*, Mme de Staël *(Corinne)* et Lamennais *(Paroles d'un croyant)* (1), sans parler de Fénelon *(Télémaque)*, Montesquieu *(Le Temple de Gnide)*, dont cependant les images restent presque toujours dans la tradition classique, ou de Rousseau romancier. En 1911, Édouard Schuré essaie d'expliquer en ces termes l'origine du poème en prose : « ... ce genre poétique, si répandu aujourd'hui, est né il y a un peu plus d'un siècle, au moment où le sentiment de l'infini et la puissance visionnaire du rêve, qui jusque-là étaient demeurés le privilège de la religion, font irruption dans la littérature et dans la poésie pour s'y manifester avec une liberté inconnue jusqu'à ce jour » (2).

Produit du romantisme à bien des égards, le poème en prose essaie de briser ce mur que les classiques français avaient érigé pour séparer la poésie de la prose. Quelques précurseurs hardis s'étaient exercés dans cette nouvelle forme poétique. Ce furent Alphonse Rabbe, Maurice de Guérin, et surtout l'étonnant Aloysius Bertrand dont Baudelaire se déclare l'héritier spirituel. Après Baudelaire, Barbey d'Aurevilly, Houssaye, Lefèvre-Deumier et Renan, ce furent Lautréamont, Rimbaud, Cros, Laforgue, Villiers de l'Isle-Adam, Huysmans, Mikhaël, Proust, Louÿs, Verlaine, Verhaeren, Renard, Gourmont, Merill, Tailhade,

---

(1) Cf. Franz Rauhut, *Das französische Prosagedicht*, Friedrichsen, de Gruyter u. Co., Hamburg, 1929, p. 8 sqq., p. 22 sqq.

(2) Préface d'Édouard Schuré à Jean de Bère, *Au fond des yeux ; petits poèmes en prose*, Perrin, Paris, 1911, p. i sqq.

Mallarmé, Saint-Pol-Roux, Jarry, Schwob et Max Jacob,
qui, chacun à sa manière, pratiquaient tous avec plus ou
moins de bonheur une forme poétique si dangereuse dans
cette langue française qui exige de la prose une clarté au
delà du lyrisme. En tête du *Spleen de Paris*, reconnaissant
sa dette envers Aloysius Bertrand, Baudelaire définit ce
genre qui, dans son esprit, s'associe étroitement avec la
poésie des grandes villes : « Quel est celui de nous »,
s'exclame-t-il dans sa dédicace à Arsène Houssaye, « qui
n'a pas, dans ses jours d'ambition, rêvé le miracle d'une
prose poétique, musicale sans rhythme et sans rime, assez
souple et heurtée pour s'adapter aux mouvements lyriques
de l'âme, aux ondulations de la rêverie, aux soubresauts
de la conscience ? C'est surtout de la fréquentation des
villes énormes, c'est du croisement de leurs innombrables
rapports que naît cet idéal obsédant » (1).

Les problèmes posés par le poème en prose ont été
suffisamment étudiés (2). Cependant, dans les nombreux
travaux consacrés à ce genre — en dehors de l'empreinte
laissée par Poë — il n'est pour ainsi dire presque jamais
question de l'influence étrangère. On sait pourtant que
Baudelaire avait eu sous les yeux, même avant d'avoir lu
Poë et *Gaspard de la Nuit* (à son tour écrit sous l'influence
d'Hoffmann), le *Songe* de Jean-Paul, imprimé dans le livre
De l'Allemagne de Mme de Staël, et bien d'autres exemples
du poème en prose. Ce genre abonde dans la littérature
allemande, dont la prose n'était jamais assujettie à ces

---

(1) BAUDELAIRE, *Œuvres*, éd. cit., vol. I, p. 405-406.

(2) Mentionnons seulement quelques-unes des plus importantes parmi ces
études : la dissertation de CARLYLE sur *Novalis* ; Franz RAUHUT, *op. cit.* ; G. BLIN,
Introduction aux *Petits poèmes en prose*, *Fontaine*, nos 48-49, février 1946,
p. 278-300 ; A. CHÉREL, *La prose poétique française*, l'Artisan du Livre, Paris,
1940 ; Vista CLAYTON, *The Prose Poem in French Literature of the Eighteenth
Century*, Columbia University Press, New York, 1936 ; DANIEL-ROPS, Baudelaire
poète en prose, *La Grande Revue*, 1931, no 136, p. 534-555 ; Marie-Jeanne DURRY,
Autour du poème en prose, Mercure de France, 1er février 1937, p. 495-505 ;
Charlotte SCHROER, *Les petits poèmes en prose von Baudelaire*, etc., Leipzig,
1935 (*Romanische Studien*, II, 3) et Gertrud STREIT, *Die Doppelmotive in les
Fleurs du Mal und die Poèmes en prose*, thèse de doctorat, Zürich.

contraintes qu'imposent au style français les règles classiques de composition. Les *Kreisleriana* d'E. T. A. Hoffmann,
qui fournissent à Baudelaire le sujet de *Correspondances* (1),
sont émaillées de morceaux brefs et chargés de sens ; un
lyrisme sombre et démoniaque donne à chacun de ces inter-
mèdes poétiques et intenses, une certaine unité de ton et
d'atmosphère. Les *Reisebilder* de Heine (que Baudelaire
a dû lire avant 1852, comme l'indique une référence très
précise dans *L'École païenne*) (2), sont presque entièrement
faits de petits poèmes en prose, chacun d'eux possédant son
unité interne, et dont l'ensemble s'enfile comme les perles
d'un collier, à peine séparés les uns des autres par les
nœuds imperceptibles d'un système ingénieux de transi-
tions. Le même procédé domine toute la prose de Heine ;
que ce soient ses tableaux de voyage, sa critique littéraire,
ses *Salons* ou son reportage pour la *Gazette d'Augsbourg* :
sa prose poétique aboutit toujours au petit poème en prose
où il associe, comme plus tard Baudelaire, « l'effrayant
avec le bouffon et même la tendresse avec la haine » (3).
On soupçonne que chez lui, comme chez Baudelaire, la
pratique de ce genre bâtard supplée à la maladresse du
conteur. Car si Heine possède, avec une sensibilité aiguë
et une imagination des plus riches, le don de l'invention
facile ; s'il produit avec aise et presque spontanément des
mythes comme celui du *Vaisseau fantôme* (4), il lui manque

---

(1) Les *Œuvres complètes* de Hoffmann parurent d'abord, dans la traduc-
tion de Th. Toussenel, en 1830 (12 volumes) ; puis, traduites par Loève-
Veimars (20 volumes), entre 1829-1833, plus deux volumes publiés en 1843.
D'autres traductions de recueils individuels parurent entre 1838 et 1853, par
La Bédollière, P. Christian, X. Marmier et E. Degeorge. Champfleury
traduisit les *Contes posthumes* (1856).
  Le passage des *Kreisleriana* est cité par Baudelaire dans le *Salon de 1846*,
III, De la couleur, *Œuvres*, éd. cit., vol. II, p. 71.
  (2) Baudelaire, *Œuvres*, éd. cit., vol. II, p. 420. « L'art romantique »,
chap. X. Baudelaire critique l'irréligiosité de Heine, citant un exemple précis,
tiré du IVᵉ chap. de la *Ville de Lucques*. Cf. *Reisebilder*, vol. II, p. 220 sqq.
  (3) Lettre de Baudelaire à sa mère, du 9 mars 1865.
  (4) Heine, *Reisebilder*, vol. I, p. 112, L'île de Norderney, *ibid.*, vol. II,
p. 318 sqq. « Schnabelewopski », chap. VI.

cependant, le grand souffle du romancier, ou même la
patience de l'auteur de nouvelles, qui suivrait, dans la
moindre déviation, le fil de son récit. Heine prosateur écrit
vite et sans méthode. Hanté par la succession rapide des
images et des idées, il se laisse aller au gré de sa plume, au
lieu d'imposer à son imagination trop riche le joug d'un
plan préconçu. Du reste, fasciné qu'il est toujours par la
sensation fugitive qu'il tâche de saisir au vol, les œuvres
de longue haleine fatiguent Heine avant même qu'il en ait
ébauché les grandes lignes. Il n'a jamais pu achever son
unique roman, *Le Rabbin de Bacharach*, qui reste en panne
après les premières pages. Les *Nuits florentines*, projet d'une
série de contes fantastiques à la manière de Hoffmann, se
transforment au cours de la composition en un fort beau
recueil d'esquisses rapides, poèmes en prose pleins d'atmosphère, d'ironie et de tendresse ; il leur manque pour les
unifier une intrigue et des personnages vivants. Son incapacité à créer des personnages à trois dimensions est peut-
être le plus grand défaut de Heine écrivain ; défaut qui
explique aussi bien la faiblesse de ses deux drames de
jeunesse, *Almansor* et *William Ratcliff*. Heine excelle
cependant, dans l'art de la caricature (Hyacinthe Hirsch,
Gumpelino dans *Les Bains de Lucques* et *La Ville de Lucques*),
et dans l'évocation grotesque de fantômes (le Dr Saül
Ascher, dans la *Harzreise*). Mais de ses échecs mêmes, il
tire les effets de sa prose poétique et impressionniste. Car
Heine est sans doute, parmi les héritiers de Lawrence Sterne,
celui qui sait le mieux mettre à profit son penchant
à la divagation. Sa prose poétique, faite entièrement de
tableaux et d'images, qui se succèdent avec une rapidité
vertigineuse, a la vertu magique de rendre « plastiques »
même les situations les plus abstraites. Mais à cette qualité
s'ajoutent tous les défauts d'un écrivain qui, tombant
souvent dans l'humour facile et la platitude, et mêlant dans
son œuvre indifféremment les éléments de divers genres,
met en question toutes les lois de la stylistique.

Quelques exemples — on a l'embarras du choix — illustreront la naissance presque spontanée du poème en prose dans le cadre des *Reisebilder*, et même au milieu d'un reportage. D'abord un tableau sur deux plans temporels ; tableau dont l'ambiguïté et le thème lui-même se rapprochent du climat symboliste. En même temps, une certaine sentimentalité, et l'amour-propre d'un poète qui dorlote sa tristesse trahissent la présence d'une atmosphère romantique. Un paysage fluvial peuplé de cygnes, d'abord printanier puis hivernal, idylle au centre même de la grande ville (1), sert de miroir aux humeurs changeantes d'un poète vieillissant et qui s'aigrit au milieu des bien-pensants. Le premier plan temporel montre le jeune héros, assis par un beau crépuscule de printemps au café de l'*Alsterpavillon*. Il regarde le bassin « silencieux et bleu de l'Alster où [nagent] les cygnes avec tant de fierté, de grâce et de béatitude ». A l'évocation parnassienne de ce cadre succède l'exposé du premier thème, qui rappelle Sully-Prudhomme :

Les cygnes ! pendant des heures entières, je les suivais des yeux ; ces créatures charmantes au long cou ondulant qui se berçaient avec volupté dans les flots tièdes, ou faisaient parfois le plongeon pour reparaître aussitôt et frapper l'eau capricieusement de leurs ailes jusqu'à ce que le ciel devînt sombre, et que les étoiles d'or jaillissaient [*sic*], étincelantes de désir, éveillant l'espérance, respirant une tendresse merveilleuse (2).

Les années passent, les saisons changent, et les illusions s'évanouissent avec la jeunesse. Après une absence prolongée, le héros médite sur le dégrisement que le passage du temps a opéré en son esprit. Sous un ciel hivernal, ce même paysage idyllique, reflétant le désenchantement du héros, se transforme soudainement en un miroir de la misère universelle. La beauté du fleuve disparaît sous le reflet des cuistres qui peuplent le *Jungfernstieg*, dont le

(1) Hambourg.
(2) HEINE, *Reisebilder*, vol. I, p. 309, Schnabelewopski, chap. IV.

trottoir longe le bord de l'Alster. Toute la scène tourne au
grotesque ; au milieu du bassin de l'Alster s'élève un bruit
perçant :

> C'étaient des sons enroués, rauques, sourds ; des cris insensés,
> des battements d'aile anxieux, des râlements désespérés, des
> sanglots étouffés, des soupirs et des gémissements lamentables.
> Le bassin de l'Alster était pris : seulement, près du rivage, on
> avait coupé un vaste carré dans la glace, et les horribles accents
> que je venais d'entendre partaient des gosiers des pauvres créa-
> tures blanches qui y nageaient et qui criaient dans leur mortelle
> angoisse. Hélas ! et c'étaient les mêmes cygnes qui autrefois
> avaient bercé mon âme d'émotions si douces et si sereines !
> Hélas ! les beaux cygnes blancs, on leur avait brisé les ailes pour
> les empêcher d'émigrer en automne, vers le chaud midi. Et main-
> tenant le nord les tenait enchaînés dans ses sombres glacières
> — et le garçon du café du Pavillon disait qu'ils s'y trouvaient
> bien, et que le froid entretenait leur santé... Et quand la nuit
> vint et que les mêmes étoiles rayonnèrent, les mêmes étoiles qui
> autrefois, dans les belles nuits d'été, avaient souri si amoureuse-
> ment à ces mêmes cygnes, et qui maintenant, froides comme l'hi-
> ver, avaient l'air de les regarder, du haut du ciel, avec une raillerie
> glaciale — alors je compris parfaitement que les étoiles... sont...
> seulement de brillantes illusions, fantômes moqueurs de la nuit
> éternelle, mensonges d'or dans un ciel azuré (1) !

Dans ce texte réaliste et sentimental apparaît déjà, à
peine transposé, une ébauche grossière d'un thème cher à
Mallarmé, le thème du cygne comme symbole de l'isolement
du poète. Chez Heine, le tragique du détail n'exprime qu'une
dégradation extérieure. Mallarmé approfondit un conflit
bien plus subtil : celui du poète aux prises avec l'indolence
où le jette un rêve que sa conscience d'artiste lui commande
d'éterniser par la poésie. La pensée complexe de Mallarmé
se manifeste dans l'évocation d'un double exil : isolé de
« l'aujourd'hui » par le souvenir d'un rêve qui sombre
insensiblement dans le néant, le poète se trouve également
isolé de son rêve idéal, par les liens qui l'attachent à « l'au-

---

(1) *Ibid.*, p. 313-314.

jourd'hui », dont l'ivresse, envahissant déjà son esprit, menace d'effacer une vision de plus en plus vague :

> Le vierge, le vivace, et le bel aujourd'hui
> Va-t-il nous déchirer avec un coup d'aile ivre
> Ce lac dur oublié que hante sous le givre
> Le transparent glacier des vols qui n'ont pas fui (1) !

Ce qui chez Heine se passe sur le plan de la réalité, et dans le présent, devient chez Mallarmé un vague souvenir plus éthéré que le rêve : l'empreinte laissée sur la mémoire par un geste furtivement entrevu dans un passé estival, qu'évoque et prolonge au delà de sa durée éphémère la blancheur du lac désert et gelé. (Les assonances en « i » soulignent la blancheur et le gel.) Mais de ce geste à peine conservé par la mémoire du poète, et déjà comme oublié, se dégage la même «blanche agonie» qui anime, dans la peinture de Heine, les cygnes aux ailes brisées, et cruellement exilés dans l'Alster couverte de glace. A la présence des cygnes mutilés, à leurs cris rauques, se substitue dans le sonnet de Mallarmé un fantôme de cygne, et la musique du silence. Chez Mallarmé, la meurtrissure du cygne-spectre n'est point, comme chez Heine, physique, mais morale : le cygne qui a négligé de chanter les climats plus exotiques, et dont le coup d'aile d'antan reste prisonnier du gel — souvenir figé mais aussi s'évanouissant peu à peu — ressemble au poète qui, ne voulant pas violer la virginité parfaite de la feuille blanche, a laissé son rêve s'évader vers l'azur, sans lui imposer, par la transposition poétique, une forme durable. Malgré la ressemblance frappante des idées et des images (la fuite impossible, la blancheur souillée, le gel comme symbole de « l'inutile exil »), les émotions qu'évoquent Heine et Mallarmé sont aussi dissemblables que le climat romantique (ou même parnassien) et celui du symbolisme français. Chez Heine prédominent l'ironie

---

(1) MALLARMÉ, Plusieurs sonnets, II, *Œuvres complètes*, éd. cit., p. 67.

et une pitié sentimentale, chez Mallarmé le regret et le
remords :

> Un cygne d'autrefois se souvient que c'est lui
> Magnifique mais qui sans espoir se délivre
> Pour n'avoir chanté la région où vivre
> Quand du stérile hiver a resplendi l'ennui (1).

L'infirmité dont souffrent les cygnes de Heine leur est
infligée par la bêtise humaine. Malgré eux forcés de subir
les rigueurs de l'hiver septentrional, ils sont martyrisés.
Par contre, le cygne-fantôme de Mallarmé souffre, comme
le poète lui-même, des hésitations d'un esprit indolent qui
a laissé s'envoler, sans l'éterniser, son rêve. Si le cygne
évoqué par Mallarmé est banni au sol qu'il méprise, c'est
par sa propre faute :

> Tout son col secouera cette blanche agonie
> Par l'espace infligée à l'oiseau qui le nie,
> Mais non l'horreur du sol où le plumage est pris (2).

En son agonie, il reconnaît une punition méritée, car,
en niant l' « espace », il a négligé de faire son métier de
poète :

> Fantôme qu'à ce lieu son pur éclat assigne,
> Il s'immobilise au songe froid de mépris
> Que vêt parmi l'exil inutile le Cygne (3).

Mais même si l'on laisse de côté toutes considérations
morales, on comprendra tout de suite l'aspect parnassien
du texte de Heine : il nomme ses objets, il les montre, leur
ôtant ainsi leur mystère. Qu'on se rappelle, à cet égard,
la réponse de Mallarmé à l'enquête de Jules Huret sur
l'évolution littéraire ; condamnant les procédés des Parnassiens « qui traitent encore leurs sujets à la façon des
vieux philosophes et des vieux rhéteurs, en présentant les

---

(1) *Ibid.*, p. 68.
(2) *Ibid.*, *loc. cit.*
(3) *Ibid.*, *loc. cit.*

objets directement », Mallarmé formule ainsi son esthétique
pour ce qui est du fond de la poésie :

Je pense qu'il faut, au contraire, qu'il n'y ait qu'allusion. La
contemplation des objets, l'image s'envolant des rêveries sus-
citées par eux, [Mallarmé parle des jeunes, c'est-à-dire des sym-
bolistes], sont le chant : les Parnassiens, eux, prennent la chose
entièrement et la montrent : par là ils manquent de mystère ; ils
retirent aux esprits cette joie délicieuse de croire qu'ils créent.
Nommer un objet, c'est supprimer les trois quarts de la jouissance
du poëme qui est faite de deviner peu à peu : le *suggérer*, voilà le
rêve. C'est le parfait usage de ce mystère qui constitue le symbole : évoquer petit à petit un objet pour montrer un état d'âme,
ou, inversement, choisir un objet et en dégager un état d'âme,
par une série de déchiffrements (1).

Si Heine poète lyrique peut dégager d'un objet un état
d'âme, il lui manque cependant le sens du mystère qui
seul lui permettrait de chiffrer par l'usage du symbole
l'émotion qu'il évoque dans sa prose poétique. Chez lui,
le fait de nature ne disparaît jamais, tel que l'ambitionne
Mallarmé, sous la musique du langage : « A quoi bon », dit
Mallarmé, dans son *Avant-dire au Traité du Verbe* de René
Ghil, « la merveille de transposer un fait de nature en sa
presque disparition vibratoire selon le jeu de la parole,
cependant, si ce n'est pour qu'en émane, sans la gêne d'un
proche ou concret rappel, la notion pure ? » (2).

Pour Mallarmé, comme pour Baudelaire, « l'ancienne
forme du vers était non pas la forme absolue, unique et
immuable, mais un moyen de faire à coup sûr de bons
vers » (3). Il est possible de faire de la poésie en dehors des
préceptes consacrés. On est las du vers officiel ; on voudrait
l'imprévu, l'inspiration, « l'essentielle variété des sentiments
humains » (4), qui, pour se couler dans le langage, aurait

---

(1) Réponse à l'Enquête sur l'évolution littéraire (J. HURET, dans l'*Écho
de Paris*, mars-juillet 1891). MALLARMÉ, *Œuvres complètes*, éd. cit., p. 869.
(2) MALLARMÉ, *Œuvres complètes*, éd. cit., p. 857.
(3) Réponse à l'Enquête Huret, *ibid.*, p. 867.
(4) *Ibid.*, p. 867.

besoin de rythmes infiniment plus brisés. « Le vers officiel
ne doit servir que dans des moments de crise de l'âme... (1) »
Le lyrisme se trouve autant dans la prose que dans le vers ;
en effet, « le vers est partout dans la langue où il y a rythme,
partout, excepté dans les affiches et à la quatrième page des
journaux. Dans le genre appelé prose, il y a des vers, quelquefois admirables, de tous rythmes. Mais, en vérité, il n'y
a pas de prose : il y a l'alphabet et puis des vers plus ou
moins serrés : plus ou moins diffus. Toutes les fois qu'il y a
effort au style, il y a versification » (2).

Hardie et généreuse, une telle formule fait rentrer dans
la poésie même les écrits du journaliste, pourvu qu'ils
représentent un effort au style, une tentative d'enrichir
la littérature. Un exemple, tiré d'un article pour la *Gazette
d'Augsbourg*, prouve la justesse du concept de Mallarmé,
tout en démontrant à quel point le poème en prose se glisse
dans le journalisme de Heine. Ce texte fait partie d'un
reportage magistral sur l'épidémie de choléra, qui frappa
Paris (officiellement) le 29 mars 1832, le jour même de la
mi-carême (3). Heine était resté à Paris, auprès de son
cousin Charles, légèrement atteint de la maladie. Il parle
donc en témoin oculaire, mais aussi en poète, qui mêle
l'invention aux faits observés. Son rapport est un petit
chef-d'œuvre littéraire, bien qu'il ne puisse guère se mesurer
avec la description de la peste à Florence, qui sert de cadre
au *Décaméron* de Boccaccio.

Parmi le nombre d'incidents rapporté, une scène de
lynchage forme un petit conte cruel qui rappelle à la fois
Poë, Baudelaire et Villiers de l'Isle-Adam. Les enterre-
ments rapides, raconte Heine, donnaient cours au bruit que
les hommes qu'on entassait dans les tombes n'étaient pas
morts de la maladie mais d'empoisonnements. La chasse
aux « empoisonneurs » s'engageait, et la foule assommait

(1) *Ibid.*, p. 867.
(2) *Ibid.*, p. 867.
(3) Article du 19 avril 1832 ; Heine, *De la France*, lettre VI, p. 124-151.

tout suspect sur qui on avait trouvé quelque poudre équivoque. Voici le récit d'un de ces meurtres collectifs :

Nul aspect n'est plus horrible que cette colère du peuple,
quand il a soif de sang et qu'il égorge ses victimes désarmées.
Alors roule dans les rues une mer d'hommes aux flots noirs, au
milieu desquels écument çà et là les ouvriers en chemise comme
les blanches vagues qui s'entre-choquent, et tout cela gronde
et hurle sans parole de merci, comme des damnés, comme des
démons... Dans la rue de Vaugirard, où l'on massacra deux
hommes qui étaient porteurs d'une poudre blanche, je vis un de
ces infortunés au moment où il râlait encore et où les vieilles
femmes tirèrent leurs sabots de leurs pieds pour l'en frapper
sur la tête jusqu'à ce qu'il mourût. Il était entièrement nu et
couvert de sang et de meurtrissures ; on lui déchira non seulement
ses habits, mais les cheveux, les lèvres et le nez ; puis vint un
homme dégoûtant qui lia une corde autour des pieds du cadavre
et le traîna par les rues en criant sans relâche : *Voilà le choléra-
morbus* ! Une femme, admirablement belle, le sein découvert
et les mains ensanglantées, se trouvait là : elle donna un dernier
coup de pied au cadavre quand il passa devant elle (1).

Aux accessoires du sadisme, au massacre voluptueux
d'un innocent, s'ajoute dans cette peinture complaisante et
réaliste des malheurs de la vertu, le détail raffiné de la
femme cruelle. Beauté au sein découvert et aux mains
ensanglantées, elle ressemble à la description que fait
Heine de *La Liberté sur les barricades*, exposée par Delacroix,
au Salon de 1831 : « Elle passe sur des cadavres, elle excite
au combat. Nue jusqu'à la ceinture, c'est un beau corps
aux mouvements impétueux... au total, bizarre mélange de
Phryné, de poissarde et de déesse de liberté (2). »

On pourrait, à n'en plus finir, multiplier les exemples.
Que Heine fasse métier de conteur, de critique ou de repor-
ter, il ne peut pas sortir de sa peau : qu'il écrive des satires
littéraires, sociales, politiques et religieuses, des effusions
tragi-comiques d'un lyrisme qui se moque de lui-même, des

(1) HEINE, *De la France*, p. 139-140.
(2) *Ibid.*, p. 340, Salon de 1831.

fantaisies macabres ou des contes cruels, le prosateur en lui reste toujours un poète qui tombe inévitablement dans le poème en prose. C'est parfois au détriment du bon goût, le plus souvent au détriment de son style. La prose, plus flexible que le vers, et s'adaptant plus aisément aux sinuosités d'une pensée capricieuse, ne lui sert qu'à exprimer son rêve intérieur et les émotions que déclenche en lui une imagination trop riche s'entrechoquant avec la réalité. Des événements vus, vécus ou simplement controuvés que décrit Heine, il ne reste en fin de compte que l'impression immédiate, l'empreinte laissée sur un esprit vif et facilement excité. Une invention, fébrilement à l'œuvre, enrichit et déforme la réalité, pour la traduire aussitôt en états d'âme, sinon toujours en poésie. C'est sous cette forme infiniment personnelle et intime que le monde extérieur envahit une prose qui, malgré son réalisme et l'abondance des détails précis, ne reflète que les mouvements changeants d'une sensibilité frémissante, mise à nu. Sous la couleur chargée transparaît toujours l'image du poète lui-même. Dans sa peinture, les objets et les personnages perdent de leur opacité. Infiniment travaillée, leur surface seule subsiste, et sous cette surface polie et brillante comme un miroir, l'on entrevoit les gestes silencieux d'un poète-Narcisse qui écoute, et nous invite à écouter avec lui, les échos de sa propre colère, de son ironie, de ses affections, de ses haines, de son mépris, de son humour noir, de son amour-propre blessé, et d'un érotisme toujours insatisfait qui se moque de ses propres langueurs.

Il y a des différences frappantes entre les poèmes en prose de Heine et le nouveau genre que cultivent, après Poë et Aloysius Bertrand, Baudelaire et ses héritiers spirituels. Différences qui se manifestent moins par la forme que par l'atmosphère. La forme semble surgir chez Heine avec spontanéité, sans la moindre recherche, tandis que chez Baudelaire et ses imitateurs, elle est le produit d'un effort savant, réfléchi et voulu. Il y a donc, dans le poème en prose de Heine, moins de goût, mais aussi le charme d'un naturel qui manque si souvent aux créations produites dans ce genre par les post-romantiques français. On a l'impression que Baudelaire et ses disciples sont tant soit peu tourmentés par le secret remords (inconnu au prosateur allemand) où les jette la conscience qu'ils se hasardent dans un domaine illégitime de la littérature, en pratiquant un genre qui mêle la poésie à la prose.

Mais c'est surtout son attitude psychologique qui isole Heine de Baudelaire. La cruauté qui se réfléchit dans ses petits récits poétiques est presque toujours celle des autres. Heine lui-même se montre sous un jour très favorable. Il déteste un « ennui » que Baudelaire accepte comme le châtiment légitime, infligé au pécheur endurci par un Dieu qui — comme celui de Byron — aime faire le mal. Heine est loin de souffrir de sa sensualité. Il s'en vante au contraire, la glorifiant comme un signe du triomphe de sa propre « divinité » sur les superstitions du christianisme, qui, voulant trop « spiritualiser » l'homme, le privent de son innocence charnelle. Libertin de bonne foi, il ne regrette au fond que les « occasions ratées ». Il lui manque le sentiment du péché, et lorsqu'il le rencontre chez autrui, il le prend pour une expression de l'hypocrisie religieuse. Ce qu'un monde hanté par l'idée du péché originel nous montre sous l'aspect funeste du plaisir démoniaque et défendu, n'est pour Heine, en vérité, que le côté dionysiaque de la Nature, qui, elle, reste divine dans toutes ses manifestations. L'anathème dont le christianisme frappe les appétits et les satisfactions de la chair, constitue pour lui le suprême blasphème, le grand crime contre nature, l'ineffaçable souillure d'un diabolisme qui, prenant son essor dans ce profond mépris de la vie, prêché par les doctrines chrétiennes, atteint la Nature dans sa divinité même.

Le libertinage militant d'un écrivain fier de son paganisme détermine aussi le climat qui prédomine dans la prose poétique de Heine. Chez Baudelaire, le conte sado-

masochiste exprime le dilemme du pécheur, la rage impuissante d'un poète incapable de dépasser la condition
humaine, pour aboutir à la sainteté. Ses vains efforts
pour « faire l'Ange », et la conscience que Baudelaire
pascalien prend de sa propre insuffisance dans cette quête
de l'Absolu, le poussent à l'autre extrême. Faisant alors
consciemment la « bête », il espère s'abîmer dans un satanisme trop affiché pour ne pas être suspect. Ce satanisme
n'est que l'envers de la sainteté : le côté désespoir d'un
saint raté, qui cherche dans sa propre perte le martyre,
pour payer de son salut l'échec d'une vie aux aspirations
trop ambitieuses. Par un même élan vers l'immolation,
Baudelaire s'obstine à exagérer la peinture de sa propre
méchanceté. Un peu pour scandaliser le bourgeois, un peu
aussi pour s'attendrir sur sa propre « franchise », mais
surtout pour s'abaisser lui-même, il se plonge, à la manière
de Jean-Jacques Rousseau, dans les mensonges dégradants
de la confession publique.

Chez Heine, le poème en prose, imbu souvent d'un
même sado-masochisme, s'acharne au contraire contre la
morbidité du dogme chrétien, qui jette le jouisseur dans le
désespoir, en lui refusant les nourritures terrestres qu'il lui
faut pour satisfaire ses appétits. Baudelaire se montre sous
un jour monstrueux et cruel : son imagination sadique
flagelle la femme ; en vouant celle-ci à la destruction, il ne
veut au fond anéantir que l'instrument d'une séduction à
laquelle, trop faible, il ne saura pas résister. Heine, par
contre, met au pilori l'impitoyable allumeuse qui, par ses
refus, martyrise le poète. Si Baudelaire réclame pour lui-
même cette « diabolique personnalité » qu'il admire en
Heine comme la qualité même « qui fait les poëtes » (1), il
est évident que cet aveu le jette dans l'enfer d'un remords
qu'ignore le naturel ouvertement païen de Heine. Au

---

(1) BAUDELAIRE, Projets de lettre à Jules Janin, *Œuvres*, éd. cit., vol. II,
p. 606.

milieu même de ses blasphèmes féroces, Baudelaire nous
émeut par l'horreur que lui inspire sa condition d'enfant
perdu, et par ce sentiment de sa propre déchéance, qui,
le rapprochant d'un François Villon et des clercs goliards,
lui assurent une place privilégiée entre toutes, dans la
tradition profondément chrétienne des poètes maudits.
Mais malgré tout ce qui sépare Baudelaire de la pensée
laïque de Heine — influence contre laquelle il réagit avec
une certaine violence (1) — Heine reste pour lui, avec
Byron, Tennyson [*sic*] et Poë, une étoile de première
grandeur au « ciel mélancolique de la poésie moderne » (2),
un compagnon dans la misère, un grand nerveux né écorché,
son prochain, appartenant comme lui-même au *genus
irritabile vatum.* Une même malédiction pèse sur leur
œuvre : l'anathème dont les critiques bien-pensants
frappent une poésie qui — par ses dissonances, ses accents
de tristesse et d'ironie, ses poignards et ses fioles de
laudanum — trouble les cuistres dans leur bénigne chasse
au bonheur. Personne n'a mieux compris que Baudelaire
cette fureur sadique qui pousse Heine à fouetter la vertu
bourgeoise, la respectabilité de la jeune fille-allumeuse,
cruelle, stupide, intéressée et lubrique sous l'apparence
de sa gentille virginité. Baudelaire se sent personnellement
attaqué, il se solidarise avec le poète allemand en entre-
prenant sa défense contre le vieux Jules Janin, porte-parole
des pharisiens : « Henri Heine était méchant, — oui, comme
les hommes sensibles, irrités de vivre avec la canaille ;
par *Canaille*, j'entends les gens qui ne se connaissent pas
en poésie (3). »
   Rauhut insiste sur la distinction sévère (héritage du
classicisme) qu'on fait, encore de nos jours, en français
entre le prosateur et l'auteur d'ouvrages en vers ; selon

---

(1) Baudelaire, *L'art romantique*, X, L'École païenne, *Œuvres*, éd. cit.,
vol. II, p. 420 et *passim.*
   (2) Baudelaire, Projets de lettre à Jules Janin, *ibid.*, vol. II, p. 609.
   (3) *Ibid.*, p. 606.

l'usage, seul ce dernier aurait le droit de s'appeler *poète* (1).
Les symbolistes, pratiquant le poème en prose, rompent
avec cette tradition. Quand Baudelaire, et après lui
Mallarmé, parlent de Heine « poète », ils ne s'en tiennent
pas à une définition aussi étroite. Pour Baudelaire, du
moins, l'auteur des *Reisebilder* était un poète. Du reste,
quand les symbolistes lisaient en traduction française
l'œuvre poétique de Heine, ils avaient sous les yeux des
ouvrages en prose. En dehors d'une traduction des *Deux
grenadiers* (en vers blancs), entreprise par Marmier, en
1835 (2), et hormis les quelques poèmes insérés en vers
blancs dans les *Reisebilder*, toute l'œuvre poétique de
Heine, publiée en français avec l'autorisation du poète,
parut sous forme d'adaptation en prose. Les *Poëmes et
Légendes* (1855), contenant *Atta Troll*, l'*Intermezzo*, *La
mer du Nord*, les *Feuilles volantes*, le *Wintermärchen* (« Ger-
mania »), le *Romancero* et *Le livre de Lazare* se présentent
en prose, chaque strophe formant un petit paragraphe, qui
prend souvent l'allure du verset biblique. Les *Poésies
inédites*, publication posthume, présentant un choix géné-
reux de poèmes, pris dans tous les recueils allemands
(mais non pas tous inédits en français), paraissent également sous forme de prose (1885). C'est ainsi que, pour le
lecteur français du XIXᵉ siècle, les versions autorisées des
poésies de Heine ont toutes l'apparence de recueils de
poèmes en prose.

Heine lui-même ne semble pas trop regretter les désa-
vantages d'une telle présentation. A peine, explique-t-il,
en parlant du *Wintermärchen*, qu'il « s'y trouve une foule
de passages où la pensée de l'auteur pivote sur des rimes
bouffonnes et grotesques, dont l'absence doit rendre la
version française quelquefois très-flasque, sinon insi-

---

(1) Rauhut, *op. cit.*, p. 6.
(2) Imprimée dans la *Revue poétique du XIXᵉ siècle, ou Choix de poésies
contemporaines inédites ou traduites des langues européennes et orientales*, vol. II,
du 25 octobre 1835, p. 266-267.

pide » (1). Mais au fond, une traduction presque mot à mot qui, ne trahissant point sa pensée, fera en même temps ressortir ses calembours et ses boutades, lui tient plus à cœur qu'une adaptation poétique, dont la musique interne (sinon la rime) pourrait être un équivalent de ses propres rythmes originaux. Expliquant pourquoi il préfère la vieille traduction de Shakespeare par Eschenburg à celle de Schlegel et Tieck, Heine se prononce en ces termes pour les adaptations en prose : « ... la langue de Shakspeare a un cachet particulier que ne rend jamais fidèlement la traduction en vers, se traînant avec peine, enchaînée qu'elle est par le rhythme, à la suite de la pensée » (2). Si Heine est déçu par les résultats navrants, où aboutissent les efforts de ses propres traducteurs, il dissimule son désappointement sous une déclaration fort sommaire, qui, par sa légèreté paraît assez surprenante chez un poète : « C'est toujours une entreprise très-hasardée que de reproduire dans la prose d'un idiome roman une œuvre métrique qui appartient à une langue de souche germanique. La pensée intime de l'original s'évapore facilement dans la traduction, et il ne reste que du clair de lune empaillé, comme a dit une méchante personne qui se moquait de mes poésies traduites (3). »

9. Cependant, tant d'indifférence affichée cache mal deux tares sérieuses : d'une part l'échec linguistique d'un poète, dont l'ambition était de devenir un auteur bilingue, mais qui, malgré ses efforts désespérés, ne parvint jamais à écrire un français même tolérable (échec dont témoignent ses lettres rédigées en français) ; d'autre part, l'incompréhension totale de Heine pour tout ce qui est poésie ou métrique françaises. De son vivant, ce « médiateur » entre la France et l'Allemagne réussit assez bien à mystifier le

(1) HEINE, *Poëmes et légendes*, préface du 25 juin 1855, p. IX.
(2) HEINE, *De l'Angleterre*, p. 34.
(3) HEINE, *Poëmes et légendes*, Préface, p. IX.

public allemand, en répandant le mythe de ses accomplis-
sements comme écrivain bilingue. Mais il n'y réussit quand
même pas tout à fait. Joseph Mendelssohn, correspondant
à Paris de l'*Abendzeitung*, présenté à Heine par Alexandre
Weill, au cours de l'été 1839, s'exprime le 25 février 1841,
sur ces prétentions du poète : « De toute sa vie, Henri
Heine n'a jamais écrit une seule ligne de français avec
l'idée de la publier, et il ne le fera jamais, pour la simple
raison qu'il en est, et qu'il en sera toujours incapable (1). »
Le jugement de Weill n'est guère plus favorable : « Henri
Heine », écrit-il dans ses *Souvenirs*, « ne savait pas le français grammaticalement. Il ne savait pas faire marcher de
pair le subjonctif avec l'indicatif, ni sexuer les participes
selon le régime direct ou indirect » (2). Ajoutons que, dans
sa correspondance en français abondent les lourdeurs allemandes, les inversions et les structures défectueuses, les
fautes de grammaire et d'orthographe. Dans la préface des
Poëmes et Légendes, Heine reconnaît sa dette envers Gérard
de Nerval. Il ne peut d'ailleurs point agir autrement, car
même si le public ne se souvient plus des adaptations de
l'*Intermezzo* et de *La mer du Nord*, faites par Nerval entre
1840 et 1848, et publiées dans la *Revue des Deux Mondes*,
ces traductions parurent cette même année de 1855 dans
Aurélia, ou le Rêve et la Vie. Mais Heine ne dit rien des
traductions que lui fournissent Marmier, Grenier, Taillandier et quelques autres collaborateurs de Buloz. On sait à
quoi s'en tenir, lorsqu'il explique un peu lestement :
« ... je pris le parti de rassembler ici seulement les poésies
que j'avais traduites [sic] dans mes heureux loisirs d'autrefois, et d'y ajouter [sic] celles qu'à différentes époques
j'avais publiées dans des revues en collaboration [sic] avec
des amis qui possédaient à la fois l'art du style et celui de

---

(1) Alfred SCHELLENBERG, *Heinrich Heines französische Prosawerke*,
Ebering, Berlin, 1921, p. 19.
(2) *Souvenirs intimes de Henri Heine par Alexandre Weill*, Dentu, Paris,
1883, p. 96.

la patience, art plus rare encore » (1). Un coup d'œil sur
ces traductions suffit à nous montrer que les amis en question possédaient, en effet, à un plus haut degré l'art de la
patience que celui du style... Mais il faut dire, à leur
décharge, qu'on ne pourrait guère aller plus loin que Heine
dans cet autre art qui consiste à froisser ses amis et à mettre
leur patience à l'épreuve.

En somme, le français ne sera donc jamais, pour Heine,
qu'une langue étrangère, qu'il aura mal apprise, qu'il
parlera avec difficulté, et qu'il ne saura pas écrire correc-
tement. Mais une langue aussi, dans laquelle il saura
trouver, au moment opportun, le mot juste et la pointe
qui blesse. Cependant, il lui manque le don de sentir la
poésie française. Les finesses du rythme et du nombre,
particulières à cette langue par lui si mal apprise, lui
échappent entièrement. Le mètre et la musique du vers
syllabique se refusent à son oreille, qui n'est accoutumée
qu'à la chute plus marquée et aux mouvements plus ondu-
lants des trochées et des ïambes allemands. Sourd à la
longueur des nasales, aux nuances des voyelles et des
consonnes, Heine reste aussi insensible aux changements
de rythme que produisent dans le vers français un déplace-
ment ingénieux de la césure, les enjambements et les
contre-rejets. Il ne connaît « rien qui puisse égaler en mauvais goût la métrique française : cet art de peindre avec
les images... » (2). Ne trouvant point au vers français ce
martèlement que les « pieds » d'une longueur variée prêtent
à tant de poésies allemandes, il conclut que les acteurs
français « sont obligés d'énoncer les vers d'une manière
si saccadée qu'on les prendrait pour de la prose. Mais
pourquoi alors », ajoute-t-il, « les vains efforts de la versification ? » (3). Apparemment il se représente celle-ci
comme un exercice d'écolier, ou un ensemble de règles

---

(1) HEINE, *Poëmes et légendes*, Préface, p. v.
(2) *Memoiren*, ELSTER, vol. VII, p. 462.
(3) *Ibid., loc. cit.*

arithmétiques aboutissant à l'équation de l'alexandrin.
Incapable de distinguer entre l'alexandrin classique et
l'alexandrin romantique, Heine se moque des poètes français qui, au lieu de faire vibrer dans leurs vers les accents
de la nature et les battements du cœur, se résignent à
compter méticuleusement les syllabes. Ajoutant çà et là
un mot superflu, enlevant ailleurs des paroles nécessaires,
pour en arriver au nombre prescrit, au compte exact de
syllabes, ils ressemblent à Procuste allongeant ou coupant
les pieds de ses victimes, pour conformer leur taille à la
mesure du lit où il les couche : « C'est sans doute Procuste
qui a inventé [la métrique française], véritable camisole
de force appliquée à des pensées si ternes qu'elles n'en
auraient vraiment pas besoin (1). » Également ridicule
lui paraît ce principe qui veut que la beauté du poème
résulte d'un triomphe du poète sur les difficultés. L'alexandrin n'est pour Heine qu'une « éructation rimée » (2) ;
depuis son séjour au lycée français de Düsseldorf, il déteste
ce mètre qui lui paraît l'antithèse même de la poésie :
un mètre mécanique et sans naturel, bourré de rhétorique
et de paraphrases pittoresques, monotone et aboutissant
presque inévitablement à la cheville. Même les Français
(ose-t-il affirmer) « ont toujours senti la perversité exécrable
de ce mètre ; perversité autrement monstrueuse que les
vices contre nature de Sodome et Gomorrhe » (3). Ailleurs,
dans un texte de *Lutèce*, prudemment omis dans la version
française, Heine parle de « l'alexandrin contre nature,
scandé sur un ton pathétique de dinde », auquel il oppose
les « mètres innés, vrais et naturels de la langue allemande ».
Le vers français, « ce fromage blanc parfumé » lui est « insupportable » (4). Et il ajoute : « Je peux à peine supporter

---

(1) *Ibid., loc. cit.*
(2) *Ibid., loc. cit.*
(3) *Ibid., loc. cit.*
(4) *Lutezia*, II. Teil, Retrospektive Aufklärung (août 1854), Elster,
vol. VI, p. 391.

leurs poètes sans odeur et un peu meilleurs que les autres. Quand je considère cette soi-disant poésie lyrique des Français, je comprends soudainement toutes les splendeurs de l'art poétique allemand, etc... (1) »

Il y a donc, de la part de Heine, un manque total de compréhension pour la prosodie française. Ou du moins pour tout ce qui est prosodie française, classique et de son époque. Car pour ce qui est de la poésie française, Heine devance son temps. Peut-être aurait-il jugé avec moins de sévérité certains poètes parnassiens et symbolistes, tels que Banville, Verlaine et Laforgue dont, à beaucoup d'égards, il était le précurseur. Malgré toutes les différences de tempérament, Heine se rapproche par certains aspects de son œuvre, de l'esthétique que formule Verlaine. Car, en dépit de leur tour épigrammatique, les chants de Heine anticipent les demandes qu'adresse au lyrisme l'art poétique de Verlaine. Exprimant « la Nuance, rien que la nuance » et joignant l' « Indécis au précis », la volupté à la mélancolie, le frisson intime au langage familier et souvent discordant, la poésie de Heine, « de la musique avant toute chose », s'éloigne en effet de tout ce qui n'est que de la littérature. Heine pense sans doute à sa propre œuvre poétique, quand il attribue au génie de Shakespeare cette « simplicité qui rivalise avec la nature sans fard », et une « belle et sublime nudité » de langage (2) ; qualités d'un lyrisme très personnel qu'immoleraient le pathos et l'éloquence de l'alexandrin. La majesté de ce mètre si cérémonieux et toujours un peu officiel (au moins se présente-t-il ainsi à l'esprit de Heine), majesté à peine atténuée par la prosodie romantique, semble se refuser à tout contenu subjectif. Le satiriste en Heine ne manque point de mettre le doigt sur la grande faiblesse de l'alexandrin : que, même sous la plume d'un poète adroit, ce mètre tourne facilement à la routine, dégé-

---

(1) *Ibid.*, *loc. cit.*
(2) HEINE, *De l'Angleterre*, p. 33-34.

nérant alors en une sorte de ronron saccadé, pathétique, plat
et ronflant (1). Mais on devine aussi sous ses affirmations
exaspérantes un désespoir devenu militant. Ne voulant pas
seulement passer pour bilingue, mais encore se révéler au
public français comme un poète de premier ordre, Heine
reconnaît que, faute d'une versification plus flexible, son
génie poétique ne sera jamais apprécié à sa juste valeur en
France. La musique intérieure et les rythmes populaires
de ses chants, lui semble-t-il, échapperaient pour toujours
à la « monotonie » du vers syllabique. Lui qui aime faire
ressortir sa satire par des fantaisies de versification — un
de ses jeux favoris consiste à souligner par le vers boîteux
auquel manque un pied, le ridicule d'une situation — il
s'aperçoit à regret que le caractère capricieux de sa poésie
ne s'adapterait jamais aux contraintes rigides de la versification française. Pour toutes ces raisons, Heine semble
se résigner à faire traduire ses poésies dans une prose qui,
sans pouvoir rendre la musique de ses vers, laisse au moins
intactes sa pensée, ses métaphores et ses boutades.

10. Même sous cette forme rudimentaire, l'œuvre de
Heine a exercé une certaine influence sur la poésie française. Il fallait pour qu'on aboutît à un lyrisme plus approfondi, un grand ébranlement de la sensibilité et des imaginations, une refonte de toutes les valeurs, et la découverte
de la misère intérieure de l'homme moderne. Pour que pût
se produire dans la littérature un nouveau climat, violent,
cruel, ironique et plein d'amertume, il fallait d'abord
dégonfler le vide théâtral des grandes attitudes et des
grands sentiments. Heine a eu le mérite de déblayer le
terrain pour la nouvelle manière de sentir qui surgit dans
la littérature française avec la poésie dite (faute de mieux)

---

(1) Cette critique pourrait s'appliquer avec plus de justesse aux ineptes
imitateurs d'Opitz. Il paraît que Heine transpose sur le plan de la poésie
française son préjugé contre ces poètes baroques allemands qui, à la fin du
xviie siècle, et au début du xviiie, rimaillaient en alexandrins.

symboliste, et déjà un peu chez le Flaubert de *La tentation de saint Antoine, Salammbô, Madame Bovary* et *L'éducation sentimentale*. Mêlant la bouffonnerie à l'amertume, et l'ironie à la tendresse, Heine crée un nouveau lyrisme ambigu et cryptique, qui exprime le tourment du poète moderne, prisonnier d'un rêve stérile de sensualité et de cruauté ; rêve pour toujours irréalisable, et dont la violence menace à tout instant de déborder le cadre de la poésie. Les poèmes d'amour de Heine présentent en effet le paradoxe d'un lyrisme qui fait la satire de l'amour et de la femme. Joignant l'épigramme cinglante aux épanchements d'un cœur tourmenté, Heine porte le coup de grâce au mensonge d'un amour trop innocent, trop noble et trop magnanime, tel qu'il languit dans la poésie romantique. A la fin du 2e *Faust*, Gœthe exalte l'amour profane, transfiguré en amour sacré, comme une force de rédemption ; l'éternel féminin qui nous attire se révèle comme le mystère suprême, comme une promesse d'éternelles joies célestes. La poésie de Heine offre à l'amour un miroir où se reflètent les flammes de l'enfer ; au milieu de cet enfer trône dans la nudité lubrique de son sadisme riant la femme-mauvais ange, sphinx cruel, et promesse de toutes les souffrances de la damnation. Les petits chants cruels de l'*Intermezzo* et du *Retour*, où l'érotisme à peine dissimulé s'accouple avec la misogynie du jouisseur toujours insatisfait, ébauchent déjà le portrait de la femme sadique et sans merci, telle qu'elle apparaîtra sous la forme d'Hérodiade dans *Atta Troll* :

> In den Händen trägt sie immer
> Jene Schüssel mit dem Haupte
> Des Johannes, und sie küsst es ;
> Ja, sie küsst das Haupt mit Inbrunst (1).

---

(1) *Atta Troll*, XIX : « Elle porte toujours dans ses mains le plat où se trouve la tête de Jean-Baptiste, et elle le baise ; — oui, elle baise avec ferveur cette tête morte. » *Poëmes et légendes*, p. 52.

L'amour secret d'Hérodiade pour saint Jean-Baptiste, librement inventé par Heine, est un thème psychologique qui fera fortune dans la littérature du xixᵉ siècle. Diablesse qui s'ignore, démon au sourire angélique, Hérodiade paraît chez Heine déjà dans toute cette splendeur surchargée de Byzance, qui caractérise *L'apparition* de Moreau et la *Salomé* de Wilde. C'est chez Heine que, selon Mario Praz et Kurt Wais (1), Mallarmé prend l'inspiration de son *Hérodiade*. Mais si chez Heine il y a déjà, ébauchée dans les détails, la nouvelle conception d'un amour stérile, froid, cruel, infernal et sadique : l'atmosphère qui baigne son récit manque de solennité et d'un certain ton grave, cérémonieux, rituel. On sent que tout cela n'est pas encore très sérieux ; mais sous la bouffonnerie, on perçoit déjà les frissons d'une nouvelle angoisse. D'une manière grossière, l'épisode d'Hérodiade dans *Atta Troll* montre comme un état embryonnaire de cette nouvelle sensibilité, telle qu'elle se manifestera, infiniment subtile, dans l'*Hérodiade* de Mallarmé, dans la description par Huysmans *(A Rebours)* de *L'apparition* de Moreau (description qui est comme un écho éloquent de l'ouvrage de Mallarmé), et, moins subtile, dans l'*Ève future* de Villiers de L'Isle-Adam. Chez les symbolistes, la femme-idole, d'une beauté inhumaine et supra-terrestre, devient meurtrière et se laisse mourir pour venger le mensonge deviné de sa chasteté, ce voile cachant à tous — sauf à elle-même et à celui qui, pour l'avoir levé, doit mourir — le feu ravageur de ses désirs brûlants.

Heine est conscient de sa « double mission de destructeur-initiateur » ; il sait que « l'ancienne école lyrique allemande a pris fin avec [lui], tandis qu'[il inaugurait] en même temps la nouvelle école, la poésie lyrique moderne de l'Allemagne » (2). Mais il ne se rend compte ni des mouvements qui commencent avec sa poésie, ni des consé-

---

(1) Mario Praz, *op. cit.*, p. 299 sqq. — Kurt Wais, *Mallarmé, ein Dichter des Jahrhundert-Endes*, Beck, München, 1938, p. 104.

(2) Heine, *De l'Allemagne*, vol. II p. 244.

quences indirectes qu'aura, tant en France qu'en Allemagne, le coup par lui porté à la sensibilité romantique.
Le nouveau dérèglement des sens et de l'imagination est
chez lui encore marqué de ces bravades exagérées et souvent
insipides, qui caractérisent parfois les premiers pas encore
gauches et indécis du novateur. Heine ignore que sa révolte
contre les valeurs trop chrétiennes du romantisme allemand
constitue un acte, dans sa gravité, irréparable. Quand
Heine enlève le couvercle de cette boîte de Pandore d'où
il espère faire sortir la nouvelle innocence sensuelle, il ne se
soucie pas du fait qu'il libère en même temps un nouvel
esprit d'inhumanité, de violence et de cruauté, auquel se
mêle tout ce remords écrasant qui est le legs du christianisme. Le geste de Heine est spontané, né d'une pétulance
et d'une curiosité d'enfant terrible ; mais même s'il eût
été un résultat de la réflexion, Heine aurait omis dans son
compte, la part du passé : on n'efface point par un coup de
tête l'héritage psychologique de presque vingt siècles.
C'est seulement chez Mallarmé que se révèle tout le raffinement cruel de la nouvelle manière de sentir. Mallarmé
nous en montre toute la splendeur dans le portrait d'une
Hérodiade qui, vierge fière, tourmentée par sa virginité,
plongée dans l'enfer du narcissisme et des évocations
égotistes, prend soudainement en horreur sa propre chair
à « jamais inassouvie ». Sous cette forme ésotérique, la
hantise d'une sensualité stérile où se joint l'insaisissable
spectre du remords chrétien, se transfigurent en malédiction. Huysmans donne peut-être l'exemple le plus
inquiétant d'une sensualité poussée à l'extrême, qui,
s'épuisant dans un rêve d'impuissance, aboutit par un
curieux revirement religieux, à un enfer sans issue, au
dégoût d'elle-même. C'est le terme de cette voie frayée
par une réhabilitation naïve de la chair, telle que la réclame
l'œuvre de Heine. Réhabilitation comme telle, ratée ; mais
aussi échec d'une tentative hardie qui s'ouvre sur l'infinie
perspective de la poésie moderne. Ajoutons qu'en Angle-

terre, d'abord mécomprise par Matthew Arnold, la nouvelle
sensibilité sombrera ensuite dans l'équivoque de la laideur
sentimentale, devenant chez Wilde *(Salomé)* et Beardsley
une hideuse caricature d'elle-même.

Dans son excellente étude sur *Le lied allemand et ses
traductions poétiques en France*, Edmond Duméril montre
en détail l'influence directe exercée par les « chants » de
Heine sur Gautier, Banville, Leconte de Lisle, Baudelaire,
Mendès, Dierx, Coppée, Valade, Mérat, de Lacour (Ristelhuber) et Ratisbonne (1). En Verlaine, Duméril voit
l'intermédiaire entre le *lied* de Heine et les symbolistes.
Il reconnaît que, « à part quelques ballades sans cesse
reprises depuis 1820, les traductions des lieds de Heine
étaient les seules qui eussent vraiment exercé une emprise
sur le grand public amateur de poésie » (2). Si Duméril ne
voit pas très clairement les rapports qui s'établissent entre
l'art poétique de Heine et certains concepts de Mallarmé,
la faute en est au sujet limité d'une étude consacrée au seul
genre du *lied*. On se demande cependant, pourquoi Duméril
néglige le *Conte d'amour* de Villiers de L'Isle-Adam (3), cycle
de sept poèmes dont six en vers octosyllabes, qui se rapproche curieusement du climat de l'*Intermezzo*. Villiers
lui-même fait valoir cette affinité, plaçant en tête du *Conte
d'amour* quelques vers tirés d'un poème de l'*Intermezzo*
(XXVII, version française de Nerval, XXV). L'intention
de Villiers se révèle au premier coup d'œil : à l'exemple de
Heine, il veut faire évoluer, dans le cadre de quelques
poèmes épigrammatiques, tout un petit roman d'amour.
Pareil à l'*Intermezzo*, le cycle parcourt (un peu trop rapidement, car il manque à Villiers le grand souffle) les phases
d'un amour, qui, dominé par l'image bien connue de la

(1) E. Duméril, *Le lied allemand et ses traductions poétiques en France*,
Champion, Paris, 1934, p. 310-318, p. 263.

(2) *Ibid.*, p. 363.

(3) *Contes cruels*, Calmann-Lévy, Paris, 1883, p. 302-308. Cinq de ces
poèmes datent de l'époque de 1862-1868.

vierge cruelle, est voué d'avance à l'échec. Les titres des
poèmes suffisent à indiquer, par leur succession même, le
cours que prennent les événements (1) ; cours que nous
devinons, comme chez Heine, par la peinture des sentiments
du poète. Ceux-ci vont d'un enthousiasme tendre jusqu'à
l'ironie sadique qu'inspire au poète le désenchantement
d'un amour mort avant même qu'il n'ait pu éclore. L'imitation est parfaite ; à part quelques alexandrins d'une
allure baudelairienne (IV, *Au bord de la mer*), Villiers se
conforme au mètre court et intime, et aux tours rapides
de Heine. La fin rappelle l'ironie du poète allemand, qui
s'élève (en s'en moquant cruellement) au-dessus des
débris de ses souvenirs sentimentaux :

> Tu crois au retour sur les pas ?
> Que les seuls sens font les ivresses ?...
> Or, je bâillais en tes caresses :
> Tu ne ressusciteras pas (2).

11. Il nous reste quelques mots à dire sur la contri-
bution faite à l'art de la poésie par Heine journaliste.
Comme prosateur, Heine a toutes les qualités et tous les
défauts du bon feuilletoniste. S'il écrit à la ligne et au jour le
jour, il a en même temps le don si rare de plier au gré de son
talent et de son imagination ce nouveau moyen d'expression
littéraire (tombant si souvent dans la pseudo-littérature)
qu'est le feuilleton. A l'époque, presque tous les auteurs
de renom, de Balzac et Hugo à Soulié, Nodier et Janin,
font paraître au moins quelques-uns de leurs ouvrages,
soit en fascicules, soit dans les journaux et les revues.
Heine est le feuilletoniste né. Pleins de brio et de vivacité,
souvent amusants aux prix de la véracité, ses ouvrages
de longue haleine *(De l'Allemagne*, les *Reisebilder)* — faits
comme sur commande pour les feuilles mondaines —

---

(1) I, *Éblouissement*, II, *Aveu*, III, *Les présents*, IV, *Au bord de la mer*, V,
Réveil, VI, *Adieu*, VII, *Rencontre*.
(2) VILLIERS DE L'ISLE-ADAM, *op. cit.*, VII, Rencontre, p. 308.

trahissent par leurs digressions polémiques, l'esprit sautillant d'un auteur fantaisiste, qui, incapable de faire un
effort de recherche soutenu, mêle ses intuitions aux faits
et se livre presque entièrement à l'impression fugitive.
D'où un style vif, plein de lyrisme, d'ironie, qui se plaît
dans l'arabesque. Style qui traduit spontanément les idées
en images plastiques, saisissantes, et le plus souvent d'un
grotesque fort original. Heine critique avait présenté au
public français, depuis 1833, une étrange caricature de
l'esthétique du romantisme allemand. Cependant, même
sous ce travestissement bigarré, les idées des romantiques
allemands avaient laissé leur empreinte sur la vie littéraire
française. Car, au milieu des débauches de la polémique
et de l'imagination, la peinture de Heine reste très réaliste.
Dans sa prose, Heine mêle la poésie au journalisme ; mais
à son tour, le journalisme féconde sa poésie. Heine feuilletoniste, reste poète, tout comme Heine poète, se ressent
toujours de la fréquentation des salles de rédaction.

C'est ainsi qu'il mêle le mélodrame au récit poétique,
et le fait divers à la satire sociale. L'élément positif d'une
narration impersonnelle, ôtant à la pitié sociale (au moins
en apparence) tout vestige de sentimentalité, produit par
sa sécheresse même et son ironie cruelle un effet bien plus
poignant que la peinture chargée d'un Victor Hugo romancier ou d'un Eugène Sue. *Jammertal* (vallée de misère),
publié en 1857, un an après la mort du poète, est peut-être
le meilleur exemple de ce procédé d'un journaliste-poète.
Le thème, d'une trivialité navrante, fournit à Heine le
sujet d'une vignette satirique, exécutée dans le meilleur
goût et avec maîtrise : on assiste à la découverte d'un
jeune homme et de sa maîtresse, morts de faim dans leur
mansarde :

> Am Morgen kam der Kommissär,
> Und mit ihm kam ein braver
> Chirurgus, welcher konstatiert
> Den Tod der beiden Kadaver.

> Die strenge Wittrung, erklärte er,
> Mit Magenleere vereinigt,
> Hat beider Ableben verursacht, sie hat
> Zum mindestens solches beschleunigt (1).

Par ses enjambements et ses contre-rejets, la longueur
excessive de certains pieds, et surtout par la quantité des
termes pédantesques [« welcher », « konstatiert », « zum
mindestens » *(sic)*], par les litotes laides et impersonnelles,
qui rentrent dans le ton réaliste du procès-verbal [« Tod
der beiden Kadaver », « strenge Wittrung », « Magenleere »,
« Ableben », « beschleunigt »] ce style frôle la prose. L'intention satirique ressort avec cruauté du dernier quatrain :

> Wenn Fröste eintreten, setzt' er hinzu,
> Sei höchst notwendig Verwahrung
> Durch wollene Decken ; er empfahl
> Gleichfalls gesunde Nahrung (2).

A la peinture d'un pédantisme officiel et inhumain se
joint ici la condamnation d'une société dont la morale est
dictée par les bien-pensants. C'est dans cette critique de la
bourgeoisie que Heine verse tout le fiel de son ironie : il
montre une moralité dont les assises seraient l'avarice,
l'égoïsme, la complaisance et la fausse charité (voir, à cet
égard, *Der Philanthrop*) ; une moralité incapable de générosité, mais toujours prête à donner de bons conseils quand
il est trop tard. La satire de l'amour s'ajoute à la satire
sociale : dénuant de leur grandeur romantique les thèmes
de l'amour et de la mort, Heine leur prête un relief tout
moderne, mêlant à leurs angoisses le nouveau pathos de
la laideur et des misères dont s'accompagne pour le pauvre

---

(1) ELSTER, II, p. 124. « Le lendemain vint le commissaire de police, et avec
lui vint un brave chirurgien qui constata la mort des deux cadavres.

« L'intempérance du climat, déclara celui-ci, jointe à l'estomac vide, a causé
le décès des deux individus ou, du moins, l'a accéléré. »

(2) « Quand vient la gelée hivernale, ajouta [le chirurgien], la protection
offerte par les couvertures de laine devient une nécessité ; il recommanda en
même temps des aliments fortifiants. »

la vie dans les grandes villes. Ce pathos qui est celui de
Villiers de L'Isle-Adam, le pathos du conte cruel, ressort
dans la poésie de Heine de cette nuance de journalisme,
dont le secret stylistique consiste en un récit sec et imper-
sonnel, marqué jusque dans ses moindres détails d'une
précision réaliste. L'ensemble des détails se passe de tout
commentaire ; les sentiments du poète s'expliquent par
les faits narrés et s'imposent au lecteur par la seule force
de la suggestion. On retrouve ce même procédé dans
certaines poésies du jeune Mallarmé, telle *Galanterie
macabre*, description « funèbrement grotesque » des funé-
railles d'une prostituée. Mallarmé joint au réalisme et à la
satire sociale qu'on rencontre chez Heine, ses souvenirs
du macabre baudelairien, une nuance de sensibilité à la
Poë, et un soupçon de sentimentalité à la Hugo :

> Une femme, très jeune, une pauvresse, presque
> En gésine, était morte en un bouge noirci.
>
> — Sans sacrements et comme un chien — dit sa voisine...
> . . . .
> Voilà. — Jusqu'ici rien : il est permis qu'on meure
> Pauvre, un jour qu'il fait sale, et qu'un enfant de chœur
> Ouvre son parapluie, et, sans qu'un chien vous pleure,
> Expédie au galop votre convoi moqueur (1).

12. On a souvent désapprouvé cette manière de Heine
qui consiste à mêler le journalisme à la poésie. Un poète
éminent et, malgré ses campagnes exterminatrices contre
la grande presse quotidienne, journaliste habile lui-même,
Karl Kraus, reproche à Heine ses procédés faciles de feuilletoniste. Par sa critique, il lui aliène l'estime de plusieurs

---

(1) MALLARMÉ, *Œuvres complètes*, Pléiade, p. 15. — Signalons en passant la
ressemblance frappante que porte la structure de *Contre un poète parisien* (1861)
avec les procédés de Heine. Mallarmé débute par le portrait du poète
idéal, *Ange à cuirasse fauve*, porteur de la mitre byzantine, ou bien un *Dante,
au laurier amer*, un *Anacréon, tout nu*, un bohème « fou d'azur » ; mais sa
vision se termine brusquement sur un désenchantement à la Heine, tel que le
lui inspire des Essarts, *Un poète qui polke avec un habit noir*.

générations d'intellectuels allemands et autrichiens. Son pamphlet, *Heine und die Folgen* (1), juste à certains égards mais dans l'ensemble fort arbitraire, parut à un moment où, en Allemagne et en Autriche, la légion des épigones ineptes prolongeait péniblement le dilettantisme de Heine. Dans *L'apothicaire de Chamounix* (inspiré du *Romancero*), Gottfried Keller avait déjà sévèrement attaqué certains aspects creux de l'œuvre de Heine, pour ensuite entonner l'éloge de Lessing et Schiller. Mais Keller ne réagit que tardivement contre l'influence de Heine dont se ressent sa propre œuvre de jeunesse. Néanmoins, il reconnaît en Heine un artiste de premier ordre et un poète lyrique de génie. Kraus s'acharne avec raison contre les conséquences que produisirent pour les feuilletons de la grande presse et dans les salons et les cafés littéraires de Vienne, les recettes provenant de la cuisine de Heine. Mais il fait tort au poète lui-même, dont toute la manière lui est antipathique. Les images de Heine, le ton populaire, et l'humour souvent vulgaire qui se mêlent à cette poésie, répugnent au goût aristocratique de Kraus. Les thèmes symbolistes du cygne, de l'exil, de la chevelure et du blanc nénuphar, encore indécis et souvent trempés dans une sentimentalité de bas étage, se montrent à Kraus, tels qu'ils surgissent dans la poésie de Heine, sous un jour défavorable. Kraus n'y voit que du truqué ; une chasse avide aux sensations, et la recherche de l'effet sensationnel, par un écrivain plus feuilletoniste que poète.

Certes, il y a tout cela dans l'œuvre de Heine ; et par-dessus le marché, sur le plan politique et social un manque flagrant de conviction, de sincérité et de responsabilité ; comme, sur le plan humain beaucoup de vanité, d'immodestie et un certain penchant au gros mensonge, même au chantage. Mais il y a aussi autre chose. La grande poésie ne se fait guère à coups de convictions politiques, de sincé-

---

(1) K. KRAUS, *Heine und die Folgen*, A. Langen, München, 1910, 45 p.

rité dans les sentiments et de modestie. L'art est par définition, le contraire de la nature : un trompe-l'œil, qui
transpose à force d'artifices l'irréel sur le plan du vraisemblable ; c'est, pour tout dire, en grande partie un
ensemble de truquages. Il serait absurde de reprocher à
l'artiste l'emploi de tels moyens. Quand le poète feint
d'éprouver le rêve qui se reflète dans son œuvre, il ne fait
que son métier. Ce métier lui commande de transposer sur
un plan universel tout ce que l'imagination lui fait entrevoir
de l'existence humaine. Du reste, son imagination (sinon
l'expérience vécue ou observée) lui fait éprouver comme
une réalité ce qui dans son œuvre aboutit à l'effet d'une
tromperie adroite. Pour le poète aussi, il y a une responsabilité, une conviction et une sincérité : ce sont celles
de l'artiste consciencieux, qui obéit sans les trahir aux
demandes que fait à sa sensibilité et à sa maîtrise du style
un métier des plus exigeants. Si irresponsable, mensonger,
insincère et même maître-chanteur que fût l'homme, dans
ce domaine, qui est celui de l'art, Heine était sans reproche,
car il faisait selon les règles son métier de poète, enrichissant le lyrisme allemand d'une tonalité nouvelle, et
fécondant par son influence plus que nul autre poète
allemand (Gœthe mis à part), la poésie française du
XIXᵉ siècle.

13. Cependant, il manque à Heine une certaine gravité
de la pensée. C'est là la rançon de son tempérament ; Heine
est impressionniste, un bouffon enclin à la mélancolie, et
sa poésie s'en ressent. Elle garde son air de légèreté, même
quand elle sonde l'abîme de la souffrance universellement
humaine. C'est d'ailleurs ce qui fait son charme. On
aurait tort de blâmer chez Heine l'absence de tout fond
métaphysique, tout comme on aurait tort de reprocher à
Kant, à Stefan George (ou Kraus) de ne pas avoir écrit un
Livre des Chants. Si Heine transpose sur le plan poétique
certains procédés du journalisme, il le fait pour reculer, à sa

manière, les bornes imposées à la poésie lyrique. En bannissant de ses vers toute grandiloquence théâtrale, il purifie le lyrisme, et l'ouvre à des accents plus vrais, plus naturels, plus réalistes. Mêlant l'érotisme, la raillerie du dandy, le réalisme du détail précis, la fantaisie du romantique, le blasphème de l'enfant perdu, le tour ironique du pessimiste résigné et une certaine élégance badine à la plainte d'amour, au nocturne, à l'idylle, Heine modifie la poésie romantique, car il fait vibrer dans le vers le frisson de la vie moderne. Son rire moqueur, amer et discordant perce à fond les poses d'un faux héroïsme et d'une noblesse qui sonne creux. Son scepticisme un peu morbide fait que les émotions évoquées, par un repli inattendu, se retournent contre elles-mêmes, mettant en question leur propre durée, leur profondeur et jusqu'à leur existence même. A une sentimentalité apparente se joint ainsi le sourire ironique d'un poète, qui, se plaçant au-dessus de ses émotions, crève l'enflure des grands sentiments pour en montrer le vide. Cette ambiguïté, qui fait dégringoler les valeurs traditionnelles, désaxant ainsi le grand pathos, nous jette dans une angoisse plus vraie et en même temps plus pathétique : car, derrière la fausse grandeur en ruine et détrônée s'ouvre le gouffre de la futilité de l'existence humaine. L'ironie de Heine met en branle tout cet univers bourgeois dont dépendent cependant le poète lui-même et la postérité de son œuvre. Heine s'en doute, mais il accepte pleinement son rôle de destructeur-initiateur. Son ironie, symbole d'un exil volontaire, dissimule à peine le désespoir d'un poète qui choisit le rire pour ne pas pleurer. Remplaçant la foi aux forces surnaturelles par la découverte du néant, cette ironie de Heine annonce en même temps un nouveau climat littéraire, dominé par la hantise de « l'azur », par cette quête stérile d'un idéal inaccessible, qui pousse l'homme de génie (doutant de son génie) à dépasser l'homme pour réaliser sa divinité. Pour susciter la nouvelle sensibilité, il fallait d'abord faire table rase. Au terme du romantisme

allemand et débordant dans un avenir incertain, Heine,
nous semble-t-il, occupe une place privilégiée parmi ces
initiateurs qui aplanirent le terrain pour la nouvelle
manière de sentir. Son cynisme n'est que le côté négatif de
cette grande révolution nihiliste qui secoue la littérature
européenne. Avec Heine commence cette conscience cruelle
qui défend le retour aux valeurs déchues, regrettées, bien
sûr, mais aussi sombrées irrévocablement dans le passé.
Sur le plan esthétique, le grand bouleversement aboutira
au « dérèglement raisonné de tous les sens », commencé par
Sade, s'exprimant chez Hoffmann, Heine et Baudelaire
par le phénomène antique mais retrouvé de la synesthésie,
avant de trouver en Rimbaud son théoricien poétique
et expérimental. Désormais, comme les sens se correspondant ouvrent l'intuition à l'infini, s'effaceront aussi les
limites entre la prose et la poésie, et même celles qui
séparent les différents arts. La nouvelle moralité tragique,
intronisée par Baudelaire, Mallarmé, Verlaine, Villiers,
Lautréamont et Laforgue, surgira de la triple contradiction
constituée par la perte irréparable de la foi, le désir futile
de croire, et l'inaccessible idéal d'un surhomme, qui serait
à la fois homme-dieu et homme-satan. Au surhomme de
Nietzsche correspondra le « sur-art » de Wagner, la forme
bâtarde du *Musikdrama*. Mais malgré leur admiration (vraie
ou jouée) pour cet enfant-monstre des Muses — engendré
par Wagner — Baudelaire, Mallarmé et Verlaine cher-
cheront à aboutir par la seule poésie, et aboutiront en effet
à un art qui réunira, comme celui de Heine, dans le rythme
du vers ou de la prose poétique, les éléments du vague, de
la nuance, de la plasticité, du drame intérieur et psychologique, du lyrisme et de la musique.

BIBLIOGRAPHIE

Une bibliographie complète de Heine en France mériterait un volume entier. Le cadre de cet essai nous permet tout juste de dresser une chronologie des ouvrages de Heine parus en français, dont nous avons pu établir la date de publication. Cette liste reste d'autant plus imparfaite qu'elle ne comprend que les ouvrages de Heine publiés en France au xixe siècle, et qui seuls exercèrent une influence sur les Parnassiens et les Symbolistes. Nous avons cru inutile d'indiquer à nouveau les études critiques dont les titres paraissent dans nos notes ou à l'intérieur du texte. Pour une bibliographie détaillée de Heine, le lecteur fera bien de consulter :

Friedrich H. A. MEYER, *Verzeichnis einer Heinrich Heine-Bibliothek...*, Leipzig, Dyksche Buchhandlung, 1905-1910, 224 p.

Louis Paul BETZ, *Heine in Frankreich. Eine litteraturhistorische Untersuchung*, Zürich, A. Müller Verlag, 1895, 464 p. (thèse de doctorat).

Josef KÖRNER, *Bibliographisches Handbuch des deutschen Schrifttums*, Dritte...Auflage, Bern, A. Francke A. G., 1949, p. 372-375.

Alfred SCHELLENBERG, *Heinrich Heines französische Prosawerke*, « Germanische Studien... Heft 14 », Berlin, Emil Ebering, 1921, 86 p.

L'étude de Schellenberg est presque inutilisable, puisque, en matière de bibliographie, cet auteur se rend coupable de grosses négligences.

LISTE DES ABRÉVIATIONS

Briefe = Heinrich Heine, Briefe. Erste Gesamtausgabe... herausgegeben... von Friedrich Hirth. Mainz, Florian Kupferberg Verlag, 1950-1952. Parurent jusqu'ici : vol. I-III, correspondance complète de Heine, et vol. IV, premier volume de commentaires.

Elster = *Heinrich Heines Sämtliche Werke*, hrsg. ... Ernst Elster. Kritisch durchsehene und erläuterte Ausgabe, Leipzig und Wien, Bibliogr. Institut, s. d., 7 vol. (1re édition).

Walzel = *Heines Werke in zehn Bänden* unter Mitwirkung von Jonas Fränkel, Ludwig Krähe, Albert Letzmann und Julius Petersen hrsg. von Oskar Walzel, Leipzig, Insel Verlag, 1911-1915, 10 vol., *Registerband*.

Const.	*Le Constitutionnel.*
Ev.	*L'Événement.*
EL	*L'Europe littéraire.*
FL	*La France littéraire.*
JD	*Journal des débats.*
NRG	*Nouvelle revue germanique.*
RC	*Revue contemporaine.*
RDM	*Revue des Deux Mondes.*
R 19	*Revue du XIXe siècle.*
RF	*Revue française.*
RGF	*Revue germanique et française.*
RGM	*Revue et gazette musicale de Paris.*
RI	*Revue illustrée.*
RLPC	*Revue de Linguistique et de Philologie comparée.*
RP	*Revue de Paris*, Paris.
RP, B	*Revue de Paris*, Bruxelles, Louis Haumann & Cie.
RP, B 1	*Revue de Paris*, Bruxelles, H. Dumont.
RPo 19	*Revue poétique du XIXe siècle.*
RU, B	*Revue universelle*, Bruxelles.
Vol.	*Le voleur, gazette des journaux français*, Leipzig.

CHRONOLOGIE DES OUVRAGES DE HEINE
PARUS EN FRANÇAIS AU XIXᵉ SIÈCLE (1) :

1832, 15 juin : Excursion au Blocksberg et dans les montagnes du Hartz. Traduit de l'allemand de H. Heine par Loève-Veimars, *RDM*, t. 6, p. 605-634. [Elster, III, 13 sqq.]

juin (paru le 1ᵉʳ juillet) : Souvenirs de voyages, par Henri Heine. Premier article, *NRG*, t. 11, nᵒ 42, p. 156-172.

22 juillet : Littérature allemande. Henry Heyne. Fragmens de voyage. Premier extrait, traduit par M. Max Kaufmann, docteur en philosophie, *RP*, t. 40, p. 201 sqq.

Réimprimé : RP, B, 4ᵉ année, t. 4, p. 179-191.

juillet (paru le 1ᵉʳ août) : Souvenirs de voyages, par Henri Heine. Second article, *NRG*, t. 11, nᵒ 43, p. 213-229.

août : Littérature allemande. Henry Heyne. Fragmens de voyage. Deuxième extrait, traduit par ... Kaufmann, *RP*, t. 41, p. 5 sqq.

Réimprimé : RP, B, 4ᵉ année, t. 5, p. 37-46.

N. B. — Les deux séries de fragments, traduits par Kaufmann et publiés dans *RP* et *RP, B*, sont extraits des *Englische Fragmente.* [Elster, III, 431 sqq.]

15 sept. : Loève-Veimars, Histoire du Tambour Legrand. Fragmens traduits de H. Heine, *RDM*, t. 7, p. 592-622. [Elster, III, 127 sqq.]

octobre (paru le 1ᵉʳ nov.) : La mer du Nord, 1826, 3ᵉ article, *NRG*, t. 12, nᵒ 46, p. 141-161. [Elster, III, 89 sqq.]

15 déc. : H. Heine, Les bains de Lucques, traduits par M. Loève-Veimars, *RDM*, t. 8, p. 703-733. [Elster, III, 289 sqq.]

1833, 1ᵉʳ mars-24 mai : État actuel de la littérature en Allemagne depuis Mme de Staël, *EL*, nᵒˢ 1, 4, 6, 19, 23, 31, 36, 37, du 1ᵉʳ, 8, 13 mars, 12, 22 avril, 10, 22, 24 mai.

Réimprimé : RU, B, 1ʳᵉ année, t. 6, p. 280-292, 397-406 ; 2ᵉ année, t. 1, p. 51-56, p. 403-419 ; t. 2, p. 55-74.

---

(1) Autant que possible, nous indiquerons entre [ ] les textes allemands qui correspondent dans Elster ou Walzel à ces traductions.

[*Die Romantische Schule*, Elster, V, 205 sqq. *De
l'Allemagne*, Paris, Michel Lévy frères, 1855, vol. I,
IVe Partie et Ve Partie.]

juin : *De la France*, Paris, Eugène Renduel, in-8°, xxix-
347 p., Avertissement de l'éditeur, p. i-xxix, Préface
[signée], Paris, 18 octobre 1832. Henri Heine, p. 1-28.
[Elster, V, 1 sqq. : *Französische Zustände.*] Collection
d'articles écrits pour la *Gazette d'Augsbourg.*

26 déc. : Une préface. Henri Heine, *EL*, suppl., t. III.
Compère ! je vous conseille..., Paris, le 17 octobre 1833,
p. 49-57.

1834, 1er mars : De l'Allemagne depuis Luther. Première Partie :
La Révolution religieuse et Martin Luther, *RDM*, t. 1,
p. 473-505. [Elster, IV, 163 sqq. *Zur Geschichte der
Religion und Philosophie in Deutschland. De l'Alle-
magne*, nouv. éd., Paris, Calmann-Lévy, 1884, vol. I,
Ire Partie.]

mai : *Œuvres de Henri Heine*, Paris, Eugène Renduel :
T. II, *Reisebilder — Tableaux de voyage*, vii-384 p.,
p. i-vii : Préface, Paris, ce 20 mai 1834. Henri Heine ;
p. 5 : ... Voyage de Munich à Gênes [Elster, III,
211 sqq.] ; p. 165-280 : ... Les bains de Lucques [Elster,
III, 289 sqq.] ; p. 281-379 : ... La ville de Lucques
[Elster, III, 377 sqq.] ; p. 380-384 : Post-scriptum
[nov. 1830].

mai : T. III, *Reisebilder — Tableaux de voyage*, 416 p.,
p. 6-90 : Angleterre [Elster, III, 431 sqq.], 1828 ;
p. 91-208 : Les montagnes du Hartz, 1824 [Elster, III,
13 sqq.] ; p. 209-327 : Le tambour Legrand. Idées, 1826
[Elster, III, 127 sqq.] ; p. 329-416 : Schnabelewopski.
Fragment... [Elster, IV, 91 sqq.].

N. B. : T. I, probablement destiné aux poésies, ne
parut jamais.

T. IV, *De la France.* [Réimpression de l'éd. de 1833.]

15 nov. : De l'Allemagne depuis Luther. IIe Partie : Les
précurseurs de la révolution philosophique, Spinoza
et Lessing, *RDM*, t. 4, p. 373-408. [Elster, IV, 205 sqq.
De l'Allemagne, éd. cit., vol. I, IIe Partie.]

15 déc. : De l'Allemagne depuis Luther. IIIe Partie :
La révolution philosophique. Kant, Fichte, Schelling [Elster, IV, 247 sqq. *De l'Allemagne*, éd. cit.,
vol. I, IIIe Partie].

1835, mars : Esquisse autobiographique. Lettre de Henri Heine à Ph[ilarète] Chasles, *RP*, *B*, nouv. série, 1re année, t. 12, p. 303-315 ; p. 309-312, texte de la lettre de Heine, datée de Paris, « ce 15 janvier ».

mars : *Réimprimée : RP, B 1*, t. III, p. 267-278.

15 avril : *Œuvres de Henri Heine*, Eugène Renduel, Paris, 1835.

T. V : *De l'Allemagne*, I, xiii-328 p. ; p. i : Dédicace à Prosper Enfantin en Égypte. [Dans les années 40, Heine se détourne de « l'apôtre converti à la vie philistine ». La dédicace est supprimée dans les éditions faites par Michel Lévy frères et Calmann-Lévy] ; p. 1-328 : De l'Allemagne, Ire à IVe Parties comme dans l'édition Lévy.

T. VI : *De l'Allemagne*, Ve et VIe Parties, p. 1-205 ; p. 207 : Citations ; p. 209-217 : Frédéric le Grand et Gellert ; p. 219-231 : M. Victor Cousin ; p. 231-251 : Fragmens philosophiques, par V. Cousin... ; p. 253-278 : La vie de Holtey, par Voss ; p. 279-316 : Fragmens de Falk sur Gœthe. Table.

Littérature allemande. Poésies de Henri Heine, *FL*, t. XXI, p. 341-356. Traductions des poésies suivantes, faites par le marquis de Lagrange :

1. *Crépuscule (Abenddämmerung) ;*
2. *Questions (Fragen) ;*
3. *L'infortuné (Der Schiffbrüchige) ;*
4. *Le coucher du soleil (Untergang der Sonne) ;*
5. *Neptune (Poseidon) ;*
6. *Les dieux de la Grèce (Die Götter Griechenlands) ;*
7. *Déclaration d'amour (Erklärung) ;*
8. *La nuit sur la plage (Die Nacht am Strande) ;*
9. *L'orage (Gewitter) ;*
10. *Le calme (Meeresstille).* — [Poèmes tirés de *Die Nordsee*.]

26 sept. : Lettre du 26 septembre au *JD*. Cf. *Briefe*, vol. II, p. 98.

25 oct. : Traduction des *Deux grenadiers* par X. Marmier dans *RPo 19*, vol. II.

1836, 30 janv. : Lettre ouverte à la *Bundesversammlung*, « Messeigneurs... » [signée :] « Henri Heine, docteur en droit », *JD* [Walzel, VIII, 1].

15 avr. : Les nuits florentines, I, *RDM*, t. 6, p. 202-226.
1er mai : Les nuits florentines, II, *RDM*, t. 6, p. 325-351.
          Réimpression : RP, B 1, t. 4, p. 104-129, 289-316.

1838, 21 janv., 4 févr. : Lettres confidentielles, *RGM*, nos 3 et 5.
          [*Über die frz. Bühne*, I, II. Elster, IV, 489 sqq.]
          25 févr. : Lettres confidentielles... adressées à M. August
          Lewald, directeur de la Revue dramaturgique à Stutt-
          gard [*sic*]. *R 19*, t. V, livraison 8.
          4, 25 mars : Même titre, *R 19*, t. V, livraisons 9 et 10.
          [Elster, IV, 489 sqq.]

1839 (juin) : Une étude biographique sur Rahel von Varnhagen,
          selon Meyer (p. 58) dans no 10 ou 11 du *Panorama de
          l'Allemagne par une société d'hommes de lettres français
          et allemands, sous la direction de J. Savoye*, Paris,
          Bureau du *Panorama*, 24, rue Richer [?].

1840, janv. : William et Marie (Ratcliff), *RP* [?]. *Réimprimé :
          RP, B*, t. I, janvier 1840, p. 205-230. *Vol.*, no 6 du
          5 février 1840.
          13 mai : Lieder, traduits de H. Heine (par Adolphe Dupuy),
          Vol., no 20 du 13 mai 1840.
          9 juin : Lettre au *Const.*, datée « ce 7 juin 1840 » : Plusieurs
          journaux français...

1847, 15 mars : *Atta Troll*, rêve d'une nuit d'été, *RDM*, t. 17,
          p. 973-1006. Année de la publication originale en
          allemand, Hamburg, chez Hoffmann u. Campe. [Elster,
          II, 345 sqq.]

1848, 15 juill. : Les poésies de Henri Heine. Introduction par [le
          traducteur] Gérard de Nerval. Morceaux choisis de
          La mer du Nord et quelques *Romances*, *RDM*, p. 224-
          243.
          15 sept. : Les poésies de Henri Heine. *L'intermezzo*. Intro-
          duction par [le traducteur] G. de Nerval, *RDM*,
          p. 914-930.
          N. B. : Une lettre de Nerval à Heine (datée de
          Bruxelles, le 6 nov. 1840) indique qu'un tiers de ces
          traductions étaient déjà faites à cette époque-là. Au
          mois de mars 1848, la *Revue rétrospective* (no 3) publia
          les noms de ceux qui, sous la Monarchie de Juillet,
          avaient touché des « fonds secrets » du ministère des
          Affaires étrangères. Parmi les bénéficiers se trouve

Heine : « 1840, nov. et déc. : 800 fr. ; 1842 : 4.800 fr. ;
1845 : 4.800 fr. ; 1846 : 4.800 fr. ; 1847 : 4.800 fr. »
Heine ne pardonna jamais à Lamartine, ministre aux
Affaires étrangères, cette indiscrétion qui, par la crise
nerveuse où elle jeta le poète allemand, hâta le progrès
de sa paralysie. Nerval se solidarisa avec Heine et,
comme une preuve de son amitié, acheva (littéralement)
à son chevet la traduction des poésies publiées le
15 juillet et le 15 septembre 1848, dans la *RDM*.

1851, 15 oct. : *Romancero*, poésies inédites, *RDM*, p. 337-355.
Publié presque simultanément avec l'édition allemande,
qui contient la fameuse postface annonçant le « retour
à Dieu », datée le 30 septembre 1851. [Elster, I, 321 sqq.
« Nachwort », *ibid.*, 483.] La traduction est probablement par Taillandier.

1852, 15 févr. : Méphistophéla et la légende de Faust, *RDM*,
p. 635-663. [Elster, VI, 465 sqq.]
(fin) (daté 1853) : *Reisebilder, Tableaux et* [sic] *voyages*,
Paris, Victor Lecou, 1853. Réimpression inautorisée,
et pleine de fautes, de l'édition Renduel, 1834.

1853, 12 janv. : Au Rédacteur, lettre au *JD*, datée le 10 janv. 1853.
[Elster, VII, 539-540.] Répudiation de l'édition inau-
torisée des *Reisebilder*, chez Victor Lecou, Paris. [Voir
ci-dessus « 1852 (fin) ».]
1er avril : Les dieux en exil, *RDM*, p. 5-38.
Réimpressions : Les dieux en exil par Henri Heine,
Bruxelles, Librairie de Ch. Muquart... Même maison
à Leipzig et à Gand, 1853, 99 p.
Les dieux en exil par Henri Heine, Bruxelles,
Alphonse Lebègue, 1853, 99 p.
Les dieux en exil par Henri Heine [Bruxelles],
Lebroue & Cie, 1853.
Les dieux en exil par Henri Heine, Bruxelles,
B. Kiessling & Cie, Leipzig..., 1853, 92 p. [Imprimé
chez Lebroue & Cie.] [Elster, VI, 75 sqq.]

1854, 15 juill. : *Le retour*. Poésies de jeunesse, *RDM*, t. 7,
p. 354-376. Traduction probablement par Taillandier.
[Elster, I, 93 sqq. *Die Heimkehr.*]
15 sept. : Les aveux d'un poète (devient la Xe Partie,
vol. II, *De l'Allemagne*, moins l'introduction imprimée

dans *RDM*), *RDM*, t. 7, p. 1169-1206. [*Geständnisse*, Elster, VI, 15 sqq.]

1er nov. : Le livre de Lazare, *RDM*, t. 8, p. 538-558. Introduction par Taillandier [le traducteur probable].

1855, 9 févr. : *De l'Allemagne..., nouv. éd. entièrement revue et considérablement augmentée*, Paris, Michel Lévy frères, 2 vol., 2e éd., 1863 ; 3e éd., 1872; [?] éd., 1884.

    Vol. I : Ire Partie, De l'Allemagne jusqu'à Luther [Elster, IV, 163 sqq.] ; IIe Partie, ... de Luther jusqu'à Kant [Elster, IV, 205 sqq.] ; IIIe Partie, ... de Kant jusqu'à Hegel [Elster, IV, 247 sqq.] ; IVe Partie, La littérature jusqu'à la mort de Gœthe ; Ve Partie, Poètes romantiques [IVe et Ve Parties, Elster, V, 205 sqq.].

    Vol. II : VIe Partie, Réveil de la vie politique ; VIIe Partie, Traditions populaires [Elster, IV, 379 sqq.] ; VIIIe Partie, La légende de Faust [Elster, VI, 465 sqq.] ; IXe Partie, Aveux de l'auteur [Elster, VI, 15 sqq.].

13 avr. : *Lutèce. Lettres sur la vie politique, artistique et sociale en France*, Paris, Michel Lévy frères [Elster, VI, 129 sqq.], 2e éd., 1857 ; 3e éd., 1861 ; 4e éd., 1863 ; [?] éd., 1892.

4 juill. : *Poëmes et légendes*, Paris, Michel Lévy frères, 2e éd., 1861 ; 3e éd., 1864 ; nouv. éd., 1892.

    Préface de Heine, datée le 25 juin 1855 ; Atta Troll [Elster, II, 345 sqq.], avec une introduction de Heine, déc. 1846 ; Intermezzo [Elster, I, 63 sqq.], avec une Notice du traducteur [Nerval] ; La mer du Nord [Elster, I, 161 sqq.], avec une Notice du traducteur [Nerval] ; Nocturnes [*Traumbilder*, Elster, I, 13 sqq.] ; Feuilles volantes [Morceaux choisis] ; Germania, conte d'hiver [*Wintermärchen*, Elster, II, 423 sqq.] ; Romancero [Elster, I, 321 sqq.] ; Le livre de Lazare [Extraits de *Vermischte Gedichte*, et *Liebeslieder (Nachlese)*, Elster, II, *passim*].

15 sept. : Nouveau printemps, *RDM*, XXVe année, t. 11, p. 1296-1306. Traduit probablement par Taillandier. [Elster, I, 201 sqq.]

1857, 15 janv. : *De la France*, Paris, Michel Lévy frères, 2e éd., 1863 ; [?] éd., 1884. Préface de la nouv. éd. par Henri Julia. Préface de l'éd. allem. (18 oct. 1832) [Elster, V, 11-25]. Lettres écrites à la Gazette universelle d'Augs-

bourg (1831-32) [Elster, V, 11 sqq.] ; Fragments (1832).
Lettres confidentielles adressées à M. Aug. Lewald...
[Elster, IV, 489 sqq.], Salon de 1831 [Elster, IV, 23 sqq.].

 L'intermezzo, poème de Henri Heine, traduit en vers
français par Paul Ristelhuber, Paris, Poulet-Malassis.
 N. B. : A noter que cette adaptation de *L'intermezzo*
parut chez l'éditeur de Baudelaire, l'année même de la
publication des *Fleurs du mal.*

1858 :   *Reisebilder. Tableaux de voyage... Nouv. éd., revue,*
   ... augmentée et... précédée d'une étude sur Heine, par
   Théophile Gautier, Paris, Michel Lévy frères, 2 vol.
   [Elster, vol. III, *passim.*]

1861 :   Réimpression de la lettre à Ph. Chasles [*RP,*
   mars 1835], dans : Philarète Chasles, *Études sur*
   *l'Allemagne au XIX*e *siècle,* Amyot [?], Paris, 1861.
   [Henri Heine, p. 267-280.] Datée dans *RP*, le 15 janvier 1835 ; ici, le 11 janv. 1835.

1863, 1er déc. : L'intermède, imité on ne peut plus librement de
   L'intermezzo de Henri Heine, par A. Claveau, *RC.*
   1er déc. : Théâtre de Henri Heine. William Ratcliff, traduit
   par Catulle Mendès, *RF.*

1864, 1er mars : Fac-similé d'une lettre de Heine à Gozlan, s. d.,
   L'autographe [Paris], no 7.
   1er mai : Lettres de Henri Heine. Première Partie, 1820-
   1825, [traduites par] Ch. Berthoud, *RGF*, t. 29,
   p. 246-280. Extraits.
   1er août : Lettres de Henri Heine. Deuxième Partie,
   1825-1836 [traduites par] Ch. Berthoud, *RGF*, t. 30,
   p. 212-248. Extraits.
   12 déc. : *Drames et fantaisies,* Michel Lévy frères, Paris ;
   [?] éd., 1886. Introduction par Taillandier (cf. *RDM,*
   1er oct. 1863) ; Almansor [Elster, II, 249 sqq.] ; William
   Ratcliff [Elster, II, 311 sqq.] ; Le retour, poésies de
   jeunesse, avec une introduction par Taillandier [*Die*
   Heimkehr, Elster, I, 93 sqq.] ; Le rabbin de Bacharach
   [Elster, IV, 445 sqq.] ; Le romantisme [Elster, VII,
   149 sqq.].

1866, 29 oct. : *Correspondance inédite,* avec une préface et des
   notes [par Ch. Berthoud], Michel Lévy frères, Paris,
   1866 [faux titre], 1867 [couverture], 2 vol. : 1re série,
   1820-1828 ; 2e série, 1828-1842.

1867, 20 mai : *De tout un peu*, Michel Lévy frères, Paris, 1867 ;
[?] éd., 1890. Lettres de Berlin, 1821-1822 [Elster, VII,
176 sqq. et 560 sqq.] ; Morceaux de critique [Elster,
VII, 152 sqq., 171 sqq., 218 sqq., 224 sqq., 244 sqq.,
304 sqq., VI, 452 sqq.] ; Des Pyrénées [*Lutezia, Anhang*,
Elster, VI, 433 sqq.] ; La déesse Diane [Elster, VI,
99 sqq.] ; Le thé [Elster, VII, 278 sq.] ; La première
représentation des Huguenots [Elster, VII, 301 sqq.] ;
L'incendie de Hambourg [Elster, VII, 372 sq.] ; Esquisse
autobiographique (adressée à Ph. Chasles, sous la date
du 15 janv. 1835, cf. *RP*, mars 1835). — Ce volume
constitue un véritable fond de tiroir.

17 juin : *De l'Angleterre*, Paris, Michel Lévy frères, 1867.
Avertissement de l'éditeur, introduction par Heine ;
Les héroïnes de Shakespeare [Elster, V, 365 sqq.],
Fragments sur l'Angleterre [Elster, III, 431 sqq.].

1868, 14 mars : *Satires et portraits*, Paris, Michel Lévy frères,
1868 ; [?] éd., 1885. Avertissement des éditeurs ; Louis
Boerne [Elster, VII, 1 sqq.] ; Le dénonciateur [Elster,
IV, 305 sqq.] ; De la Pologne [Elster, VII, 188] ;
Victor Cousin.

11 juill. : *Allemands et Français*, Paris, Michel Lévy frères,
1868 ; 3e éd., 1882. De la noblesse allemande ; Lettre
écrite de Normandie [Elster, V, 189 sqq.] ; La pension
de Heine et sa prétendue naturalisation en France
[Walzel, X, 21 sqq.] ; Kahldorf [Elster, VII, 280 sqq.] ;
Le miroir des Souabes [Elster, VII, 324 sqq.] ; Les Jour-
nées de Juin [tiré des *Französische Zustände*] ; Salon
de 1833 [Elster, IV, 75 sqq.] ; Varia, Réforme des
prisons et législation pénale [Walzel, IX, 379] ; Testa-
ments de Henri Heine [Elster, VII, 512 sqq.].

1870, 15 janv. : Pensées et poésies détachées de Henri Heine,
RDM, p. 536-541. Extraits de Strodtmann, *Letzte
Gedichte und Gedanken von Heinrich Heine*, Hamburg,
Hoffmann u. Campe, 1869.

1873, juillet : Esthétique du vers allemand. Charles Wiener
RLPC, p. 1-42 ; p. 34 : Du bist wie eine Blume..., avec
traduction française.

1877 :   *Correspondance inédite de Henri Heine... Troisième
série*, Paris, Calmann-Lévy..., 1877. Correspondance,
1843-1855.

1880 :   *Nocturnes, poèmes imités de H. Heine*, par Léon Valade, Paris, Patay, 1880.

1884 :   *Intermezzo, poème d'après H. Heine*, par E. Vaughan et Ch. Tabaraud, Paris, Baillière & Messager.

2 févr. : Deux lettres de Heine (à Campe, oct. 1854, et à sa femme, 1855), *Ev*.

6 mai : *Mémoires*, traduction de J. Bourdeau, Paris, Calmann-Lévy, 1884. [Elster, VII, 453 sqq.]

[ou 1889 ?] : *L'intermezzo, poème d'après H. Heine*, traduction par Beltjens. [D'après Betz.]

1885, 20 févr. : *Poésies inédites*, Paris, Calmann-Lévy, 1885. (Choix de poésies prises dans tous les recueils allemands.)

1888 :   Pages posthumes de Henri Heine, *RI*, n°s 52, 54, 63.

1889 :   *Le tambour Legrand, suivi du voyage en Italie*, trad. nouv. de Camille Prieur, Paris, Dentu, 1889. [« Bibliothèque des chefs-d'œuvre français et étrangers, t. XLV. »]

Werther par Gœthe, traduction nouvelle de N. Fournier, précédée d'une étude sur Gœthe par Henri Heine, nouv. éd., Paris, Calmann-Lévy, 1889. Cette « étude sur Gœthe » provient du livre *De l'Allemagne*.

1890 :   *Le retour.* Traduction en vers français par J. Daniaux, avec une introduction par Marcel Prévost, Paris, A. Lemerre, 1890.

L'intermezzo, d'après le poème de H. Heine, de Guy Ropartz et P.-R. Hirsch, Paris, Librairie Alphonse Lemerre, 1890.

1892, 15 nov. : Pages posthumes de Henri Heine, *RI*.

1893 :   *Heine intime. Lettres inédites...* Notes biographiques et commentaires par [le] baron L. de Embden, éd. franç. par Gourowitch. Préface par Arsène Houssaye, Paris, Le Soudier, 1893.

1894 :   *L'intermède lyrique de Heine*, trad. poétique de J. de Tallenay, suivi de *Premières rimes*, Paris, Ollendorf, 1894.

Le nouveau printemps, Angélique, traduction par Daniaux. Paris, Librairie Alphonse Lemerre, 1894.

189- [?] : Henri Heine, *Atta Troll. Histoire d'un ours*, Paris, Henri Gautier [« Nouvelle Bibliothèque populaire »].

INDEX DES NOMS PROPRES CITÉS

TABLE DES MATIÈRES

DEUXIÈME PARTIE

L'IRONIE, LE BLASPHÈME ET LA FEMME

TROISIÈME PARTIE

« ROMANTIQUE DÉFROQUÉ »
ET ANNONCIATEUR DU SYMBOLISME FRANÇAIS

1954. — Imprimerie des Presses Universitaires de France. — Vendôme (France
ÉDIT. N° 23.576   IMP. N° 13.587